D0381342

Le Parti libéral du Québec

Vincent Lemieux

Le Parti libéral du Québec

Alliances, rivalités et neutralités

Les Presses
de l'Université Laval

Sainte-Foy, 1993

Les Presses de l'Université Laval reçoivent chaque année du Conseil des arts du Canada une subvention pour l'ensemble de leur programme de publication.

Cet ouvrage a été publié grâce à une subvention de la Fédération canadienne des sciences sociales, dont les fonds proviennent du Conseil de recherches en sciences humaines du Canada.

Données de catalogage avant publication (Canada)

Lemieux, Vincent, 1933-

Le Parti libéral du Québec : alliances, rivalités et neutralités

Comprend des réf. bibliogr.

ISBN 2-7637-7308-7

1. Parti libéral du Québec – Histoire. 2. Québec (Province) – Politique et gouvernement – 20e siècle. 3. Partis politiques – Québec (Province) – Histoire. I. Titre.

JL259.A54L44 1993 324.2714'06 C93-096197-8

Conception graphique : Norman Dupuis

Dépôt légal (Québec et Ottawa), 1er trimestre 1993
ISBN 2-7637-7308-7

Les Presses de l'Université Laval
Cité universitaire
Sainte-Foy (Québec)
Canada G1K 7P4

REMERCIEMENTS

Cet ouvrage sur le Parti libéral du Québec a pu être réalisé grâce au concours de plusieurs personnes et organismes.

Je veux d'abord remercier le Conseil de recherches en sciences humaines du Canada, dont la subvention de recherche m'a permis d'entreprendre des travaux qui ont abouti à la rédaction de l'ouvrage. Joanne Laperrière, Carole Lefebvre et Pierre Martin m'ont assisté avec beaucoup d'ardeur et de compétence dans ces travaux. Qu'ils en soient remerciés bien sincèrement. Léon Dion et André Blais ont lu le manuscrit et fait des suggestions qui m'ont permis d'améliorer la version finale. Des lecteurs anonymes de la Fédération canadienne des sciences sociales ont fait eux aussi des commentaires et des suggestions, pour la plupart utiles, dont j'ai tenu compte dans la révision du manuscrit. Enfin, merci à Ghislaine Gosselin et Solange Guy qui ont dactylographié les versions successives du manuscrit avec leur compétence et leur disponibilité habituelles.

En écrivant cet ouvrage j'ai souvent pensé à mes ancêtres des comtés de Bellechasse et de L'Islet, dont certains ont été en leur temps des organisateurs libéraux. J'ai souvent pensé aussi aux libéraux de l'île d'Orléans et d'ailleurs, qui m'ont beaucoup appris, au cours des années 1960, sur leur parti et sur la politique. C'est à eux tous que je dédie ce livre.

INTRODUCTION

LES PARTIS ET LA MAÎTRISE DU RITUEL POLITIQUE

Le présent ouvrage porte sur le Parti libéral du Québec depuis le début du vingtième siècle. Il cherche à expliquer les réussites et les échecs du parti, à l'aide d'un modèle qui repose sur les cinq propositions suivantes :

1) Les dirigeants des partis, pour se maintenir en place, ont à faire la preuve de leur supériorité. Pour faire cette preuve, ils doivent maîtriser ce que nous nommons le « rituel politique », entendu comme un ensemble d'actes visant à dispenser la « vie » aux participants au rituel, c'est-à-dire à leur transmettre une puissance qui leur permette de vivre des situations satisfaisantes ;

2) Cette puissance a une dimension utilitaire assurée par des moyens d'action, mais elle a aussi une dimension expressive assurée par des relations sociales ;

3) Dans nos sociétés sécularisées et pluralistes, plusieurs sources de puissance, dont les partis, sont en compétition dans l'accomplissement du rituel politique, et des relations d'alliance, de rivalité ou de neutralité se forment entre elles. Selon les participants au rituel, une même source peut

apparaître comme positive, négative ou neutre par la puissance qu'elle dispense ;

4) Dans le cas des partis, les relations sociales et les attributions de moyens qu'elles comportent les rendent plus ou moins attirants pour les électeurs qui choisissent parmi eux et qui décident ainsi des résultats électoraux ;

5) Trois espaces « rituels », avec leurs alliances, rivalités et neutralités, apparaissent significatifs aux yeux des électeurs du Québec, soit l'espace proprement partisan, l'espace extra-sociétal, où le gouvernement central et ses partis sont des sources de puissance importantes, et l'espace intra-sociétal québécois, avec d'autres sources importantes comme l'Église, les entreprises, les syndicats, les milieux nationalistes, intellectuels, etc.

Dans l'introduction, nous développerons d'abord brièvement ces propositions. Puis nous montrerons comment sera organisé l'ouvrage, qui vise à rendre compte de l'évolution du Parti libéral, selon les catégories proposées, et nous formulerons ensuite un modèle structural des alliances, des rivalités et des neutralités dans les partis, les systèmes partisans et les systèmes politiques.

Ces notions d'alliance, de rivalité et de neutralité sont centrales dans le modèle, tout comme elles le sont dans la pratique politique. Les acteurs politiques, et plus particulièrement les acteurs partisans, voient le monde de cette façon. Les autres acteurs avec qui ils ont à établir des relations apparaissent comme des alliés, des rivaux ou des neutres, et l'action politique, dans sa dimension stratégique, consiste en bonne partie à établir ou à maintenir des relations d'alliance, de rivalité ou de neutralité, ou encore à les transformer l'une dans l'autre. C'est pourquoi nous pensons que l'étude structurale de ces relations présente un grand intérêt, théorique et pratique à la fois.

LES DIRIGEANTS ET LA MAÎTRISE DU RITUEL POLITIQUE

Là où ils existent, les partis se distinguent des autres acteurs politiques en ce que leurs dirigeants visent à occuper les postes d'autorité suprême dans le système politique. Il leur faut obtenir pour cela des décisions favorables de l'électorat. Les définitions des partis, dont en particulier celle, souvent citée, de La Palambora et Weiner (1966 : 6) – selon laquelle les partis sont des organisations ayant la volonté de prendre et d'exercer le pouvoir par la recherche d'un soutien populaire –, soulignent ces deux caractéristiques, liées entre elles, qui distinguent les partis des administrations, des autres organisations et des groupes participant aux processus politiques.

Les dirigeants élus se trouvent en position de supériorité, et pour se maintenir en place, ils ont à faire la preuve de cette supériorité, surtout dans les systèmes partisans de nature compétitive où des dirigeants d'un autre parti sont toujours susceptibles de prendre leur place. On peut dire d'eux ce que Paul Veyne écrivait des dirigeants de la Grèce et de Rome, à la toute fin de son ouvrage monumental, *Le pain et le cirque* (1976 : 730) :

> Les gouvernants devaient faire symboliquement la preuve qu'ils restaient au service des gouvernés, car le pouvoir ne peut être ni un job, ni une profession, ni une propriété comme les autres. Le droit d'être obéi est une supériorité, or toute supériorité doit s'exprimer, sous peine de faire douter d'elle-même [...] Enfin la politique, comme l'amour, est relation interne des consciences : un maître n'est pas une chose, un aliud, c'est un homme comme moi, un alter ego, et ce qu'il pense de moi me touche dans l'idée que j'ai de moi-même. D'où des exigences qu'il est verbal d'appeler « symboliques » (elles ne symbolisent rien, elles existent pour elles-mêmes) et qu'il serait naïf de dédaigner comme par trop platoniques.

À la suite de Veyne, nous proposons, à l'aide d'Hocart, d'adopter une vue symbolique du politique. Les recherches anthropologiques de cet auteur l'ont amené à voir dans l'organisation gouvernementale un dérivé historique d'une organisation d'abord rituelle. La gouverne apparaît ainsi, de façon métaphorique, comme une espèce de célébration rituelle, visant à assurer la « vie ». Hocart écrit à ce propos (1978 : 110) :

> Cette organisation rituelle précède de très loin tout gouvernement, puisqu'on la trouve là où il n'y a ni existence, ni besoin de gouvernement. Mais quand, par un développement croissant, une société devient si complexe qu'elle a besoin d'un organisme coordinateur, sorte de système nerveux, c'est l'organisation rituelle qui peu à peu assume ce rôle.

Pour Hocart, le rituel est « une quête de vie » (p. 123), un ensemble de « procédures dispensatrices de vie » (p. 110), ou encore, comme il l'écrit dans un autre ouvrage (1935 : 166) :

> Pour le rituel, donc, la frontière importante, est celle qui sépare la vie pleine de la vie défaillante, qu'il s'agisse de vie corporelle ou de vie spirituelle. Son but, c'est le bien-être.

Appelé à définir la vie, le philosophe Whitehead, cité par Rodney Needham dans son introduction à l'ouvrage d'Hocart (1978 : 26), disait : « L'art de vivre consiste 1) à être vivant 2) à être vivant de manière satisfaisante 3) à développer cette satisfaction. »

C'est pourquoi on peut dire très généralement de la gouverne, interprétée selon la métaphore du rituel, qu'elle consiste pour les officiants du rituel politique à réguler les sources de puissance de façon qu'elles assurent la vie aux membres de la collectivité, ou tout au moins à ceux dont l'appui est jugé nécessaire au maintien en poste des officiants.

LES MOYENS D'ACTION ET LES RELATIONS SOCIALES

La puissance, que les sources gouvernementales ainsi que d'autres sources sociétales assurent aux participants, a une dimension utilitaire qui réside dans des moyens d'action, mais elle possède aussi une dimension expressive, plus symbolique, qui se trouve dans des relations sociales.

Paul Veyne, dans le texte cité plus haut, fait allusion à cette distinction quand il parle des exigences « symboliques » auxquelles doivent aussi se soumettre les maîtres. C'est toutefois dans l'œuvre de Gregory Bateson (1972) et dans celle de ses disciples qu'a été le plus clairement exprimée cette distinction entre la relation et les relatés contenus dans la relation.

Watzlawick et ses collaborateurs en ont fait un de leurs axiomes de la communication. « Une communication, écrivent-ils, ne se borne pas à transmettre une information, mais induit en même temps un comportement » (1972 : 49). Et ils formulent l'axiome de la façon suivante : « Toute communication présente deux aspects : le contenu et la relation, tels que le second englobe le premier et par suite est une méta-communication » (1972 : 52).

De même, nous posons que non seulement les membres d'une société sont sensibles aux relations sociales qui se forment dans les activités de gouverne, outre qu'ils le sont aux moyens d'action qu'ils obtiennent ou dont ils sont privés, mais que leur évaluation des relations sociales importe autant, sinon plus, que celle des moyens d'action.

Cette proposition est contraire à la vision de l'*homo economicus* qui inspire actuellement les travaux dominants en science politique et dans d'autres sciences sociales. Ainsi, selon un courant théorique lancé avec brio par Anthony Downs (1957), l'électeur évaluerait les partis en fonction des coûts et avantages (se rapportant à ce que nous nommons les « moyens d'action ») qui sont dus à l'action passée, présente ou future de ces partis. Nous allons tenter de montrer, pour expliquer l'évolution du Parti libéral, que la perception des relations sociales, qui provoque des identifications et des différenciations des électeurs par rapport aux partis, doit être prise en compte, en plus de la perception des coûts et avantages des moyens d'action.

LES RELATIONS AVEC LES AUTRES SOURCES DE PUISSANCE

On peut donc entendre par « rituel politique » les processus dispensateurs de « vie », c'est-à-dire de puissance assurant des situations satisfaisantes, qui sont accomplis par des sources disposant de l'autorité suprême sur l'ensemble de la société. Ces sources principales ou suprêmes ont à se préoccuper d'autres sources qui ont elles aussi la capacité, par les moyens d'action qu'elles attribuent et les relations sociales qu'elles établissent, de dispenser de la puissance à tous les membres de la société, ou à de larges secteurs de la société.

Autrement dit, les partis, même s'ils visent à être ou à paraître les maîtres du rituel politique, ne sont pas les seules sources dispensatrices de la puissance par laquelle on cherche à garantir la « vie ». Dans la société québécoise, au vingtième siècle, le gouvernement central et les partis fédéraux s'avèrent également des sources importantes. Il en a été de même pendant longtemps de l'Église et des milieux nationalistes. Les grandes entreprises, puis les syndicats et les milieux intellectuels constituent d'autres sources que les partis doivent prendre en compte. L'administration publique et les gouvernements municipaux représentent des sources davantage liées au gouvernement, mais elles ne sont pas pour autant négligeables.

En conformité avec la primauté que nous donnons aux relations sociales, nous accorderons une attention spéciale, comme l'indique le titre de l'ouvrage, aux relations d'alliance, de rivalité et de neutralité que le Parti libéral a établies avec les autres sources, afin de maîtriser le rituel politique. Ces relations qui peuvent être transformées de l'une à l'autre (par exemple, des neutres deviennent des alliés) ont leurs propres lois, qui ont été dégagées dans des théories comme celles de la consonance cognitive (Festinger, 1957) ou de l'équilibration sociale (Harary *et al.*, 1968). On les retrouve dans les dictons populaires, par exemple : « L'ennemi de mon ami est mon ennemi. »

Dans l'appendice de l'ouvrage, nous tentons d'élaborer une théorie structurale des partis, des systèmes partisans et des systèmes politiques, qui repose sur les relations d'alliance, de rivalité et de neutralité.

L'ÉVALUATION ÉLECTORALE DES ALLIANCES, RIVALITÉS ET NEUTRALITÉS

Notre quatrième proposition de départ vient préciser les précédentes. Nous posons en effet que ce qui est surtout évalué par les électeurs dans les relations sociales, ce sont les alliances, les rivalités et les neutralités établies par le Parti libéral dans un certain nombre d'espaces significatifs.

Selon les théories de la consonance et de l'équilibration que nous évoquions plus haut, les électeurs non constants qui participent aux élections choisiraient ou non le Parti libéral selon que la configuration de ses relations d'alliance, de rivalité et de neutralité, avec les attributions de moyens qu'elles comportent, leur conviendrait ou non.

Les configurations sont évaluées comme positives ou négatives selon les moyens d'action qui sont attribués aux électeurs, mais aussi selon les relations sociales qu'elles comportent. Ce qui renvoie à une dialectique de l'utilitaire et de l'expressif, où celui-ci est souvent plus signifiant que celui-là.

LES ESPACES PARTISAN, EXTRA-SOCIÉTAL ET INTRA-SOCIÉTAL

Pour les dirigeants d'un parti aussi bien que pour les électeurs qui les évaluent, alliances, rivalités et neutralités se produisent dans trois espaces où se trouvent des sources dispensatrices de puissance, soit l'espace partisan, l'espace intra-sociétal et l'espace extra-sociétal. Le premier de ces espaces se trouve dans l'environnement interne du parti, et les deux autres dans son environnement externe. Les espaces sont reliés entre eux et, pour maîtriser le rituel politique, aucun des trois ne doit être négligé, même si, aux yeux des dirigeants de parti et des électeurs, l'un ou l'autre espace peut, dans certaines conjonctures, paraître plus déterminant que les autres.

L'espace partisan rassemble les acteurs qui appartiennent d'une façon ou d'une autre à l'un des partis politiques : le chef, les autres dirigeants et leur entourage, les députés, les candidats, les principaux organisateurs et les autres partisans, de même que les électeurs qui s'identifient à un parti politique et votent pour lui de façon constante. Les partis sont à cet égard des équipes, au sens où l'entend Bailey (1971), où les alliances ont une nature « morale » ou « contractuelle », selon qu'elles reposent principalement sur la qualité des relations sociales qui sont formées ou sur la quantité des moyens d'action qu'elles permettent d'obtenir.

Idéalement, toutes les relations à l'intérieur d'un parti doivent être des relations entre alliés, si on exclut les inévitables rivalités qui se forment autour d'enjeux comme le poste de chef, les postes de candidats, d'autres postes à l'intérieur du parti, ou encore les orientations à donner au parti. Et même là, une fois qu'une personne ou une tendance l'a emporté sur une autre, les rivalités doivent disparaître. Autrement, les divisions internes au parti, surtout si elles sont portées à la connaissance des électeurs, nuiront à la performance du parti. Par contre, les partisans doivent non seulement entretenir des relations de rivalité avec les partisans de l'autre ou des autres partis, mais ils doivent donner l'impression qu'ils dominent ces relations, que les situations satisfaisantes qu'ils assurent ou qu'ils promettent d'assurer sont préférables à celles de leurs rivaux. Les partis, et en particulier leurs dirigeants, ne l'oublions pas, doivent faire la preuve de leur supériorité, à commencer par l'espace partisan où ils se trouvent.

Le gouvernement central et les partis fédéraux qui visent à le diriger sont des sources de puissance dans l'espace extra-sociétal. Un parti provincial ne peut les ignorer. Cela est tout particulièrement évident dans le cas du Parti libéral, dont l'équivalent en politique fédérale a dirigé le gouvernement central pendant la majeure partie du vingtième siècle. De plus, le Parti libéral a toujours obtenu la majorité des votes et des sièges québécois aux élections fédérales, sauf en 1958, en 1984 et en 1988. Nous aurons l'occasion de voir que les relations d'alliance entre les deux partis libéraux, teintées parfois de rivalité ou de neutralité, ont eu des effets non négligeables sur les réussites et les échecs électoraux du Parti libéral du Québec.

Dans l'espace intra-sociétal ont existé et existent encore aujourd'hui des sources dispensatrices de puissance, dont la portée est telle qu'elles concurrencent les partis dans la maîtrise du rituel politique. L'Église, les milieux nationalistes, les milieux d'affaires, les milieux syndicaux et les milieux intellectuels, par les moyens d'action qu'ils attribuent ou par les relations sociales qu'ils établissent, provoquent des identifications et des différenciations au sein de l'électorat. Lorsque ces relations sont en accord avec celles d'un parti envers ces milieux, les électeurs sont portés à appuyer ce parti, tandis que si elles en diffèrent, les électeurs ont tendance à favoriser un autre parti ou encore à s'abstenir.

C'est pourquoi les dirigeants d'un parti s'avèrent généralement soucieux d'établir avec les sources importantes de puissance dans la société des alliances, des rivalités ou des neutralités telles qu'elles entraînent les électeurs à appuyer davantage leur parti que le parti ou les partis rivaux.

Enfin, comme l'indique ce qui précède, nous traiterons du Parti libéral dans son espace électoral. Nous établirons la proportion d'électeurs constants et nous tenterons d'expliquer les choix des autres par leur évaluation de la performance du parti, par rapport aux autres partis, dans les espaces partisan, extra-sociétal et intra-sociétal.

LE CHOIX DU PARTI LIBÉRAL

Plusieurs raisons nous ont amené à choisir le Parti libéral pour l'élaboration d'un modèle centré sur les relations d'alliance, de rivalité et de neutralité dans l'action partisane, et plus généralement dans l'action politique.

Le Parti libéral est le parti de la continuité dans le système des partis provinciaux du Québec. C'est le seul parti d'importance à s'être maintenu tout au cours du vingtième siècle. Son principal adversaire fut d'abord le Parti conservateur, durant le premier tiers du siècle. Il y eut ensuite l'Union nationale, au cours du deuxième tiers du siècle. Et depuis le début des années 1970, le Parti québécois constitue le grand rival du Parti libéral.

Non seulement le Parti libéral a-t-il été, de façon constante, l'un des deux grands partis provinciaux du Québec au cours du vingtième siècle, mais il a donné naissance aux mouvements ou partis qui, seuls ou avec d'autres, ont réussi à renouveler l'opposition aux libéraux. Ce sont de jeunes libéraux déçus qui ont formé, derrière Paul Gouin, l'Action libérale nationale, qui s'est alliée au Parti conservateur dans l'Union nationale à l'occasion des élections de 1935. Cette dernière allait devenir l'autre grand parti du Québec jusqu'à la fin des années 1960. Ce sont aussi des libéraux, en désaccord avec leur parti, qui ont constitué, en 1967, autour de René Lévesque, le premier noyau du Mouvement souveraineté-association, qui donnait naissance, l'année suivante, au Parti québécois.

Le Parti libéral a été un parti dominant et un parti dominé dans le système partisan du Québec. Ses relations d'alliance, de rivalité et de neutralité ont varié dans le temps, et ce dans chacun des trois espaces, partisan, extra-sociétal et intra-sociétal. Il offre donc un champ tout particulièrement intéressant pour l'étude de ces relations, de leur logique et de leurs effets.

Étudier le Parti libéral, c'est étudier le système des partis provinciaux du Québec, et aussi presque tout le système politique québécois. Nous le ferons à partir des propositions qui sont présentées dans l'introduction. Nous espérons de cette façon combler au moins deux lacunes importantes dans l'étude des partis du Québec. Non seulement le Parti libéral n'a-t-il fait l'objet d'aucun ouvrage d'envergure, mais le système partisan où il s'inscrit n'a jamais été traité comme tel, ni comme composante centrale du système politique.

PLAN DE L'OUVRAGE

Étant donné la problématique du présent ouvrage, centrée sur l'impact électoral des relations d'alliance, de rivalité et de neutralité, nous traiterons de l'évolution du Parti libéral au vingtième siècle selon des sous-périodes qui vont d'une victoire électorale majeure à une défaite majeure, ou l'inverse.

La première sous-période, qui fait l'objet du premier chapitre, va de la victoire de 1897 à la défaite de 1936. Le Parti libéral remporte dix victoires électorales consécutives, toutes relativement faciles, avant de remporter une dernière victoire, difficile, en 1935, et d'être défait de façon tout à fait décisive en 1936. Jusqu'au début des années 1930, le Parti libéral et ses alliés sont beaucoup plus attirants que leurs rivaux dans chacun des espaces – extra-sociétal, partisan et intra-sociétal – et, par voie de conséquence, dans l'espace électoral, où le réalignement qui s'est produit de 1886 à 1897 favorise les libéraux.

Le deuxième chapitre porte sur la sous-période allant de la défaite de 1936 à la victoire de 1960. Cette sous-période est marquée en son début par le réalignement électoral favorable à l'Union nationale. Elle est dominée ensuite par Maurice Duplessis, le chef de ce parti, qui regroupe autour de l'Union nationale des alliés plus attirants que ceux du Parti libéral. Il y a bien la victoire libérale de 1939, mais elle représente un accident de parcours survenu dans une conjoncture très particulière où l'espace extra-sociétal, encore très favorable au Parti libéral, occupe à peu près toute la place. Puis, l'Union nationale remporte quatre victoires consécutives, de 1944 à

1956, avant d'être défaite par le Parti libéral, en 1960, moins de un an après la mort de Duplessis.

La troisième sous-période que nous avons découpée va de la victoire de 1960 à la défaite de 1976, élection alors remportée par le Parti québécois. C'est l'objet du troisième chapitre. La défaite de 1976 peut être considérée comme le terme d'un réalignement, commencé en 1970, où le Parti québécois remplace l'Union nationale comme principal rival du Parti libéral dans l'espace partisan. Nous caractérisons cette sous-période en disant que des alliés deviennent des rivaux, parce que le Parti québécois n'aurait pu réussir à supplanter le Parti libéral s'il avait compté uniquement sur les anciens partisans de l'Union nationale et sur les nouveaux électeurs. Il a fallu aussi que des alliés du Parti libéral se convertissent à d'autres causes, à commencer par celui qui deviendra le chef du Parti québécois, René Lévesque. Durant cette sous-période comme durant la précédente, il y a un accident de parcours, l'élection de 1966, où l'Union nationale, avec beaucoup moins d'alliés électoraux que le Parti libéral, gagne pourtant plus de sièges que lui.

Le quatrième chapitre couvre la sous-période suivante : de la défaite de 1976 jusqu'à la victoire de 1985, en passant par le référendum de 1980. L'attirance des rivaux va en déclinant après leur victoire de 1981. Des alliés perdus par le Parti québécois passent sans grande conviction au Parti libéral, favorisé par des transformations qui se produisent dans l'espace extra-sociétal et l'espace intra-sociétal. Cette sous-période est plus courte que les précédentes, mais elle se révèle très intense. En outre, nous disposons de plus de données sur elle, et dans une perspective de science politique, qui est la nôtre, plutôt que d'histoire, elle présente l'intérêt d'être la plus proche dans le temps.

Le cinquième chapitre, beaucoup plus bref que les autres, porte sur la très courte sous-période allant de la victoire de 1985 à celle de 1989. Nous y soulignons les faits marquants qui se sont produits dans les relations d'alliance, de rivalité et de neutralité du Parti libéral dans chacun des quatre espaces, y compris l'espace électoral. Dans une dernière section, nous montrons comment les positions constitutionnelles prises par le Parti libéral, en 1991, et défendues lors du référendum de 1992, sont en continuité et en rupture à la fois avec les caractéristiques du parti au vingtième siècle.

L'ouvrage se termine par le sixième chapitre qui situe le Parti libéral dans le système partisan et qui dégage les principales caractéristiques du parti pour ce qui est de ses relations d'alliance, de rivalité et de neutralité. Nous y avons ajouté un appendice qui propose un modèle de ces relations, en vue de l'élaboration d'une théorie structurale des partis, des systèmes partisans et des systèmes politiques.

Rappelons que le présent ouvrage n'a pas la prétention de tout dire sur le Parti libéral. Il vise plutôt à montrer que les relations d'alliance, de rivalité et de neutralité du parti, à l'intérieur et à l'extérieur de lui-même, permettent de donner une explication originale de ses succès et de ses échecs, de ses victoires et de ses défaites. C'est dire que nous serons sélectif dans le choix des événements et des activités. Nous croyons toutefois que notre étude sélective des espaces partisan, extra-sociétal, intra-sociétal et électoral permet de ne négliger aucune des dimensions principales de l'action du parti.

CHAPITRE 1

Des alliés plus attirants que les rivaux (1897-1936)

Durant les 20 premières années de la fédération canadienne, le Parti conservateur domine le Parti libéral au Québec. Il est vainqueur aux élections provinciales de 1867, 1871, 1875, 1878 et 1881, et dirige le gouvernement jusqu'en 1886, exception faite d'une courte période en 1878-1879 où, grâce à l'intervention d'un lieutenant-gouverneur libéral, un cabinet conservateur pourtant majoritaire à l'Assemblée législative est remplacé par un cabinet libéral minoritaire. Vainqueurs aux élections de mai 1878, les conservateurs renversent le cabinet libéral au début de 1879, après qu'il eut été appuyé momentanément par quelques-uns d'entre eux.

La première victoire électorale du Parti libéral n'arrive qu'en 1886. Encore faut-il que les libéraux de Mercier s'allient avec les conservateurs nationaux qui se dissocient des conservateurs fédéraux, tenus responsables de la pendaison du chef métis, Louis Riel, dont la condamnation, croit-on, serait due à ses origines canadiennes-françaises. Le parti de Mercier est encore vainqueur aux élections de 1890, mais il est vaincu en 1892, à la suite d'un scandale, qui a d'ailleurs conduit le lieutenant-gouverneur de l'époque à confier la direction du gouvernement au Parti conservateur à la fin de 1891.

Ce sera la dernière victoire des conservateurs provinciaux au Québec. En 1897, dans la foulée de la victoire libérale sur la scène fédérale, le Parti libéral provincial remporte une victoire facile. Il sera vainqueur lors des dix élections provinciales qui suivront, de celle de 1900 à celle de 1935, jusqu'à ce que l'Union nationale, faite d'une alliance entre le Parti conservateur et l'Action libérale nationale, une faction dissidente du Parti libéral, mette fin, en 1936, au règne libéral.

L'ESPACE EXTRA-SOCIÉTAL

Avant d'aborder l'action du Parti libéral dans l'espace extra-sociétal, il est bon de rappeler les antécédents de ce parti au Québec.

Les antécédents du Parti libéral

Comme le notent Linteau et ses collaborateurs (1979 : 274-276), le Parti libéral au Québec s'est formé autour des « rouges », qualifiés de tels par leurs adversaires. Les « rouges » s'inspirent du courant libéral européen et de la démocratie du type américain. À la fin des années 1884, ils se détachent peu à peu du parti réformiste de La Fontaine. Les « rouges » veulent démocratiser les institutions québécoises, réformer l'éducation et limiter l'Église à son rôle religieux.

C'est autour d'eux que se constitue le Parti libéral, avec l'apport des libéraux anglophones et d'hommes politiques canadiens-français qui, tout en ayant des idéaux démocratiques, ont une attitude modérée envers l'Église, dont ils craignent la rivalité.

Les « rouges » qui avaient obtenu des succès électoraux, au milieu des années 1850, seront de plus en plus marginalisés dans leur parti et auprès de l'électorat, surtout après la naissance de la Confédération. L'épisode du Parti national de Mercier où des libéraux s'allient à des conservateurs, après la pendaison de Riel, contribue à marginaliser encore plus la tendance radicale dans le Parti libéral. À la fin du dix-neuvième siècle, quand commence notre première sous-période, le Parti libéral, qui a succédé au Parti national, est un parti plus modéré que radical.

Durant toute la sous-période, le Parti libéral provincial est l'allié du Parti fédéral, qui domine cette alliance, même si dans les années 1920 le gouvernement libéral à Québec se montre autonomiste par rapport au gouvernement central, qu'il soit conservateur ou libéral.

Il faut bien comprendre qu'au cours du premier tiers du siècle les gouvernements provinciaux ne pèsent pas lourd devant le gouvernement central, dont la part relative des dépenses et des autres activités gouvernementales est beaucoup plus grande qu'elle ne l'est aujourd'hui. La dépendance du parti provincial par rapport au parti fédéral traduit cet état de fait. Le parti provincial a aussi tout avantage à se poser comme allié du Parti libéral fédéral et, du même coup, comme rival du Parti conservateur, dont les mesures jugées négatives envers les Canadiens français lui aliènent durant toute la sous-période la majorité des électeurs du Québec. Il n'arrive pas une seule fois, en effet, de 1896 à 1936, que le Parti conservateur obtienne une majorité des votes au Québec à l'occasion des élections fédérales. Il en est d'ailleurs de même aux élections provinciales.

Le prestige de Laurier

L'arrivée de Laurier à la tête du Parti libéral fédéral en 1897 et surtout sa victoire aux élections fédérales de 1896 ont propulsé le parti provincial en position dominante. Cela n'est pas étranger à la longue durée de cette domination, qui a par ailleurs été favorisée par les erreurs du Parti conservateur.

Laurier est le premier Canadien français à devenir chef d'un parti fédéral, puis chef du gouvernement fédéral. Comme Bélanger (1986) l'a bien montré, son prestige se révèle considérable, en particulier auprès des électeurs du Québec, pour qui les partis provinciaux apparaissent, à juste titre, très dépendants des partis fédéraux. Dès les élections provinciales de 1897, les libéraux provinciaux profitent du prestige de Laurier sur la scène fédérale. Ils disent du premier ministre conservateur Flynn, leur rival, qu'un vote pour lui est un vote contre Laurier, leur allié (Hamelin *et al.*, 1959-1960 : 25). Les électeurs québécois portent le Parti libéral à la direction du gouvernement en lui accordant 51 sièges sur 76.

En 1900 et en 1904, les élections provinciales sont déclenchées quelques jours après la victoire de Laurier et des libéraux sur le plan fédéral. La prospérité économique aidant, les libéraux provinciaux gagnent facilement, avec près de 40 députés élus par acclamation, à chaque occasion. Encore en 1908, ils remportent une victoire facile, avant que, cette fois, surviennent les élections fédérales.

Quand les libéraux accèdent à la direction du gouvernement fédéral en 1896, ils sont plus favorables à l'autonomie provinciale que les conservateurs, considérés comme des centralisateurs. Laurier finit par augmenter les subsides aux provinces en 1906 et les conférences fédérales-provinciales ou interprovinciales deviennent plus fréquentes (Linteau *et al.*, 1979 : 589). Les premiers ministres libéraux qui se succèdent au gouvernement du Québec profitent des ressources ainsi acquises.

La victoire du Parti conservateur contre les libéraux de Laurier, aux élections fédérales de 1911, crée une situation nouvelle, soit celle où un gouvernement libéral à Québec se trouve en présence d'un gouvernement conservateur à Ottawa.

Un gouvernement conservateur à Ottawa

Malgré cela, les élections provinciales de 1912, 1916 et 1919 sont gagnées facilement par le Parti libéral, sous la direction de Gouin. Il y a même 23 députés libéraux (sur 75) élus par acclamation en 1916 et 43 (sur 74) en 1919. Les conservateurs ne sauvent que 15, 6 et 5 sièges, respectivement, à ces trois élections. La prospérité économique favorise le parti de gouvernement, mais les relations négatives du gouvernement conservateur à Ottawa avec les Canadiens français comptent aussi pour beaucoup dans les déboires du Parti conservateur provincial. En 1912, c'est le refus de rappeler le Bill de la Marine et d'intervenir en faveur de la minorité francophone du Manitoba, à propos des écoles du Keewatin, qui dessert les conservateurs provinciaux. En 1916, c'est la politique impérialiste du gouvernement conservateur et ses positions négatives envers la minorité franco-ontarienne. En 1919, c'est l'imposition de la conscription militaire par ce gouvernement, qui, par la suite, sera déconsidéré, et ce pour longtemps, aux yeux des électeurs canadiens-français du Québec.

Le Parti libéral provincial a beau jeu de s'élever contre ces mesures, qui sont également contestées, comme il se doit, par l'opposition libérale à Ottawa.

Le retour des libéraux

L'élection en 1921 d'un gouvernement libéral, soutenu par les progressistes, vient modifier la situation en la ramenant à celle d'avant 1911. Taschereau dirige le gouvernement libéral à Québec et King celui d'Ottawa. Cette situation se maintient jusqu'en 1930.

Des historiens (Linteau *et al.*, 1979 : 591) traitant de la période 1867-1929 affirment que « les années vingt sont l'âge d'or de l'autonomie provinciale ». Les revenus des provinces doublent (en dollars courants) de 1921 à 1930, ce à quoi le gouvernement fédéral n'est pas étranger. Plus généralement, les années 1920, comme les dix premières années du siècle, sont des années de prospérité. Les revendications autonomistes du Parti libéral provincial et de son chef s'avèrent plus nombreuses qu'au début du siècle. L'alliance avec les libéraux fédéraux se double d'une certaine rivalité avec eux. Linteau et ses collaborateurs (1979 : 592-593) écrivent ceci du premier ministre du Québec :

> Taschereau dénonce les tentatives d'ingérence du fédéral dans le secteur des richesses naturelles, comme il conteste sa compétence dans le nouveau domaine de la radio. C'est au nom de l'autonomie provinciale qu'il s'oppose à tout projet de canalisation du Saint-Laurent et qu'il rejette le plan fédéral sur les pensions de vieillesse. Il réussit par ailleurs à obtenir pleine juridiction dans le domaine des pêcheries et il n'hésite pas à recourir à la taxe de vente, malgré les prétentions de l'opposition voulant qu'il s'agisse d'un impôt indirect, donc réservé au fédéral. Bref, dans les années vingt le premier ministre Taschereau est un défenseur vigilant de l'autonomie provinciale.

Le crédit acquis par les libéraux provinciaux dans l'espace extra-sociétal assure donc leur domination sur leurs rivaux conservateurs du Québec.

L'intermède conservateur de 1930-1935

En 1930, le Parti conservateur reprend la direction du gouvernement à Ottawa. Il est aussi dépassé par la crise économique que l'est le gouvernement libéral à Québec. De plus, le Parti conservateur provincial s'éloigne du parti fédéral. Cela commence sous le leadership de Camillien Houde, puis se poursuit sous celui de Maurice Duplessis qui s'allie avec les dissidents libéraux de l'Action libérale nationale pour former une coalition dite d'union nationale, qui fera face au Parti libéral à l'occasion des élections provinciales de 1935. L'Union nationale deviendra un parti après cette élection. Les libéraux, affligés par des divisions internes et par des accusations de corruption, ne sont plus en mesure de profiter de la victoire des fédéraux sur le Parti conservateur, en 1935. Ils sont chassés du gouvernement provincial en 1936, après une domination ininterrompue de 39 ans.

L'ESPACE PARTISAN

Un parti qui veut se maintenir à la direction du gouvernement ou qui veut s'en emparer de nouveau, s'il l'a perdu, peut difficilement se permettre des divisions internes. Elles sont mal vues par les partisans et, aux yeux des autres électeurs, elles mettent en doute la puissance du parti.

Jusqu'au milieu des années 1930, l'équipe libérale est relativement restreinte et ne s'embarrasse pas d'organisation officielle. Les dirigeants du parti, entourés de quelques partisans, suivis par d'autres partisans au sein des circonscriptions, dominent les activités d'organisation, de financement et de favoritisme. Ils ont aussi la mainmise, par l'intermédiaire des partisans, sur les activités de sélection des candidats. Dans la sélection du chef, l'état de dépendance envers le parti fédéral se fait souvent sentir. Les dirigeants de l'équipe fédérale ne se gênent pas pour imposer leur candidat, ou tenter de l'imposer à la tête de l'équipe provinciale. L'intervention de l'équipe fédérale dans la sélection du chef est conforme au caractère coopératif et inégalitaire des relations d'alliance entre les équipes durant toute la période.

La sélection du chef

C'est en 1900 que se présente la première occasion, après 1897, de sélectionner un chef pour le parti provincial. Le premier ministre Félix-Gabriel Marchand meurt en poste, après trois années de gouvernement. Aucun ministre en place ne s'impose de façon évidente pour succéder à Marchand. Le choix de Simon-Napoléon Parent est dicté par Laurier (Linteau *et al.*, 1979 : 577 ; Lovink, 1976 : 95-96). Son principal concurrent, Robidoux, qui s'était fait remarquer par ses positions en matière d'éducation, paraît trop radical aux yeux de Laurier et de ses amis, qui tiennent à neutraliser leur rivalité avec l'Église. Parent, maire de Québec, président et administrateur de grandes entreprises, semble plus rassurant. Il a aussi la qualité d'être un grand adepte du favoritisme dans la région de Québec, et ce aux trois paliers de gouvernement. Ce n'est pas négligeable à la veille d'élections fédérales et provinciales, prévues pour les mois qui viennent.

Rappelons que le prestige de Laurier est considérable à ce moment-là et que le parti provincial se fait élire dans la foulée des élections fédérales. C'est d'ailleurs ce que fera Parent en 1900 et encore en 1904.

Dès la campagne électorale de 1904, des tensions se manifestent à l'intérieur du Parti libéral. Parent est accusé de se conduire en despote, d'imposer ses amis comme candidats et d'exercer son favoritisme envers ses protégés (Hamelin *et al.*, 1959-1960 : 29).

Peu après les élections, trois ministres, dont Lomer Gouin, démissionnent du cabinet. Laurier tente bien d'arbitrer le conflit en faveur de Parent, en faisant appel à la discipline et à l'unité du parti, mais la majorité du caucus s'oppose à Parent et appuie Lomer Gouin (Lovink, 1976 : 96), qui est désigné, en 1905, chef du parti puis premier ministre du Québec, même s'il inquiète quelque peu l'Église.

Pour une fois, les rivalités à l'intérieur du parti ont permis aux députés de participer à la sélection du chef, même s'il n'y a pas eu de vote au caucus.

Si la désignation de Gouin fut le résultat de rivalités internes, celle de Taschereau, en 1920, se fit dans l'unanimité la plus totale.

Gouin ayant décidé de passer sur la scène fédérale, après sa victoire éclatante de 1919, Taschereau apparaît aux yeux de tous comme son successeur. Non seulement partage-t-il les vues de Gouin, mais il est depuis longtemps le ministre le plus prestigieux et le plus compétent du cabinet. Il en fait partie depuis 1907 et a occupé les postes importants de ministre des Travaux publics et du Travail ainsi que celui de procureur général. Il ne semble pas que les dirigeants du parti fédéral se soient mêlés du processus de sélection. Laurier était décédé l'année précédente et le parti se trouvait dans l'opposition depuis 1911 dans une position peu propice pour influencer le parti provincial.

La sélection des candidats

Lovink (1976 : 98-107) a présenté les principaux traits de la sélection des candidats dans le Parti libéral, de 1897 à 1936. Il n'y a pas de règles écrites, et la domination des élus et de leur entourage est évidente. Elle se manifeste d'abord par le report quasi automatique du député sortant au titre de candidat à la prochaine élection, sans qu'il y ait d'assemblée d'investiture. Il arrive exceptionnellement que la direction du parti ou encore l'organisation d'une circonscription électorale veuille se débarrasser d'un député en place. Quand cette volonté vient de la base, la direction du parti hésite à permettre la tenue d'un congrès (« convention »), de peur que le parti n'en sorte divisé.

Cette crainte des divisions à l'intérieur du parti est d'ailleurs un principe directeur de la sélection des candidats. Lorsqu'il y a lieu de sélectionner un candidat, l'organisation locale, en complicité ou non avec la direction du parti, cherche à faire en sorte qu'une seule personne se présente à l'assemblée d'investiture, surtout là où les chances de victoire du parti sont bonnes. Dans les circonscriptions où les chances sont moins bonnes, on pourra permettre que plus d'une personne se présente à la « convention », mais il est exigé d'elles un engagement écrit à se rallier au vainqueur, après l'assemblée.

Les partisans qui participent aux assemblées d'investiture, lorsqu'il y en a, sont quasi exclusivement des organisateurs du parti. C'est l'organisateur en chef du district (de Montréal ou de Québec) ou encore un ministre du cabinet (quand le parti dirige le gouvernement) qui préside le congrès. L'organisateur en chef de la circonscription convoque les chefs de paroisse et leurs principaux collaborateurs. Selon Lovink (1976: 101), les assemblées d'investiture réunissaient une centaine de partisans. Il pouvait y en avoir un peu moins dans les circonscriptions rurales et un peu plus dans les circonscriptions urbaines.

Comme on le voit, les participants au processus de sélection des candidats sont des partisans voués aux activités du parti dans l'espace électoral, ou encore des élus ou des responsables qui, en plus des activités électorales, ont des activités au gouvernement. Ces responsables et ces élus sont d'ailleurs les acteurs dominants dans le processus quand des conflits se produisent à l'intérieur de l'organisation d'une circonscription. Ce sont eux qui arbitrent ces conflits, ou bien en intervenant en faveur d'un candidat ou bien en laissant le soin à l'organisation de se débrouiller elle-même.

Quelques caractéristiques des élus

Il n'existe pas, à notre connaissance, d'études sur les membres du parti de 1897 à 1936. Comme on vient de le voir, cela se réduit aux organisateurs à différents paliers, celui de la province, celui de la circonscription et celui de la localité ou de la « paroisse ». Les caractéristiques socio-économiques de ces partisans n'ont pas été recensées, ce qui serait d'ailleurs une tâche extrêmement difficile, pour le passé lointain tout au moins. Par contre, nous disposons de recensements sur certaines caractéristiques des élus.

De 1919 à 1931, de 40 à 50% des députés libéraux appartiennent à la catégorie « professions libérales et financiers » (Bernier et Boily, 1986 : 280-285). Il y a bien des variations d'une élection à l'autre, mais pas de tendance générale à la hausse ou à la baisse. Toutefois, selon Hamelin (1964 : 28-29), à l'intérieur de cette catégorie, les notaires et les médecins sont en perte de vitesse, alors que les avocats fournissent toujours le contingent le plus impressionnant.

Ceux qui, dans Bernier et Boily, sont désignés comme « industriels et cadres supérieurs » composent environ 15% des élus libéraux de 1919 à 1931. Quelques députés seulement appartenaient à cette catégorie au début du siècle, tandis qu'à partir des années 1910 il y a augmentation de ce pourcentage. Notons que l'accroissement est plus grand chez les conservateurs que chez les libéraux : de 1919 à 1931, de 18 à 27 % des élus conservateurs sont des industriels ou des cadres supérieurs. Il est intéressant de remarquer que l'apogée des industriels et cadres supérieurs arrive au moment des gouvernements Gouin et Taschereau, reconnus comme ayant été des gouvernements « d'affaires ».

Les « commerçants et petits administrateurs » sont eux aussi en progression durant la période. Jusqu'en 1923, moins de 20 % des députés libéraux appartenaient à cette catégorie. Après cette date, le pourcentage oscillera plutôt autour de 25 %, soit le quart de la députation libérale. À l'inverse, le pourcentage des agriculteurs manifeste une tendance à la baisse. Ils étaient environ 15 % chez les députés libéraux au début du siècle, contre 10 % environ de 1912 à 1936. Quant aux ouvriers, ils ont été à peu près absents de l'Assemblée législative. Il n'y a d'ailleurs pas de différence entre les partis à cet égard.

Le niveau moyen de scolarisation des députés libéraux, comme celui de l'ensemble des députés, a évidemment augmenté de 1897 à 1936. Si on examine la situation à 30 années d'intervalle, on constate que les députés libéraux qui n'avaient pas dépassé le primaire constituaient environ 20 % de l'ensemble en 1897 et 17 % en 1927. Déjà au début du siècle, plus de la moitié des députés libéraux avaient une formation universitaire. La proportion oscillera autour de 50 % au cours de la période (Bernier et Boily, 1986 : 286-289). S'il n'y a pas, de façon constante, une plus forte proportion de députés libéraux avec une formation universitaire, on trouve par contre une plus forte proportion d'entre eux qui ont un baccalauréat ès arts ou un diplôme supérieur. Ils sont environ 15 % en 1897 et 25 % en 1927.

L'organisation, le financement et le favoritisme

De 1897 au milieu des années 1930, le Parti libéral avait, en gros, la configuration suivante dans sa composante interne.

Le chef est au sommet de la hiérarchie plus officieuse qu'officielle qui dirige le parti. Sauf en des moments de fin de règne, où son leadership est contesté (ce sera le cas de Parent), les décisions sont acceptées sans opposition. Il a pour lui à peu près tous les atouts du pouvoir : le poste de dirigeant supérieur, le contrôle des ressources financières et une information privilégiée, bien que parfois restreinte, sur ce qui se passe dans le parti ou dans le gouvernement.

Le chef prend conseil ou non de ses ministres (quand le parti est au gouvernement) ou de ses principaux lieutenants. Il est aussi très près des principaux « trésoriers » du parti, chargés de recueillir les contributions importantes versées par des entreprises, des bureaux ou des individus installés surtout à Montréal ou à Québec, sans compter la contribution d'entreprises canadiennes ou américaines hors du Québec.

Deux organisateurs en chef se partagent généralement les tâches d'organisation électorale, l'un pour le district de Montréal et l'autre pour celui de Québec, la frontière passant à Trois-Rivières (Whitaker, 1977 : 271). Ces organisateurs en chef peuvent fort bien agir aussi comme trésoriers. Au palier des circonscriptions, le « chef » du parti est le député ou – s'il n'y a pas de député – le candidat défait à la dernière élection, ou encore le principal organisateur du « comté ». Un petit comité, dont la taille est variable selon les circonscriptions, entoure le responsable. Il en est de même au niveau des localités (les « paroisses ») : il y a un « chef » de paroisse entouré de quelques autres organisateurs et des chefs de bureau de scrutin, pour chacun des bureaux.

Cette organisation est plus ou moins permanente. Elle s'active surtout à l'approche des élections, qui se déroulent, sauf exception, tous les quatre ans. C'est évidemment au cours de la campagne électorale qu'elle fonctionne à plein régime, en s'adjoignant le plus souvent des partisans peu actifs sinon inactifs entre les élections.

De plus, l'organisation du parti provincial et celle du parti fédéral se recouvrent largement, surtout au palier des circonscriptions et au palier local. Il peut même arriver, comme ce fut le cas avec Chubby Power (Ward, 1966 : 332), qu'un député fédéral agisse comme organisateur en chef dans un des deux grands districts de la province. De façon générale, comme nous l'avons noté dans l'introduction, le parti fédéral domine le parti provincial, sauf lorsque le premier se trouve dans l'opposition (de 1911 à 1921 et de 1930 à 1935).

En cours de campagne électorale, le candidat doit prendre en charge ses dépenses personnelles, l'organisation centrale se chargeant du reste, en particulier de la rémunération des travailleurs d'élection. Il est laissé à la discrétion de l'organisation centrale d'attribuer des sommes variables selon les circonscriptions. Des montants plus importants sont investis là où l'on prévoit une lutte serrée, ou encore là où l'on tient beaucoup à l'élection du candidat du parti.

L'action partisane des organisateurs, des chefs de paroisse et de leurs collaborateurs est récompensée par des prestations, du moins quand l'un ou l'autre des partis libéraux dirige le gouvernement. Le parti fut choyé à cet égard, de 1897 à 1936, puisque le parti fédéral a dirigé le gouvernement durant 25 années sur 40. À presque tous les paliers, le favoritisme vient de l'un ou l'autre gouvernement, en particulier du ministère des Postes et du ministère des Travaux publics, au palier fédéral, et d'à peu près tous les ministères dans le cas du gouvernement provincial. Les emplois, temporaires ou permanents, les contrats et les subventions sont sans doute les prestations les plus fréquentes.

Aux organisateurs et aux chefs de paroisse ou de bureau de scrutin, il n'est évidemment pas demandé de contribuer aux propositions électorales ou gouvernementales du parti. Même aux plus hauts paliers de l'organisation interne, les organisateurs en chef ne se préoccupent pas de ces actions, qu'ils laissent au chef et aux élus (Ward, 1966 : 316).

Les dissensions et la corruption de fin de régime

À l'exception des divisions qui se sont manifestées au début du siècle autour du leadership de Parent, le parti est demeuré uni et discipliné dans son organisation et plus généralement dans son action jusqu'au début des années 1930. Après la victoire de 1931 et la célèbre loi Dillon visant de façon autoritaire à empêcher la contestation devant les tribunaux de l'élection de la plupart des députés libéraux, des dissensions apparaissent. Des jeunes libéraux de Montréal principalement, dont le leader est Paul Gouin, fils de Lomer, sont malheureux du peu de place que Taschereau leur fait dans le parti. Ils ont un programme réformiste pour faire face à la crise dont les effets se répandent dans la population. Ils embrassent la cause de la nationalisation de l'électricité, contre les trusts, une idée d'abord véhiculée par le dentiste Hamel et ses amis de Québec.

Taschereau, qui fait partie lui-même du conseil d'administration de plusieurs grandes compagnies et dont plusieurs parents et amis siègent au conseil d'administration des compagnies d'électricité, est pris à partie. Les libéraux dissidents de Gouin finissent par former, en 1934, un parti distinct, l'Action libérale nationale. Ces divisions ternissent toujours la réputation d'un parti. Après la fragile victoire de novembre 1935, des révélations et des allégations de corruption viennent ternir encore plus cette réputation. Duplessis, le chef de l'opposition, fait comparaître devant le Comité des comptes publics des témoins qui montrent comment d'anciens candidats libéraux, des députés, des ministres et même des parents proches de Taschereau, dont son propre frère, Antoine, ont profité des fonds publics pour en tirer des avantages personnels. Le parti apparaît corrompu, en pleine crise, ce qui est impardonnable aux yeux des électeurs qui ne sont pas farouchement partisans.

L'ESPACE INTRA-SOCIÉTAL

Le gouvernement fédéral et le gouvernement du Québec ne sont pas les seuls dispensateurs de puissance dans la société québécoise du premier tiers du vingtième siècle. Beaucoup d'autres acteurs sont sources d'une puissance plus ou moins soumise à celle des gouvernements. Nous allons faire une brève présentation des principaux d'entre eux : l'administration publique, qui est le prolongement du gouvernement, les gouvernements municipaux, qui sont leurs créatures, l'Église et, enfin, la grande entreprise. Après quoi, nous verrons comment le Parti libéral, au gouvernement du Québec, s'est comporté envers ces autres sources de puissance et envers d'autres acteurs moins importants.

L'administration publique

Gow (1986: 145) résume ainsi l'organisation et le fonctionnement de l'administration publique de 1897 à 1936, comparés à la période 1867-1896:

> L'impression [...] est celle d'une administration beaucoup plus grande et complexe, plus puissante à certains égards, mais assez mal organisée, soumise au gouvernement et dont les chefs sont compromis par leur longue association avec le Parti libéral.

Selon cet auteur, on peut estimer à 625 le nombre de fonctionnaires permanents au début du siècle. En 1933, il y en avait 6 645, soit plus de 22 pour 10 000 personnes dans la population contre un peu moins de 4 pour 10 000 personnes en 1900. Les nouveaux ministères créés durant la sous-période sont ceux des Affaires municipales, de l'Industrie et du Commerce, de la Chasse et de la Pêche, de la Colonisation, des Mines, du Travail et de la Voirie. À cela s'ajoutent quelques organismes autonomes, des régies surtout, plutôt que des entreprises publiques. Comme le note Gow, cela témoigne d'une attitude plus conciliante que compétitive envers le secteur privé, considéré comme allié plutôt que comme rival.

Le changement de gouvernement, en 1897, se traduit par peu de renvois de fonctionnaires associés au Parti conservateur. L'augmentation de l'effectif permet de mettre en place des libéraux et de construire une fonction publique soumise aux intérêts du parti. Faisant le bilan des années 1897-1936, Gow (1986: 171) écrit:

> Les pouvoirs discrétionnaires abondent. Le Conseil des ministres se charge de tout, sauf de la mise à la retraite des employés. La classification des emplois est imprécise, n'étant guère plus qu'une échelle de traitements. Le contrôle des dépenses est inefficace, voire inexistant. La séparation entre la fonction et la vie privée du fonctionnaire reste encore incomplète malgré quelques nouveaux textes sur le conflit d'intérêt. Le patronage règne dans l'octroi des contrats et l'engagement du personnel.

Les gouvernements municipaux

La situation des gouvernements municipaux par rapport au Parti libéral n'est pas sans analogie avec celle de l'administration publique. De façon générale, ces gouvernements sont alliés avec le gouvernement provincial et le parti qui en assure la direction, mais il y a domination de ceux-ci à l'intérieur de la relation d'alliance.

Sans qu'il soit possible de donner des chiffres précis, on peut affirmer que dans la plupart des municipalités du Québec, de 1897 à 1936, la composition partisane du conseil municipal s'ajustait à celle du gouvernement provincial. C'était surtout le cas dans les municipalités moyennes ou petites, particulièrement dépendantes du gouvernement. Comme le disaient les politiciens traditionnels, encore au début des années 1960, un « bleu » n'a pas d'affaire à être maire quand le gouvernement est « rouge » (Lemieux, 1971a: 69).

L'Église et ses prolongements

Au début du vingtième siècle, l'Église est le principal concurrent du gouvernement du Québec comme source de puissance dans la société. Elle est alliée du Parti conservateur et adversaire du Parti libéral.

Durant tout le règne libéral, de 1897 à 1936, l'Église est un acteur dont le capital et le crédit sont très grands comme le montrent Linteau et ses collaborateurs (1979: 520-526). Le rapport prêtres/fidèles s'accroît de 1901 à 1931, et l'Église est présente à trois paliers. Il y a d'abord celui des paroisses, surtout dans les milieux ruraux, car, dans les milieux urbains en développement, l'encadrement est plus limité. Il y a ensuite celui des établissements, dans le domaine de l'éducation et des affaires sociales: des prêtres séculiers et les membres des communautés religieuses tiennent une place importante dans ces établissements qui échappent en bonne partie à la maîtrise du gouvernement québécois. Enfin, il y a le palier des organismes qui agissent au sein d'un diocèse et qui sont ainsi rattachés à la hiérarchie diocésaine. Ces organismes, comme l'École sociale populaire à Montréal, existent surtout en milieu urbain, en compensation de l'encadrement paroissial qui y est moins efficace.

L'éloignement de l'Église par rapport au Parti libéral tient surtout à la présence des « rouges » dans ce parti, qui demeurent favorables à la séparation de l'Église et de l'État et dont la volonté de réforme, en éducation, inquiète. Quand Laurier triomphe au Québec et au Canada, aux élections de 1896, presque tous les évêques appuient les conservateurs. Il gagne cette bataille contre eux et cherche ensuite l'apaisement des luttes avec l'Église. Il y aura bien encore quelques affrontements ouverts au début du siècle, du temps de Parent, mais ils seront suivis d'une neutralisation de la rivalité sous Gouin puis sous Taschereau, dont les liens avec les gens d'Église sont de nature à rassurer celle-ci. Le Parti libéral ne peut espérer être l'allié de l'Église. Toutefois, en se réfugiant dans la neutralité, il évite d'être en relation de rivalité avec elle.

Les entreprises

Avec le gouvernement fédéral, le gouvernement provincial et l'Église, les grandes entreprises sont les principales sources de puissance dans le système politique québécois durant les 35 premières années du vingtième siècle.

Si l'Église a généralement été plus à l'aise avec le Parti conservateur puis l'Union nationale, adversaires des libéraux, la grande entreprise, au contraire, semble avoir établi plus facilement des alliances avec les gouvernements libéraux qu'avec ceux de l'Union nationale, qui sera plus portée dans l'ensemble vers les moyennes et petites entreprises autochtones.

Le Parti libéral arrive à la direction du gouvernement, à la fin du dix-neuvième siècle, au moment où de grandes entreprises américaines commencent à s'intéresser à l'exploitation des richesses naturelles au Québec. Les gouvernements libéraux successifs, et en particulier celui de Taschereau, favoriseront les entreprises et les investissements américains dans ce secteur. Plus généralement, ils feront confiance aux grandes entreprises capitalistes pour le développement du Québec. Des ministres feront même partie des conseils d'administration de certaines de ces entreprises.

Les gouvernements libéraux, de Marchand à Taschereau

Comme Rose (1984), entre autres, l'a montré, les gouvernements agissent en fonction de leur « programme », qu'il soit présenté ou non dans des documents écrits, mais ils doivent aussi régler des problèmes qu'ils n'avaient pas prévus ou qu'ils avaient ignorés au moment des élections. Selon la perspective que nous avons adoptée ici, le programme du Parti libéral consiste surtout dans les alliances, rivalités ou neutralités qu'il valorise pour ce qui est de ses relations avec les autres partis et les principales sources de puissance de la société. Les problèmes imprévus ou négligés amènent les gouvernements à se définir aussi par rapport à des sources de puissance montantes ou encore moins importantes pour eux.

Nous examinerons donc brièvement l'action intra-sociétale des gouvernements libéraux dans cette perspective, sans prétendre vouloir donner un compte rendu complet de cette action. Nous voulons plutôt illustrer la perspective adoptée par quelques exemples révélateurs.

Le gouvernement Marchand

Vers la fin de son mandat, en 1900, le premier ministre Marchand présente une motion voulant que « dans l'opinion de cette Chambre [l'Assemblée législative] il est désirable que la composition de la Législation de cette province soit modifiée par l'abolition du Conseil législatif ».

Cette politique est dans la ligne libérale, puisque deux fois déjà elle a été proposée par le parti depuis 1867. Des arguments d'ordre financier sont avancés de même que des arguments plus philosophiques sur la représentation, mais la principale raison tient à la rivalité avec le Parti conservateur. Le Conseil législatif est dominé par les conservateurs, et des libéraux les tiennent responsables de l'échec de leur politique concernant l'instruction publique. Il s'agit donc d'une position très hostile du Parti libéral envers le Parti conservateur. Le Conseil législatif rejette évidemment la proposition libérale.

Si le gouvernement Marchand ne pose pas de gestes importants envers la fonction publique, il intervient par contre sur le plan municipal. Le projet de loi le plus discuté fut sans doute celui de 1899 qui a amendé la Charte de la cité de Montréal. Des mesures jugées élitistes concernant la formation et la compétence des candidats à la mairie et au conseil municipal (alors appelé « échevinage ») furent critiquées par l'opposition, de même que l'ouverture des lieux de loisir, le dimanche, ce qui était contraire aux positions de l'Église, mais qui faisait l'affaire des travailleurs dont c'était le seul jour de congé. Le gouvernement libéral s'allie ainsi avec une source de puissance montante contre une source envers laquelle il est, de par son « programme », ou bien neutre ou bien hostile.

On a surtout retenu du gouvernement Marchand l'échec de son projet de loi sur l'instruction publique, présenté en 1897, peu de temps après la prise du pouvoir. En fait, le projet de loi propose le remplacement du surintendant de l'Instruction publique par un ministre, responsable devant l'Assemblée, la nomination d'un inspecteur général des écoles, l'uniformité des livres utilisés et l'enseignement de l'agriculture à l'école. Ce projet de loi déchaîne l'opposition des ultramontains et des évêques, qui font des démarches à Rome. Une requête du pape demande à Marchand de surseoir à son projet. Le projet de loi est finalement défait au Conseil législatif, d'où les démarches subséquentes du Parti libéral pour abolir cette chambre.

Le gouvernement revient à la charge en 1899 avec un compromis où il n'est plus question d'un ministère de l'Instruction publique. Les évêques approuvent tacitement le projet et le Conseil législatif ne s'y oppose pas. À nouveau, les libéraux oscillent entre la rivalité et la neutralité dans leurs relations avec l'Église.

Le gouvernement Marchand, soucieux d'équilibre financier, concède des limites forestières et des chutes d'eau à des compagnies étrangères. Il tire aussi des revenus de droits d'exportation du bois pour pâte à papier et favorise l'établissement de sociétés minières incorporées au Québec. Le gouvernement veut ainsi contribuer au développement industriel du Québec. Il rencontre toutefois l'opposition, facilement surmontée, du Parti conservateur, de milieux nationalistes et de ceux qui prétendent qu'il faudrait plutôt favoriser la colonisation. Alliés de la grande entreprise, les libéraux sont des rivaux de ces autres sources de puissance, elles-mêmes rivales, par conviction ou par opportunisme, de la grande entreprise.

Le gouvernement Parent

Les politiques du gouvernement Parent se démarquent peu de celles du gouvernement précédent. Vigod (1986 : 22) l'a jugé sévèrement : malgré la faiblesse de l'opposition conservatrice et le ralliement des libéraux qui avaient appuyé son adversaire Robidoux, Parent aurait été un chef exerçant peu de leadership, que ce soit en chambre ou au cabinet.

Comme du temps de Marchand, plusieurs lois du gouvernement touchent la Charte de la cité de Montréal. C'est un enjeu controversé, d'autant plus que Parent demeure maire de Québec, tout en étant premier ministre. On ne peut s'empêcher de voir là une manifestation de la rivalité entre les libéraux et les Montréalais, qui appuient le Parti conservateur plus que ne le font les autres électeurs du Québec.

Parent, qui avait été ministre des Terres et Forêts sous le gouvernement Marchand, poursuit les politiques du gouvernement précédent en matière de développement économique du Québec, ce qui l'oppose à ceux qui donnent plutôt la priorité à la colonisation. Le gouvernement Parent va même jusqu'à réduire le montant du droit d'exportation sur le bois pour pâte à papier, qui avait été fixé par le gouvernement précédent. Des avantages sont consentis aux compagnies qui exploitent les ressources minières et hydrauliques du territoire. En compensation, une commission non gouvernementale de trois membres est créée en 1902 pour faire enquête sur les problèmes de la colonisation. Une loi suit, en 1904, qui sépare le domaine colonisable du domaine forestier et qui prévoit des mesures contre la spéculation.

La loi satisfait partiellement les milieux nationalistes et l'Église. Celle-ci n'a pas à affronter le gouvernement Parent, comme elle avait affronté le gouvernement Marchand. Elle obtient gain de cause, en 1901, quand une modification est apportée à un projet de loi amendant les actes d'incorporation de la Compagnie du cimetière Mont-Royal. La crémation des membres de l'Église catholique ne sera pas permise. L'Église définit la crémation comme une pratique païenne et anti-chrétienne.

Malgré l'importance qu'il accorde au développement industriel, le gouvernement commence à s'intéresser aux problèmes ouvriers et plus généralement à des milieux délaissés par les autres sources de puissance de la société. La Loi des différends ouvriers est adoptée en 1901. Elle crée un conseil d'arbitrage, où sont représentés patrons et ouvriers, pour faciliter le règlement des conflits de travail. À l'usage, la loi est une faillite et elle sera d'ailleurs remplacée en 1909. La loi Lacombe, adoptée en 1903, empêche la saisie des salaires des gens à faible revenu.

Cela illustre que les partis sont appelés à aller au-delà de leur « programme » pour prendre des positions amicales, hostiles ou neutres envers des milieux qui posent des problèmes que les gouvernements choisissent de ne plus ignorer.

Le gouvernement Gouin

À la différence de Parent, Gouin est un chef qui ne craint pas de prendre des initiatives. Il dirige un gouvernement attentif aux changements qui se produisent dans la société québécoise. C'est sans doute le premier gouvernement du Québec à se préoccuper à la fois du développement de la province et de l'amélioration des conditions de vie des groupes et des milieux défavorisés par l'évolution sociale et économique.

Personne ne s'oppose à la création, en 1911, de la Commission des eaux courantes, chargée d'enquêtes sur les possibilités de développement du réseau hydraulique. Toutefois, les adversaires du gouvernement lui reprochent vivement de nommer l'ancien premier ministre Parent à la tête de cette commission. En 1913, le Département de la voirie qui avait été inclus dans le ministère de l'Agriculture, l'année précédente, devient un ministère. Le gouvernement Gouin manifeste par là l'importance nouvelle qu'il accorde à cette activité. En 1919, on crée le Département du travail à l'intérieur du ministère des Travaux publics, ce qui, là encore, traduit des préoccupations nouvelles de la part du gouvernement.

Les questions municipales et la ville de Montréal occupent moins le gouvernement Gouin que le précédent. La principale mesure prise en ce domaine est la création, en 1909, de la Commission d'enquête sur l'administration municipale de Montréal. L'enquête est demandée par un comité de citoyens résolus à mettre fin à la corruption dans l'administration de la ville.

Devant l'Église, le gouvernement a des conduites mitigées et somme toute assez habiles. Les autorités religieuses se réjouissent de l'ouverture d'écoles normales d'institutrices à Trois-Rivières, Nicolet, Valleyfield et Hull qui sont confiées à des congrégations de religieuses. Elles se réjouissent aussi des modifications apportées à la Loi des licences, qui visent à restreindre la consommation des boissons alcooliques. Elles contribuent à ce que le gouvernement abandonne en deuxième lecture un projet de loi d'inspiration « rouge » visant à faire élire par le peuple des commissaires d'école à Montréal. En revanche, le gouvernement autorise en 1906 la municipalité de Rimouski à taxer les biens des communautés religieuses établies sur son territoire, et malgré l'opposition du clergé il fait adopter deux lois, en 1907, constituant les corporations de l'École technique de Montréal et de l'École technique de Québec. La même année, il crée l'École des hautes études commerciales, toujours contre l'avis des autorités religieuses. À nouveau, le gouvernement libéral oscille entre la neutralité et la rivalité envers l'Église, mais avec le temps des relations d'alliance apparaissent aussi, même si elles se révèlent moins importantes que les deux autres types.

Le gouvernement fait adopter une loi qui permet aux compagnies hydro-électriques d'exproprier les terrains adjacents à leurs installations, mais la plupart des autres politiques gouvernementales en ce domaine visent à contraindre les pouvoirs des compagnies ou encore à augmenter les revenus que la province tire de leurs activités. Une loi adoptée en 1910 interdit l'exportation du bois pour pâte à papier à l'état brut, afin d'obliger les industries américaines à le transformer sur place et à établir des usines au Québec. Une autre politique fait en sorte que les chutes d'eau ne soient plus vendues, mais seulement louées. Les milieux nationalistes appuient ces mesures, qu'ils avaient d'ailleurs réclamées. Cet appui est un fait nouveau. En 1912, le gouvernement hausse les droits de coupe et la rente foncière payables par les marchands de bois.

Même s'ils croient davantage à l'industrialisation du Québec qu'à sa colonisation, les gouvernements libéraux de la période ne peuvent se permettre de négliger complètement celle-ci. En 1909, la Loi des terres est modifiée de façon à limiter les pouvoirs des spéculateurs, mais aussi ceux des colons auxquels elle consent quelques adoucissements. L'opposition craint que l'on décourage, par la nouvelle loi, les futurs colons. En 1912, une autre loi vient favoriser l'établissement des colons en Abitibi. On voit que le gouvernement Gouin est très habile à neutraliser des rivalités potentielles ou réelles, et même à les transformer en alliances à tout le moins conjoncturelles.

Le gouvernement Gouin agit sur plusieurs aspects des conditions de travail. Il est le premier à s'intéresser autant aux travailleurs par rapport aux gens d'affaires et aux entrepreneurs. En 1909, les conseils d'arbitrage sont abolis pour faire place, dans chaque cas, à un conseil d'arbitrage spécial dont les membres sont nommés par les parties elles-mêmes. En 1910, des bureaux de placement publics sont ajoutés aux bureaux privés et en 1918 il y a accord avec le gouvernement fédéral afin de favoriser une meilleure coordination entre les bureaux. En 1909, le gouvernement fait sanctionner la Loi concernant la responsabilité des accidents dont les ouvriers sont victimes dans leur travail et la réparation des dommages qui en résultent.

Une modification à la Loi des établissements industriels fixe à 14 ans l'âge minimal d'embauche et oblige les jeunes de moins de 16 ans qui ne savent pas lire à fréquenter l'école. En 1910, une loi augmente l'âge minimal d'embauche à 16 ans et réglemente les heures de travail des femmes. En 1919, à la fin de son règne, le gouvernement Gouin prépare des mesures sur le salaire minimum des femmes, mesures qui seront mises en application par le gouvernement suivant. Notons enfin une autre mesure en faveur des femmes, soit celle qui vise à augmenter le salaire des institutrices, et des instituteurs, par des subventions versées à cette fin aux municipalités. Cette mesure favorise surtout les femmes, étant donné que ce sont elles principalement qui, tout en étant les plus nombreuses, reçoivent les salaires les plus bas.

Non seulement le gouvernement Gouin réussit-il assez bien à neutraliser, pour le moins, des rivalités avec les sources de puissance reconnues de la société, mais il cherche à établir de nouvelles alliances avec des sources de puissance potentielles, négligées par les sources reconnues.

Le gouvernement Taschereau

Le gouvernement de Taschereau paraît plus opportuniste que celui de Gouin. La personnalité du chef libéral y est sans doute pour quelque chose, mais les contraintes venant de l'évolution de la société québécoise et de la conjoncture économique et politique des années 1930 expliquent aussi un style de gouverne plus louvoyant que du temps de Gouin.

Nous avons dit, à propos de l'espace extra-sociétal, que les années 1920 avaient été l'âge d'or de l'autonomie provinciale et que le gouvernement Taschereau y avait contribué pour beaucoup. En plus des positions autonomistes, que nous avons signalées en matière de richesses naturelles, de radiodiffusion, de canalisation du Saint-Laurent, de pêcheries et d'impôt, le gouvernement du Québec agit dans quelques autres secteurs qui concernent la société québécoise. Dans ces actions, il est bien plus l'allié que le rival du gouvernement central. En 1928, il décide de participer au plan fédéral de crédit agricole, de façon à compléter les efforts faits en ce domaine par les caisses populaires. En 1934, une motion unanime de la Chambre demande au gouvernement central d'abroger l'article du Code criminel qui interdit les loteries, afin de permettre à la province d'en organiser une à des fins éducatives et charitables. En 1936, Taschereau consent finalement à ce que le gouvernement central paie des pensions de vieillesse aux personnes de 70 ans et plus, même si cette mesure semble inconstitutionnelle aux yeux de certains juristes, dont Louis Saint-Laurent. Le gouvernement central paiera 75 % et non 50 % de ces pensions, comme il l'avait prévu dans sa loi de 1927.

La fin du régime Taschereau sera marquée par une loi célèbre, dans le domaine électoral, la loi Dillon, adoptée en 1931, après les élections générales de cette année-là. En raccourcissant les délais accordés par la loi électorale pour introduire une procédure de contestation, la loi Dillon prenait de court 63 candidats conservateurs défaits qui s'étaient concertés pour entamer une telle procédure. Ce geste arbitraire, qui illustre une rivalité excessive envers le Parti conservateur, ternira la réputation de Taschereau et sera un signe avant-coureur de son déclin.

Plutôt autonomiste envers le gouvernement fédéral, le gouvernement Taschereau fait bon marché de l'autonomie des municipalités. Tout se passe comme s'il voulait les endetter pour mieux les dominer. À la fin de la période 1920-1936, le Québec est la seule province où la dette municipale dépasse sensiblement la dette provinciale, selon le rapport de la Commission royale sur les relations entre le Dominion et les provinces, paru en 1939. La Loi de l'assistance publique de 1921 est caractéristique de la façon d'agir du gouvernement. Il promet de débourser le tiers des frais engagés par l'hospitalisation des indigents. Les municipalités et les communautés religieuses doivent se partager le reste. La création de la Régie de la voirie et celle de la Commission municipale soumettent les municipalités endettées au contrôle du gouvernement, qui peut, par l'intermédiaire de ces organismes, leur refuser des travaux d'amélioration des chemins ou encore des emprunts. Le gouvernement profite de la division dans le monde municipal (particulièrement entre les municipalités endettées et les autres) pour imposer ces mesures.

Les relations avec l'Église sont complexes sous le régime Taschereau (Dupont, 1972). L'Église perd de son emprise sur la société et le gouvernement, mais elle n'en continue pas moins de se battre sur plusieurs fronts. Le gouvernement profite de ce déclin et ne craint plus d'opter pour sa vision du développement économique et social contre certains privilèges de l'Église. Une rivalité plus évidente succède aux relations ambiguës des décennies précédentes.

Le débat concernant le travail dominical est un bon exemple de l'opposition de vues entre le gouvernement et le clergé. Malgré l'appui de plusieurs associations, dont la Confédération des travailleurs catholiques du Canada (CTCC), l'Église n'obtient que l'abolition du privilège qu'avaient les Juifs de travailler le dimanche. Le gouvernement protège les employeurs qui font travailler des ouvriers à l'entretien et à la réparation de leur machinerie, ce jour-là. De même, pour permettre aux employeurs d'économiser sur les frais d'électricité, le gouvernement autorise les municipalités, en 1924, à adopter, à la suite d'un référendum, un règlement qui permet d'avancer l'heure durant l'été. L'Église voit là une atteinte à l'ordre religieux, une volonté de prolonger les amusements de façon excessive et plaint les pauvres ouvriers qui doivent se lever une heure plus tôt.

Quand les intérêts des gens d'affaires ne sont pas directement en jeu, le gouvernement a des positions plus respectueuses de celles de l'Église. C'est le cas dans le domaine scolaire, en particulier à propos de l'éducation des enfants juifs. On arrive finalement à une solution où une autonomie limitée est accordée aux Juifs sur le plan de l'organisation scolaire. L'État assiste financièrement les collèges classiques, mais il institue, en 1926, une corporation des écoles techniques où l'Église voit une nouvelle brèche dans sa mainmise sur le système d'éducation.

Cette loi, comme bien d'autres, témoigne des préoccupations économiques du gouvernement qui, toutefois, se portent principalement du côté de l'industrie du bois, des mines et de l'électricité. En particulier, il joue sur les droits de coupe pour s'adapter à la conjoncture économique, et s'il crée une régie de l'électricité, à la fin de son règne, en 1935, pour contrôler la production, le transport et la consommation de l'électricité, il écarte l'étatisation, qui coûterait trop cher.

Le gouvernement Taschereau ne croit guère à la colonisation, comme tous les gouvernements libéraux précédents d'ailleurs. Dans la conjoncture des années 1930, il fait quand même adopter sous la pression de l'Église et des milieux nationalistes des mesures qui sont favorables aux colons, dont le célèbre plan Vautrin. Ce plan vise à établir, en deux ans, 10 000 colons proprement dits et 10 000 jeunes cultivateurs, et ce grâce à un crédit de 10 millions de dollars.

En 1924, le gouvernement fait adopter la Loi des syndicats professionnels qui reconnaît la personnalité juridique des syndicats. Deux ans plus tard, il adopte la Loi des accidents du travail qui reconnaît la responsabilité personnelle des employeurs. Elle ne sera jamais appliquée. Deux autres lois la remplaceront, dont celle de 1931 qui reconnaît plutôt la responsabilité collective des employeurs et qui crée un fonds à cette fin.

Si l'Église et l'État sont souvent opposés durant le régime Taschereau, ils s'allient pour refuser le droit de vote aux femmes en 1927 et encore en 1936. Cependant, une modification de la Loi des banques, la création de la Commission du salaire minimum et des modifications au Code civil améliorent quelque peu les conditions financières et juridiques des femmes.

L'action du gouvernement Taschereau, comme celle des gouvernements libéraux précédents, révèle les constantes qui se retrouvent dans la gestion des relations d'alliance, de rivalité et de neutralité du parti avec les sources de puissance et les autres acteurs de la société québécoise. La grande entreprise est le plus souvent une alliée, mais il est de bon ton d'exprimer parfois de la rivalité envers elle, pour manifester la supériorité du gouvernement et pour neutraliser les milieux nationalistes, souvent rivaux du Parti libéral. Avec l'Église, le parti cherche généralement à maintenir la neutralité, mais il ne peut manquer de la retrouver sur son chemin à diverses occasions. Dans ces circonstances, les relations sont parfois de rivalité et parfois d'alliance. Quant aux groupes comme les travailleurs, les sans-emploi, les femmes, qui ne sont pas des sources de puissance, ils sont ignorés bien souvent ; mais quand les gouvernements libéraux interviennent, ils cherchent généralement à se les allier, d'autant plus que le Parti conservateur n'est pas particulièrement porté vers ces groupes.

L'ESPACE ÉLECTORAL

De 1897 jusqu'au début des années 1930, la performance des gouvernements libéraux est estimée favorablement par une majorité d'électeurs, comme le montre le tableau 1.

Les électeurs constants et les autres

Le tableau 1 montre que le plancher atteint par le Parti libéral, en fait d'électeurs inscrits, de 1897 au milieu des années 1930 a été de 32 % (en 1936). Le Parti conservateur, de son côté, a un plancher de 22 % des électeurs inscrits (en 1904). Quant aux abstentionnistes, ils n'ont jamais été moins de 23 % (en 1919 et en 1931),

TABLEAU 1
Résultats des élections provinciales, de 1897 à 1936

Année d'élection	Participation %	Votes libéraux %	Votes aux autres partis %	Sièges libéraux N	Sièges aux autres partis N	Nombre total de sièges N
1897	69	54 (37)	46 (32)	51 (50)	23 (22)	74
1900	77	56 (43)	45 (34)	67 (31)	7 (7)	74
1904	68	68 (46)	32 (22)	68 (30)	6 (6)	74
1908	64	55 (35)	45 (29)	58 (52)	16 (16)	74
1912	61	54 (33)	46 (28)	64 (63)	17 (17)	81
1916	73	65 (47)	35 (26)	75 (52)	6 (6)	81
1919	77	70 (54)	30 (23)	74 (31)	7 (5)	81
1923	64	55 (35)	45 (29)	64 (56)	21 (21)	85
1927	65	63 (41)	37 (24)	75 (63)	10 (10)	85
1931	77	56 (43)	44 (34)	79 (79)	11 (11)	90
1935	74	50 (37)	50 (37)	48 (45)	42 (42)	90
1936	76	42 (32)	58 (44)	14 (14)	76 (76)	90

Note : Le taux de participation est calculé à partir des circonscriptions où il y a eu votation. Dans le cas des votes, le nombre qui figure en premier lieu est le pourcentage des votants et le nombre entre parenthèses représente le pourcentage des inscrits. Dans le cas des sièges, le nombre qui apparaît d'abord est le nombre total de sièges obtenus et le nombre entre parenthèses représente le nombre de sièges gagnés par votation, en excluant les sièges gagnés par acclamation.

Sources : Bernier et Boily (1986) ; Hamelin *et al.* (1959-1960).

si on fait exception de l'élection de 1900 où plus de la moitié des sièges ont été attribués par acclamation. Nous avons fait comme si les abstentions avaient été de 23 % à cette élection. On peut donc considérer que dans l'espace électoral les alliés, les rivaux et les neutres constants par rapport au Parti libéral formaient, approximativement, les proportions suivantes de l'électorat :

Alliés du Parti libéral	32 %
Rivaux du Parti libéral	22 %
Neutres (abstentionnistes)	23 %
Total	77 %

Nous parlons de « neutres » pour désigner la proportion de ceux qui s'abstiennent constamment et qui ne sont donc pas susceptibles de devenir, conjoncturellement, des alliés ou des rivaux des partis. Ils sont en cela différents des 23 % d'électeurs restants, les non-constants, qui, d'une élection à l'autre, choisissent d'être ou bien des alliés du Parti libéral ou bien des rivaux, ou encore des neutres par rapport à lui.

Le Parti libéral dispose donc, au départ, d'un avantage important, de l'ordre de trois contre deux, par rapport au Parti conservateur, chez les électeurs partisans qui appuient de façon constante le même parti.

Le réalignement de 1886 à 1897

De 1867 à 1892, le Parti conservateur détenait cet avantage de l'ordre de trois contre deux. Au cours des huit élections qui se sont déroulées durant cette période, on observe en effet que le plancher atteint par le Parti conservateur est de 33 % (en 1881 et en 1886), alors que celui du Parti libéral est de 21 % (en 1871). C'est en 1878 que les abstentionnistes sont les moins nombreux, leur pourcentage étant de 25 %.

Durant cette période, les pourcentages d'électeurs constants auraient donc été, approximativement, les suivants :

Alliés du Parti libéral	21 %
Rivaux du Parti libéral	33 %
Neutres (abstentionnistes)	25 %
Total	79 %

Ces pourcentages, comme ceux de la période 1897-1936, sont cependant sujets à caution étant donné le nombre élevé d'élections par acclamation à l'occasion de certaines élections générales.

C'est de 1886 à 1897 que semble s'être produit le réalignement qui a fait du Parti libéral le parti dominant, alors qu'il était auparavant dominé par le Parti conservateur. Il n'est pas certain que le Parti libéral ait pu compter dès 1897 sur les 32 % d'électeurs constants qui l'appuieront jusqu'au milieu des années 1930, mais nous allons faire comme si cela avait été le cas.

La répartition des non-constants de 1897 à 1936

De 1897 à 1936, il y aurait donc eu, approximativement, 32 % d'électeurs qui ont été des alliés constants du Parti libéral, 22 % qui ont été des rivaux constants et 23 % qui ont été des neutres constants.

Tout se passe comme si les 23 %, ou à peu près, des autres, les non-constants, s'étaient répartis, selon les conjonctures, d'un extrême à l'autre, de l'élection de 1919 où ils étaient tous devenus des alliés du Parti libéral, à celle de 1936 où ils étaient tous devenus des rivaux. Le tableau 2, fondé sur le tableau 1, range les différentes répartitions présumées, de la plus favorable au Parti libéral à la plus défavorable.

TABLEAU 2
Répartition conjoncturelle présumée des électeurs non constants en alliés, rivaux et abstentionnistes, de 1919 à 1936
(en pourcentage)

Année d'élection	Alliés	Rivaux	Abstentionnistes	Total des libéraux	Total des conservateurs	Total des abstentionnistes
1919	22	1	0	54	23	23
1904	14	0	9	46	22	32
1916	15	4	4	47	26	27
1927	9	2	12	41	24	35
1900	11	12	0	43	34	23
1931	11	12	0	43	34	23
1923	3	7	13	35	29	36
1908	3	7	13	35	29	36
1912	1	6	16	33	28	39
1897	5	10	8	37	32	31
1935	5	15	3	37	37	16
1936	0	22	1	32	44	24

On peut tenter d'expliquer ces variations conjoncturelles par les valeurs qu'avaient dans chacun des trois espaces (extra-sociétal, partisan et intra-sociétal) les libéraux, comparés aux conservateurs puis aux unionistes, aux yeux des électeurs, au moment de chacune des élections.

Il s'agit là, bien sûr, d'une modélisation très simplificatrice, à partir de laquelle il faudrait construire un modèle plus complexe. Elle suffira, pour le moment, à interpréter les données du tableau 2.

Le tableau 3 présente les valeurs, grande (+), moyenne (±) et petite (–), perçues de façon comparative chez les libéraux, dans chacun des espaces, et ce d'une élection à l'autre.

TABLEAU 3
Évaluation comparée du Parti libéral par les électeurs non constants dans chacun des espaces, de l'élection de 1897 à celle de 1936

Année d'élection	Espace extra-sociétal	Espace partisan	Espace intra-sociétal	Rang d'après le tableau 2
1897	+	±	±	10
1900	+	+	±	5
1904	+	+	+	2
1908	±	±	±	7
1912	±	±	+	9
1916	±	+	+	3
1919	+	+	+	1
1923	±	±	±	7
1927	±	±	+	4
1931	+	±	±	5
1935	+	–	–	11
1936	±	–	–	12

Dans l'évaluation présumée de l'espace partisan, nous avons tenu compte de l'unité interne du parti et du plus ou moins grand attrait de ses chefs, mais aussi des élections par acclamation. On peut penser en effet que lorsque la moitié des députés sont élus par acclamation et qu'ils sont tous des libéraux, comme ce fut le cas en 1904, cela accorde une grande valeur au parti dans l'espace partisan, aux yeux des électeurs qui sont appelés à voter dans les autres circonscriptions. À l'inverse, quand il n'y a pas d'élection par acclamation ou presque, le parti fait moins bonne figure dans l'espace partisan.

En nous fondant sur les analyses précédentes ainsi que sur les résumés faits par Hamelin et ses collaborateurs (1959-1960) de la situation des partis au moment des campagnes électorales et de leur performance au cours de ces campagnes, nous justifierons sommairement dans la prochaine section les marques que nous attribuons au Parti libéral d'une élection à l'autre. Par ailleurs, nous aurons l'occasion, au chapitre 6 sur le système des partis, de faire une étude plus poussée des marques et des liens entre l'espace électoral et chacun des trois autres.

De l'élection de 1897 à celle de 1936

En 1897, le prestige de Laurier, devenu, l'année précédente, premier ministre du Canada, est le principal atout du Parti libéral, qui se trouve en bonne position dans l'espace extra-sociétal (+). Dans les deux autres espaces, sa position se révèle moins avantageuse. L'administration du gouvernement conservateur a été prudente et sans reproche dans une conjoncture économique difficile, d'où la valeur mitigée (±) attribuée au Parti libéral dans l'espace intra-sociétal. Dans l'espace partisan, les conservateurs font l'erreur de s'attaquer à Mercier, ce qui sert le Parti libéral, mais il demeure que le parti ne fait élire qu'un député par acclamation, comme le Parti conservateur (±).

En 1900 au contraire, 36 députés libéraux sont élus par acclamation, ce qui montre bien que le parti est très avantagé dans l'espace partisan (+). Le parti profite, comme en 1897, de l'ascendant de Laurier et se trouve ainsi en bonne position dans l'espace extra-sociétal (+). Les élections provinciales sont d'ailleurs déclenchées tout de suite après la victoire des libéraux fédéraux. Dans l'espace intra-sociétal, « l'actif du gouvernement libéral est imposant, mais sans grand panache » (Hamelin *et al.*, 1959-1960: 29). C'est pourquoi nous lui accordons une valeur mitigée (±).

En 1904, le prestige de Laurier continue de faire apparaître le parti de façon positive dans l'espace extra-sociétal (+). Les divisions autour du leadership de Parent restreignent la valeur de la performance partisane, mais les 38 députés libéraux élus par acclamation montrent que le parti n'est pas pour autant dominé par l'autre dans l'espace partisan (+). Dans l'espace intra-sociétal, le Parti conservateur ne parvient pas à contrer le moindrement la performance des libéraux (+).

En 1908, le prestige de Laurier a décliné dans l'espace extra-sociétal (±). Gouin, cette fois, déclenche les élections provinciales avant les élections fédérales. Bourassa et Lavergne à la tête du groupe nationaliste limitent l'avantage du Parti libéral dans l'espace intra-sociétal (±) où la critique des nationalistes, plus que celle des conservateurs, ébranle le Parti libéral. Il n'y a que six candidats libéraux qui sont élus par acclamation, ce qui est l'indice d'une valeur mitigée (±) des libéraux dans l'espace partisan.

En 1912, le Parti libéral ne profite guère du prestige de Laurier, dont le gouvernement a été défait aux élections fédérales de 1911. Les premières erreurs du nouveau gouvernement conservateur limitent cependant les dégâts dans l'espace extra-sociétal (±). Dans l'espace intra-sociétal, Gouin n'a plus à subir la concurrence de Bourassa et des nationalistes, dégoûtés de la performance du gouvernement fédéral. La vague de prospérité et le bilan du gouvernement Gouin font apparaître les libéraux de façon avantageuse (+). La situation n'évolue guère dans l'espace partisan où un seul candidat libéral est élu par acclamation (±).

En 1916, la situation n'a pas changé dans l'espace extra-sociétal (±) ni dans l'espace sociétal (+) où la prospérité, accentuée par la guerre, favorise les libéraux. Cette fois, 23 candidats libéraux sont élus par acclamation, ce qui indique que le Parti libéral se présente de façon très positive (+) dans l'espace partisan.

À l'élection de 1919, il semble que tous les électeurs inconstants ayant participé au scrutin aient appuyé le Parti libéral. La tare conscriptionniste fait apparaître le Parti conservateur au plus mal dans l'espace extra-sociétal, ce qui, par contraste, valorise le Parti libéral (+). Malgré les attaques du nouveau chef conservateur Arthur Sauvé, le bilan du gouvernement Gouin dans l'espace intra-sociétal s'avère très positif (+). Les libéraux sont plus unis que jamais derrière leur chef dans l'espace partisan (+), et pas moins de 43 de leurs candidats sur 81 sont élus par acclamation dans une élection générale où l'espace extra-sociétal est de toute évidence le plus important.

En 1923, le gouvernement à Ottawa est à nouveau libéral, mais sa majorité est fragile et King n'a pas le prestige de Laurier (±). Dans l'espace intra-sociétal, conservateurs et nationalistes s'unissent pour attaquer durement le gouvernement libéral (±). Huit candidats libéraux seulement sont élus par acclamation, ce qui signifie que dans l'espace partisan également la valeur du Parti libéral n'est plus aussi positive (±) qu'en 1919.

À l'élection de 1927, la situation ne s'est pas beaucoup modifiée. Dans l'espace extra-sociétal, King dirige un gouvernement qui ne sert que de façon mitigée la cause du parti provincial (±). Les conservateurs laissés à eux-mêmes ne menacent guère les libéraux dans l'espace intra-sociétal (+). Le Parti libéral est très uni derrière Taschereau dans l'espace partisan, mais il n'y a que 12 candidats libéraux qui sont élus par acclamation (±).

Au moment de l'élection de 1931, le gouvernement est conservateur à Ottawa, depuis un an. Il est déjà dépassé par la crise, ce qui sert le Parti libéral à Québec (+). Dans l'espace partisan, Houde a remplacé Sauvé, à la tête du Parti conservateur : ses excès finissant par rehausser l'image de Taschereau dans l'espace partisan où la valeur de son parti est mitigée (±), il n'y a qu'un libéral élu par acclamation. Dans l'espace intra-sociétal, par contre, le gouvernement libéral souffre de la crise qui débute (±).

En 1935, l'élection provinciale suit d'un mois l'élection fédérale, où le Parti libéral a renversé de façon très nette le gouvernement conservateur sortant. L'espace extra-sociétal reste le seul où le Parti libéral du Québec apparaît de façon avantageuse (+). Dans l'espace partisan, les scandales minent le prestige du premier ministre Taschereau et de son entourage (−), face à un Duplessis et à un Paul Gouin en pleine montée politique. Dans l'espace intra-sociétal, le gouvernement est dépassé par la crise (−). Seulement trois candidats libéraux sont élus par acclamation.

En 1936, enfin, tous ces traits demeurent à l'exception de la situation dans l'espace extra-sociétal qui se détériore un peu (±), étant donné que le gouvernement libéral fédéral paraît lui aussi débordé par la crise et que l'Union nationale a pris ses distances par rapport au Parti conservateur. Quoi qu'il en soit, ce sont les enjeux de l'espace partisan et de l'espace intra-sociétal qui ont surtout retenu l'attention des électeurs.

Comme on le voit à la lecture du tableau 2, la sommation des valeurs +, ± et − permet d'arriver à une assez bonne approximation du rang des élections. Le tableau couvre la période allant de l'élection où l'évaluation du Parti libéral dans les espaces était la plus favorable et a ainsi attiré la meilleure proportion d'électeurs non constants, par rapport à ce qu'a attiré le parti rival, jusqu'à celle où cette évaluation était la moins favorable.

La composition de l'électorat libéral

Faute de données, nous ne pouvons décrire la composition biosociale de l'électorat libéral. Sa composition dans l'espace et sur le plan ethnique est par contre mieux connue, et l'on peut également fournir un aperçu de ses aspects socio-économiques.

Les ruraux et les urbains

En 1901, 60% de la population du Québec était rurale, selon les données du recensement. En 1911, cette proportion était tombée à 52%. En 1921, pour la première fois, il y a plus d'urbains (56%) que de ruraux (44%), et en 1931 il y a seulement 37% de ruraux contre 63% d'urbains. C'est dire que, durant la sous-période qui nous intéresse, la répartition territoriale de la population passe d'une situation où trois personnes sur cinq habitent la campagne à une situation où seulement un peu plus du tiers des Québécois sont des ruraux.

Les inégalités dans la population électorale des circonscriptions ont fait cependant qu'encore en 1931 une majorité de celles-ci étaient dominées par les électeurs ruraux. Hamelin et ses collaborateurs (1959-1960: 185-191) ont montré que le Parti libéral a toujours reçu, de 1897 à 1931, un appui très majoritaire des circonscriptions rurales, comme ce fut d'ailleurs le cas du Parti conservateur de 1867 à la fin des années 1980.

Ces auteurs montrent que de 1897 à 1904 le Parti libéral s'empare de Sherbrooke mais aussi des circonscriptions de la zone rurale qui l'entourent. De même, les circonscriptions rurales du nord de Montréal et de la région trifluvienne tombent graduellement aux mains des libéraux, qui dominent totalement la grande région de Québec. L'opposition conservatrice gagne généralement plus de sièges en milieu urbain qu'en milieu rural. Durant toute la sous-période allant de 1897 à 1931, Montréal, Saint-Georges et Verdun élisent toujours un député conservateur. Paul Cliche (1961: 343-344), qui a étudié l'opposition ville/campagne à partir de 1927, montre que cette année-là 9 des 10 circonscriptions gagnées par les conservateurs sont urbaines: 6 de l'île de Montréal, avec en plus Hull, Trois-Rivières et Sherbrooke. En 1931, le Parti conservateur remporte 11 circonscriptions, dont 6 sont urbaines : 3 dans Montréal, avec en outre Hull, Trois-Rivières et Saint-Sauveur (dans la ville de Québec).

Il y a donc une tendance assez nette à ce que l'opposition conservatrice réussisse mieux dans les villes que dans les campagnes. Mais le Parti libéral n'en a pas moins de forts appuis dans certaines villes, en particulier dans celles qui dépendent de l'activité gouvernementale, provinciale ou fédérale. Le cas de la ville de Québec s'avère éloquent à cet égard. À quelques exceptions près, ses circonscriptions élisent constamment des députés libéraux de 1897 à 1931.

Les francophones et les anglophones

Ronald Rudin (1985 : 151-193) a montré que la proportion des anglophones dans la population québécoise, après avoir atteint un sommet au milieu du dix-neuvième siècle, a quelque peu décru depuis. En 1901, cette proportion est de 18 %, alors qu'elle n'est plus que de 15 % en 1931. La décroissance se produit principalement hors de Montréal. En 1901, 66 % de la population anglophone habite hors de Montréal, alors qu'en 1931 cette proportion n'est plus que de 35 %.

Les circonscriptions à majorité anglophone hors de Montréal n'ont pas un comportement électoral très différent de celles à majorité francophone. Rudin (1985 : 252-280) a calculé également que, de 1897 à 1935, 83 % des circonscriptions francophones hors de Montréal avaient élu un député libéral. Dans les circonscriptions à majorité anglophone, cette proportion atteint 95 %. Dans Montréal et Québec, à l'inverse, les circonscriptions à majorité anglophone appuient un peu moins le Parti libéral que les autres. Durant la même période, soit de 1897 à 1935, 59 % des circonscriptions anglophones de Montréal élisent un député libéral, alors que cette proportion atteint 68 % dans les circonscriptions francophones.

Outre qu'ils confirment que le Parti libéral réussit mieux hors de Montréal qu'à Montréal durant la période, ces chiffres montrent que les circonscriptions anglophones ne font qu'accentuer légèrement l'opposition entre les deux milieux. Par rapport aux autres, elles sont un peu plus favorables au Parti libéral hors de Montréal et un peu moins favorables à celui-ci à Montréal même.

Les différences socio-économiques

En l'absence de données de sondage, il est difficile de se prononcer sur les différences socio-économiques entre l'électorat des deux partis. Il ne semble toutefois pas que ces différences aient été bien grandes. Le Parti libéral domine son adversaire dans tous les milieux économiques, qu'ils soient ruraux ou urbains, même si le Parti conservateur réussit un peu mieux dans les milieux urbains.

Nos propres études dans Lévis (Lemieux, 1961) et dans l'île d'Orléans (Lemieux, 1971a) tendent à montrer que le Parti conservateur réussit relativement mieux dans les localités homogènes sur le plan économique, où la solidarité permet de se passer plus facilement du gouvernement, alors que le Parti libéral domine là où il y a plus de compétition et plus de dépendance envers le gouvernement.

Ajoutons que les conditions économiques, si elles ne semblent pas avoir des conséquences structurelles bien nettes sur l'électorat des partis, ont par contre des conséquences conjoncturelles évidentes. La crise économique du début des années 1930 a entraîné des défections dans à peu près tous les milieux libéraux, tout comme la récession des années 1890 avait touché l'électorat conservateur, au profit du Parti libéral.

CONCLUSION

Pendant près de 40 ans, de 1897 à 1936, le Parti libéral a réussi à constituer et à maintenir un réseau d'alliés, de rivaux et de neutres qui lui a permis d'attribuer des moyens et d'établir des relations sociales plus attirants que ceux du Parti conservateur aux yeux d'une pluralité des électeurs du Québec.

L'alliance avec le Parti libéral fédéral, même si elle a maintenu le plus souvent le parti provincial dans un état de dépendance, a fait plus d'alliés que de rivaux dans l'électorat. Cela est dû au prestige de chefs comme Laurier et Lapointe, fondé en bonne partie sur leur opposition aux conservateurs, définis comme des adversaires des

Canadiens français à la suite des mesures prises dans les années 1910, alors qu'ils dirigeaient le gouvernement central. L'identification du Parti conservateur provincial au parti fédéral, qui ne sera relâchée qu'au début des années 1930, a fait paraître les conservateurs moins attirants que les libéraux dans ce que nous avons nommé l'espace extra-sociétal.

Dans l'espace partisan, le Parti libéral a été servi par l'absence de rivalités en son sein, sauf du temps de Parent, et par des chefs comme Gouin et Taschereau que les électeurs semblent avoir estimé davantage que les Flynn, Cousineau et Sauvé, chefs du Parti conservateur. Ce sont plutôt les chefs nationalistes, dont Bourassa, quand ils sont intervenus dans la politique provinciale, qui ont été menaçants pour les chefs libéraux. La mainmise sur le favoritisme gouvernemental, au profit des partisans, a certainement aidé grandement, par les moyens qu'il a fournis et les relations sociales qu'il a établies, à maintenir dans le rang et à mobiliser des partisans qui, autrement, auraient été moins performants.

Dans l'espace sociétal, une des grandes réussites du Parti libéral a été de neutraliser le plus souvent son principal adversaire du dix-neuvième siècle, l'Église. Ce n'est qu'à quelques occasions, du temps de Marchand surtout, que l'opposition de l'Église a été ravivée. Là encore, les erreurs du Parti conservateur à Ottawa ont facilité la tâche des libéraux. L'Église pouvait difficilement demeurer l'alliée d'un parti qui avait fait pendre Riel, qui avait brimé les droits des Canadiens français catholiques du Manitoba et qui avait imposé la conscription. Le Parti libéral, tout en étant aussi près, sinon plus, de la grande entreprise étrangère que le Parti conservateur, a fait adopter suffisamment de mesures favorables aux ouvriers et aux agriculteurs, du temps de Gouin surtout, pour ne pas paraître trop hostile à ces milieux de toute façon assez éloignés du Parti conservateur.

La défaite libérale de 1935-1936 est significative par rapport à la thèse principale du présent ouvrage. Un parti dont la crise limite la puissance dans l'attribution de moyens aux sujets du rituel politique, exerce cette puissance limitée au profit de ses proches, dans son entourage. C'est comme si les officiants du rituel utilisaient une maîtrise déclinante dans la transmission et la préservation de la « vie » pour favoriser un entourage qui en est pourtant bien pourvu. Le parti de ces officiants cesse de paraître attirant et les sujets électeurs le laissent voir en choisissant collectivement un autre parti pour diriger le gouvernement.

CHAPITRE 2

Des rivaux plus attirants que les alliés (1936-1960)

La victoire de l'Union nationale en 1936 met fin à un règne de 39 ans du Parti libéral. Elle marque un des moments forts d'un réalignement électoral et partisan, commencé en 1935, et qui s'étendra jusqu'en 1944. L'élection très particulière de 1939, qui se déroule dans une conjoncture de début de guerre, peut donner à croire que les élections de 1935 et de 1936 n'étaient que des déviations temporaires et que le Parti libéral redevient le parti dominant au Québec. Cependant, à la lumière de l'élection de 1944, celle de 1939 apparaît plutôt comme un accident de parcours sur la voie d'un réalignement où le Bloc populaire vient, pendant quelques années, compliquer la redéfinition du système partisan.

L'élection de 1948 montre que le réalignement est terminé, malgré la percée sans lendemain de l'Union des électeurs, un parti inspiré de la doctrine du Crédit social. Les nouvelles alliances et rivalités qui vont marquer les espaces politiques jusqu'en 1960 sont en place. Elles jouent en faveur de l'Union nationale, plus attirante que son rival, le Parti libéral.

La défaite du Parti libéral du Canada aux élections fédérales, les morts successives de Duplessis et de Sauvé, la réforme du parti dans l'espace partisan et des alliances avec des sources nouvelles de puissance dans l'espace intra-sociétal font que le Parti libéral réussit, en 1960, à remporter une première victoire électorale depuis 1939. Cette victoire clôt la deuxième sous-période de notre étude, celle où le Parti libéral subit le plus de défaites électorales consécutives, soit quatre.

L'ESPACE EXTRA-SOCIÉTAL

L'alliance entre les libéraux du Québec et ceux du Canada dans l'espace extra-sociétal se maintient durant toute la sous-période, mais non sans qu'elle commence à être remise en question dans certains milieux du parti provincial au cours des années 1950. En 1939, cette alliance est décisive dans la victoire du parti provincial contre l'Union nationale. Ensuite, Duplessis et son entourage réussissent à faire apparaître cette alliance comme négative et elle devient un élément important des quatre victoires consécutives de l'Union nationale.

L'alliance des libéraux provinciaux avec les libéraux fédéraux a été quasi obligée durant toute la sous-période. Après la défaite de 1936, le parti provincial est démuni, à un point tel que l'appui du parti fédéral et de ses leaders, dont Lapointe, est d'un grand secours. La victoire de 1939, comme on le verra, est due principalement à l'intervention des libéraux fédéraux. Durant la guerre la collaboration entre les deux gouvernements libéraux va de soi, même si Godbout cherche sans trop de succès à garder une certaine autonomie. Après la défaite de 1944 et surtout après celle de 1948, le parti provincial se trouve à nouveau dans une situation de dépendance telle que les dirigeants estiment à tort ou à raison qu'ils ne peuvent se passer de l'alliance avec le parti fédéral qui gouverne à Ottawa, ne serait-ce que pour obtenir le favoritisme et d'autres ressources qui permettent de maintenir l'organisation et le travail des organisateurs. Ce n'est qu'avec la création de la Fédération libérale, au milieu des années 1950, que se développera une situation nouvelle qui tendra à relâcher l'alliance entre les deux partis libéraux.

L'alliance victorieuse de 1939

Le Canada vient d'entrer en guerre quand la campagne électorale de 1939 est déclenchée par Duplessis. Les ministres fédéraux du Québec interviennent en se présentant comme des remparts contre la conscription. Ils rappellent que les libéraux se sont opposés à la conscription votée par le gouvernement conservateur en 1917. Ils menacent de démissionner, advenant la victoire de l'Union nationale, présentée comme une menace à l'unanimité politique requise en temps de guerre.

La victoire libérale est acquise de façon décisive dans un Québec où les enjeux fédéraux prévalent sur les enjeux provinciaux, d'autant plus que l'environnement international crée une conjoncture telle que le gouvernement fédéral apparaît plus que jamais comme le gouvernement qui importe pour les Canadiens, les Québécois y compris. Toutefois, l'alliance entre les deux gouvernements libéraux, durant les années de guerre, dessert les libéraux provinciaux, selon la même logique où la rivalité avec un gouvernement conservateur les avait servis au moment de la Première Guerre mondiale. La situation de guerre entraîne un accroissement de la centralisation fédérale. L'Union nationale accuse le gouvernement libéral à Québec d'accepter trop facilement les propositions centralisatrices de son allié, le gouvernement libéral à Ottawa.

Le plébiscite de 1942 ravive le sentiment nationaliste des Canadiens français du Québec. À la quasi-unanimité, ils refusent, à cette occasion, de délier le gouvernement libéral à Ottawa de l'engagement qu'il avait pris de ne pas imposer la conscription. À l'inverse, les Canadiens anglais du Québec et d'ailleurs approuvent, à la quasi-unanimité, la demande faite par le gouvernement central. L'opposition est tellement tranchée entre les deux groupes que Frank Scott, professeur à McGill, prétend que si le gouvernement avait posé la question en ces termes : « Êtes-vous canadien-anglais ou canadien-français ? », le résultat aurait été le même.

Une alliance qui se retourne contre les libéraux du Québec

Le Bloc populaire et surtout l'Union nationale profitent de ce contexte en 1944. Les attaques de l'Union nationale sont d'autant plus crédibles qu'elle n'est plus l'alliée, officiellement tout au moins, de l'autre grand parti fédéral, le Parti conservateur. Il y a neutralité entre les deux, ce qui lève l'hypothèque qui avait pesé sur les conservateurs provinciaux du fait de leur alliance avec le Parti conservateur fédéral.

La domination du parti libéral fédéral sur le parti provincial était d'une certaine manière atténuée tant que les libéraux gouvernaient à Québec, surtout quand le parti fédéral était réduit à l'opposition. Quand le parti provincial se retrouve dans l'opposition, avec un gouvernement fédéral d'allégeance libérale, la domination paraît plus évidente, ce que ne manquera pas d'exploiter l'Union nationale après sa victoire de 1944.

Cette victoire est acquise contre un Parti libéral qui demeure vigoureux, mais à qui plusieurs électeurs ne pardonnent pas son alliance avec le parti fédéral durant les années de guerre. Le Bloc populaire et l'Union nationale reprochent aux libéraux provinciaux leur manque d'autonomie. Godbout a beau demander aux libéraux fédéraux de ne pas intervenir dans la campagne électorale, il n'en apparaît pas moins comme l'allié d'un gouvernement qui menace l'autonomie de celui du Québec, dans l'espace extra-sociétal.

Les élections de 1948, 1952 et 1956 sont l'occasion pour l'Union nationale de monter le même scénario, toujours au détriment du Parti libéral. Celui-ci est présenté par l'Union nationale comme un allié soumis au Parti libéral fédéral, dont les tendances centralisatrices sont dénoncées. Cela est d'autant plus crédible que le gouvernement d'Ottawa continue, dans l'après-guerre, à s'ingérer dans des domaines de compétence provinciale. En 1948, le Parti libéral provincial, qui n'est pas remis de sa défaite de 1944, fait appel aux libéraux fédéraux, ce qui se retourne contre lui. Il est réduit à huit sièges, la plupart montréalais.

L'arrivée de Saint-Laurent à la tête du parti et du gouvernement fédéral, en 1949, aurait pu améliorer la situation du parti provincial. Cependant, l'année suivante, Lapalme, ancien député fédéral, remplace Godbout à la tête du parti provincial, ce qui accrédite la thèse de l'Union nationale et de son chef, voulant que le parti provincial ne soit qu'une succursale du parti fédéral. Les défaites de 1952 et de 1956 sont dues en bonne partie à cette mésalliance, d'ailleurs dénoncée par l'Union nationale.

Les années 1950 ne sont pas sans rappeler les années 1911-1921 où le parti dominant à Québec se fait réélire sur le dos du parti dominant à Ottawa. À cette différence cependant que c'est l'Union nationale et non plus le Parti libéral qui profite de cette situation, et que le parti dominant à Ottawa continue de recevoir l'appui des électeurs du Québec aux élections fédérales. D'ailleurs, dans plusieurs circonscriptions rurales, des pactes de non-agression existent entre l'Union nationale et les libéraux fédéraux. Plus généralement, les relations entre les libéraux fédéraux de Saint-Laurent et l'Union nationale de Duplessis sont ambivalentes. Les deux hommes s'opposent, surtout à la suite de la décision du Québec, en 1953, de lever un impôt provincial sur le revenu (Rumilly, 1973 : 502-514), mais ils savent bien que leurs succès électoraux au Québec, contre des rivaux démunis, dépendent d'une relation qui doit être en partie de rivalité et en partie de neutralité aux yeux des électeurs qui les apprécient l'un et l'autre.

Cette situation difficile où le Parti libéral est dans l'opposition à Québec, devant le parti fédéral qui dirige le gouvernement à Ottawa, prend fin, en 1957, avec l'élection d'un gouvernement conservateur minoritaire au palier fédéral, suivie d'une victoire, décisive cette fois, du Parti conservateur en 1958. L'Union nationale, qui a contribué à la victoire conservatrice de 1958, se débarrasse de son adversaire fédéral, mais elle perd en même temps son meilleur argument contre les libéraux provinciaux dans l'espace extra-sociétal, soit leur alliance avec le parti du gouvernement central.

L'ESPACE PARTISAN

La sous-période 1936-1960 est difficile, la plupart du temps, pour le Parti libéral quand on le considère dans l'espace partisan. De parti dominant, il devient parti dominé, sauf de 1939 à 1944.

Comme il arrive souvent dans de telles situations, des rivalités se manifestent à l'intérieur du parti entre anciens de l'Action libérale nationale et libéraux plus traditionnels, de même qu'entre alliés des libéraux fédéraux et ceux qui leur reprochent de pactiser avec l'Union nationale. Tout cela complique les problèmes d'organisation et de financement ainsi que la sélection des candidats. Le parti ne dispose plus du favoritisme gouvernemental pour alimenter les alliances établies, ou encore pour convertir les neutres ou même des rivaux en alliés. Il ne peut plus compter que sur le favoritisme du gouvernement central, ce qui est un pis-aller, qui augmente d'ailleurs la dépendance envers le Parti libéral fédéral.

Étant donné toutes ces carences, les libéraux provinciaux demeurent dans l'ensemble très dépendants des libéraux fédéraux, qui gouvernent à Ottawa de 1935 à 1957. Cette dépendance quasi obligée est dénoncée par l'Union nationale, ce qui empire la situation du Parti libéral. La création de la Fédération libérale, au milieu des années 1950, permettra de mettre fin, en partie tout au moins, à ce cercle vicieux.

La sélection du chef

Les libéraux fédéraux n'ont pas joué un rôle prédominant, semble-t-il, dans le choix de Godbout, quand Taschereau finit par démissionner en 1936. Deux candidats paraissent susceptibles de relancer le parti. Il y a d'abord Édouard Lacroix de la Beauce, qui s'était joint à l'Action libérale nationale, mais qui est déjà déçu de Duplessis. Il est le plus apte à rallier les jeunes libéraux dissidents. Il y a ensuite Adélard Godbout, ministre de l'Agriculture, qui a la réputation d'être intègre, mais qui n'est pas très bien connu dans l'ensemble de la population (Ward, 1966 : 340). Taschereau ne veut pas entendre parler de Lacroix qui n'a pas une bonne réputation comme administrateur. Il préfère Godbout, comme d'ailleurs la plupart des députés libéraux élus en 1935 qui attribuent leurs succès au ministre de l'Agriculture (Vigod, 1986 : 242). Godbout est finalement désigné après que le lieutenant-gouverneur Patenaude eut dissuadé Lacroix d'occuper le poste de premier ministre (Ward, 1966 : 341). D'autres prétendent que c'est plutôt Lacroix qui, de lui-même, a refusé le poste. Les libéraux fédéraux auraient participé au processus, selon Whitaker (1977 : 284), qui demeure toutefois vague là-dessus. Il note que King aurait été, pour sa part, indifférent à l'égard des candidats, même s'il avait fini par souhaiter le départ de Taschereau.

En 1949, Godbout est nommé au Sénat par le gouvernement libéral à Ottawa. L'humiliante défaite de 1948 l'a condamné sans appel. Le parti provincial se trouve alors en bien mauvais état. Les libéraux fédéraux du Québec, surtout ceux de la région de Montréal, se préoccupent de la succession. George Marler assure l'intérim jusqu'au congrès de désignation du chef du parti de 1950, une première dans l'histoire du Parti libéral provincial. Les éminences libérales portent leur choix sur Georges-Émile Lapalme, jeune député fédéral peu connu, dont on dit qu'il a une bonne tête et des talents d'organisateur. Godbout appuie Lapalme et l'accompagne dans une tournée du Québec afin de le faire connaître. Deux autres personnes sont aussi candidates : Jean-Marie Nadeau, journaliste, et Horace Philippon, un ancien de l'Action libérale nationale. Mais dès le début du congrès, il est évident que Lapalme a l'appui de la très grande majorité des délégués qui sont pour la plupart des membres actifs du parti fédéral. Les deux autres candidats se retirent, et Lapalme est choisi à l'unanimité.

Les débuts de la Fédération libérale provinciale

Dès le congrès de désignation du chef du parti de 1950, il avait été question de la création d'une association regroupant les différentes organisations de circonscription du parti provincial. L'approche des élections générales de 1952 amène le chef et ses troupes à se concentrer sur les nombreux problèmes bien concrets liés à l'organisation électorale. Lapalme est défait dans sa circonscription de Joliette et décide peu après d'être candidat à l'élection partielle d'Outremont, dont le député élu, Henri Groulx, meurt subitement le soir même des élections générales. Lapalme devient député le 9 juillet 1953 et fait son entrée à l'Assemblée législative le 18 novembre de la même année, à titre de chef de l'opposition. Il remplace à ce poste Georges Marler qui a assuré l'intérim depuis la défaite personnelle de Godbout, dans L'Islet, aux élections générales de 1948.

Lapalme a raconté dans ses mémoires (1970: 186) comment des impératifs financiers avaient donné l'impulsion nécessaire à la décision de créer la Fédération. Le trésorier de Montréal avait donné sa démission, celui de Québec prolongeait pour peu de temps encore son mandat. La caisse du parti était vide et, jusqu'à son élection dans Outremont, Lapalme lui-même vivotait.

D'après Lapalme, c'est Jean-Louis Gagnon qui fut l'âme dirigeante du mouvement qui aboutit finalement à la création de la Fédération. En mars 1955 paraît le premier numéro du journal *La Réforme*, organe nouveau du Parti libéral. Et le 4 novembre 1955, le congrès fondateur de la Fédération s'ouvre à l'hôtel Windsor, à Montréal.

Les débuts sont difficiles même si le premier congrès rassemble 2 400 délégués et est considéré comme un succès par les observateurs impartiaux. Le premier ministre fédéral, Louis Saint-Laurent, invité au congrès, ne daigne pas prononcer le nom de Lapalme dans son allocution (Lapalme, 1970: 189), ce qui ranime la colère de certains délégués contre les libéraux fédéraux tenus responsables de pactes de non-agression avec l'Union nationale dans de nombreux comtés ruraux. Lapalme, aidé de Jean-Louis Gagnon et de Jean-Marie Nadeau, aurait toutefois réussi à apaiser ces colères et à faire en sorte que le congrès se termine dans l'unité.

Cette unité ne rassemblait pas toutes les organisations de la province. De l'aveu même de Lapalme (1970: 188), la Fédération s'est heurtée à la résistance de plusieurs organisations de circonscription (sur ce point, voir aussi Dorval (1959)), et il a fallu procéder, dans ces circonscriptions, à des désignations arbitraires de délégués. Seuls quelques députés fédéraux auraient accordé un appui discret à la Fédération (Gagnon, 1986: 392). Certains auraient même donné l'ordre à leurs organisateurs de ne pas y participer.

Il semble toutefois que ces résistances se sont atténuées peu à peu avec le temps. Les congrès de 1956, 1957, 1958 et 1959 sont eux aussi des succès et laissent voir des changements importants dans l'organisation interne du parti.

La Fédération a la partie belle pour occuper le champ du financement du parti. Après plus de dix années dans l'opposition, la caisse est dégarnie. Les entreprises ne croient plus à une victoire libérale et Lapalme, par ses idées socialisantes, n'inspire guère confiance aux bailleurs de fonds traditionnels du parti. La Fédération exige une cotisation des membres, ce qui provoque des résistances chez maints partisans libéraux qui font de la politique afin de recevoir de l'argent et qui conçoivent mal qu'il faille plutôt en donner au parti.

La Fédération s'occupe aussi de la préparation des propositions électorales et gouvernementales. Jamais depuis 1897 le Parti libéral n'avait présenté un véritable programme aux électeurs. Des résolutions touchant les différents domaines de l'activité gouvernementale sont adoptées aux congrès de la Fédération. Puis, à la veille des élections de 1960, Lapalme, qui a abandonné la direction du parti, rédige en deux cahiers un ensemble de propositions qui allaient devenir, à peu de chose près, le programme du parti à ces élections (Lapalme, 1988).

L'adoption de résolutions, au moment des congrès de la Fédération, est rendue possible grâce au travail des commissions permanentes créées à l'intérieur de la Fédération, principalement la Commission politique, présidée par Jean-Marie Nadeau. Un comité général des résolutions se charge de présenter au congrès les propositions venant de la Commission politique ou d'autres instances de la Fédération.

La Fédération se donne aussi une constitution avec des dispositions visant à démocratiser les associations de circonscription et les associations locales du parti. Ces dispositions rencontrent de nombreuses résistances sur le terrain, comme on le verra au chapitre 3 portant sur la période 1960-1976. Mais elle contribue à rendre plus ouverte la sélection des candidats.

Il en est de même du processus de sélection du chef, quand l'occasion se présente, à la suite de l'annonce par Lapalme, au congrès de 1957, que le parti aura à se prononcer bientôt sur le choix de son successeur. Le choix du chef pose à nouveau le problème des relations entre le parti provincial et le parti fédéral.

Les relations avec le parti fédéral et le choix de Lesage

Au congrès de 1957, le président de la Fédération, André Rousseau, annonce que celle-ci est maintenant affiliée à la Fédération libérale nationale du Canada. Le Québec est la dernière province à joindre la Fédération nationale, ce qui permet à Duplessis de répéter que le Parti libéral du Québec est la succursale du parti fédéral.

Le congrès de désignation du chef du parti est fixé au 31 mai 1958. Très tôt, Paul Gérin-Lajoie, jeune libéral actif dans la Fédération, se met en campagne. Mais il inquiète certains milieux libéraux par ses idées trop avancées. Quant à Lapalme, il maintient l'incertitude autour de sa candidature. Un autre candidat éventuel est Jean Lesage, député fédéral qui siège à Ottawa depuis 1945, comme représentant de Montmagny-L'Islet. Lesage a été réélu en juin 1957 et s'est retrouvé dans l'opposition devant un gouvernement conservateur minoritaire. Il est convaincu que les libéraux reprendront la direction du gouvernement aux nouvelles élections, qui ne sauraient tarder. C'est pourquoi il ne laisse pas vraiment connaître sa candidature avant l'écrasante défaite des libéraux fédéraux en mars 1958. Même si personnellement il a été réélu, il décide finalement d'être candidat au poste de chef du parti provincial après s'être assuré que Lapalme ne le sera pas.

Lesage a contre lui d'être un député fédéral. Il est même soupçonné d'être un de ceux qui ont conclu un pacte de non-agression avec l'Union nationale et plus particulièrement avec Antoine Rivard, député unioniste de Montmagny (Thomson, 1984 : 95). Mais sa prestance et son prestige sont bien supérieurs à ceux de Gérin-Lajoie et de René Hamel, les deux autres candidats. Le 31 mai, les délégués au congrès donnent 630 votes à Lesage, contre 145 à Gérin-Lajoie et 97 à Hamel. Un illustre inconnu, Aimé Fauteux, obtient 1 voix : la sienne.

L'élection de Jean Lesage, ajoutée à l'affiliation officielle au parti fédéral, fait que le parti provincial continue plus que jamais d'être perçu comme l'allié du parti fédéral. Cette alliance est toutefois moins compromettante depuis que les libéraux fédéraux ont été rejetés dans l'opposition.

Le nom officiel de la Fédération reflète l'ambivalence des libéraux provinciaux. Au début, Lapalme parle de la « Fédération libérale provinciale », d'autres de la « Fédération libérale de la province de Québec ». Après l'affiliation à la Fédération nationale, l'appellation « Fédération libérale du Québec » devient officielle. C'est du moins ce qui apparaît sur la couverture des rapports des congrès annuels. Cela laisse entendre que la Fédération exerce ses activités au palier fédéral comme au palier provincial. Cependant, si on consulte les rapports, on constate que les appellations varient selon les personnes. Dans le rapport de 1958, par exemple, après l'affiliation à la Fédération nationale et le choix de Jean Lesage comme chef du parti, celui-ci parle encore de la « Fédération libérale provinciale » et parfois de la « Fédération libérale du Québec ». Le président André Rousseau emploie uniquement la « Fédération libérale du Québec ». À partir du congrès de 1959, l'appellation « Fédération libérale du Québec » est adoptée par tous.

Les caractéristiques des élus

Dans les années 1940 et 1950, et c'est encore le cas en 1960, la proportion des élus libéraux qui viennent des professions libérales et des milieux financiers est toujours plus élevée que celle des députés unionistes. De 50 à 60 % des élus libéraux viennent de ces milieux, alors que chez les unionistes les pourcentages varient de 40 à 45 % environ. Par contre, il y a toujours un peu plus d'élus unionistes que d'élus libéraux qui sont des industriels ou des cadres supérieurs, le pourcentage des unionistes oscillant autour de 10 à 15 %. Environ le quart des députés sont des commerçants et des petits administrateurs, les deux partis se ressemblant beaucoup à cet égard. Toutefois, alors qu'il y a toujours de 15 à 25 % des députés unionistes qui sont des employés, des ouvriers ou des agriculteurs, la députation libérale ne compte jamais plus de 5 % d'élus qui ont cette occupation (Bernier et Boily, 1986 : 284).

Ces différences sur le plan de l'occupation se traduisent en des différences dans la scolarité. Alors que le quart des députés unionistes n'ont pas dépassé le primaire, il n'y a à peu près pas de députés libéraux dans cette catégorie. À l'inverse, il y a toujours de 50 à 60 % des députés libéraux qui ont fait des études universitaires, alors que chez les unionistes la proportion varie de 35 à 45 % environ (Bernier et Boily, 1986 : 288).

L'ESPACE INTRA-SOCIÉTAL

En plus des partis et du gouvernement provincial ainsi que du gouvernement central et de ses partis, l'administration publique, les gouvernements municipaux, l'Église, les entreprises et les syndicats sont les principales sources de puissance dans la société québécoise de 1936 à 1960. Les politiques du gouvernement Godbout, puis les positions prises par l'opposition libérale de 1944 à 1960, témoignent des alliances, des rivalités ou des neutralités du Parti libéral avec ces sources et d'autres acteurs en émergence dans l'espace intra-sociétal.

L'administration publique

Les changements de gouvernement en 1936 puis en 1939 entraînent de nombreux renvois, le Parti libéral renommant après 1939 des fonctionnaires renvoyés par l'Union nationale. Cela s'explique par les accusations de corruption et les règlements de compte qui ont marqué la fin du régime libéral en 1936. De 1939 à 1944, le gouvernement libéral pose quelques gestes importants, dont la création de la Commission du service civil. Hydro-Québec est créée en 1944, après une première nationalisation de compagnies d'électricité. Une autre entreprise publique est créée, la Raffinerie de sucre du Québec, de même que quelques organismes consultatifs. Le gouvernement libéral de Godbout préfigure ainsi celui du début des années 1960, qui construira un appareil d'État destiné à devenir une source de plus en plus importante de puissance sociétale.

De 1944 à 1960, le Parti libéral perd le contrôle de l'appareil administratif. Le favoritisme de l'Union nationale remplace celui du Parti libéral. L'effectif de la fonction publique (les entreprises publiques exclues) qui avait doublé de 1934 à 1944, passant de 6 645 fonctionnaires à 12 852, atteint le nombre de 29 300 fonctionnaires environ en 1960 (Gow, 1986 : 282). C'est une augmentation un peu moins rapide que sous les gouvernements libéraux. Trois nouveaux ministères sont créés par Duplessis, tandis que Godbout en avait créés deux en cinq ans. Le gouvernement Duplessis crée huit régies contre une seule entreprise publique, manifestant ainsi une conception différente de la puissance sociétale par rapport à celle du gouvernement libéral précédent.

Les gouvernements municipaux

Tout au cours de la sous-période, comme le montre Gow (1986: 175-179), la domination du gouvernement provincial sur le monde municipal augmente. Les municipalités deviennent de plus en plus dépendantes du gouvernement à cause surtout de l'urbanisation et des transferts de population qu'elle entraîne ainsi que des effets de la crise des années 1930. La domination accrue du gouvernement prend différentes formes. Le gouvernement se sert d'abord des subventions. Ces dernières sont conditionnelles (à la réalisation de certains travaux, etc.), ce qui signifie que le gouvernement exerce un contrôle sur les travaux faits dans les municipalités. Par la mise en tutelle et l'approbation des annexions, le gouvernement agit sur le statut même des municipalités. En outre, il intervient de plus en plus dans des domaines comme la voirie, le bien-être social, le secours contre le chômage, la santé et l'hygiène publique qui relèvent traditionnellement de la compétence municipale. Il exige en retour des contributions des municipalités, ce qui est une autre façon de les dominer. Les subventions conditionnelles, en particulier, donnent au parti du gouvernement l'occasion d'exercer son favoritisme. C'est pour lui un important moyen de prolonger sa domination, sur le terrain, aux dépens du parti d'opposition. À remarquer que le gouvernement de l'Union nationale, de 1944 à 1960, est passé maître dans cet art (Lemieux et Hudon, 1975: 64). En effet, les subventions discrétionnaires, remises aux maires, lui permettaient de se faire des alliés, ou tout au moins de neutraliser des rivaux potentiels.

L'Église et ses prolongements

Après l'intermède de 1939-1944, l'Église retrouve dans l'Union nationale un parti « bleu » qui est pour elle un allié plus naturel que le parti « rouge ». À quelques exceptions près, les évêques et les autres leaders de l'Église établissent des relations coopératives avec le gouvernement de l'Union nationale. Cependant, durant les années 1944-1960, le pouvoir d'encadrement et de régulation de l'Église dans le secteur de l'éducation et des affaires sociales diminue. Il y a insuffisance du recrutement des prêtres et religieux, en regard des institutions en développement qui exigent de plus en plus de main-d'œuvre, mais il y a aussi un début de laïcisation des organismes confessionnels qui prolongeaient la présence de l'Église dans différents domaines (la coopération, le syndicalisme). Le gouvernement est appelé de plus en plus à suppléer aux insuffisances de l'Église et, du même coup, il affaiblit encore plus la puissance de celle-ci.

De façon générale, il y a neutralité entre le Parti libéral et l'Église de 1936 à 1960. Toutefois, la place importante qu'occupe T.D. Bouchard dans le parti, au début de cette sous-période, suscite encore l'opposition des hommes d'Église. Bouchard, qui se déclare athée, a le don de les énerver et d'agiter les vieux fantômes d'une époque révolue où l'Église était ennemie des « rouges ». Il est cependant un cas d'exception dans le Parti libéral des années 1930 et 1940.

Les entreprises et les syndicats

Les entreprises, au contraire, deviennent une source de puissance de plus en plus importante, à partir de la fin de la guerre. Dans leur ouvrage de synthèse, Linteau et ses collaborateurs (1986 : 216-237) montrent que les établissements manufacturiers, le nombre de leurs employés et la valeur brute de leur production augmentent constamment de 1945 à 1957. Un léger déclin se fait sentir à partir de 1957, alors que survient la première récession depuis la fin de la guerre. Il y a une forte expansion dans l'exploitation des richesses naturelles, mais aussi dans le secteur financier et dans le secteur commercial qui sont favorisés par l'augmentation de la consommation.

À l'exception des industries qui exploitent les richesses naturelles, le développement manufacturier se produit surtout dans la grande région de Montréal, qui accapare à elle seule 70 % de l'emploi manufacturier du Québec. À Montréal comme ailleurs au Québec, le gouvernement de l'Union nationale se fera des alliés de nombreuses petites entreprises qui profiteront, par la voie du favoritisme, de contrats et d'achats liés à l'activité gouvernementale. Dans plusieurs cas, cet appui du gouvernement facilitera le démarrage ou encore le développement de l'entreprise.

Les syndicats ne sont pas encore, avant 1960, une puissance sociétale avec laquelle il vaut mieux être allié que rival. Le mouvement syndical, qui regroupe environ 30 % de la main-d'œuvre en 1960 contre 25 % à peu près en 1945, demeure d'ailleurs divisé entre les « unions internationales » qui formeront la Fédération des travailleurs du Québec (FTQ) en 1957 et les « unions catholiques », dont la centrale abandonne l'épithète « catholique » en 1960 pour devenir la Confédération des syndicats nationaux (CSN). Même si quelques grèves célèbres (la grève de l'amiante en 1949, la grève de Louiseville en 1952, la grève de Murdochville en 1957) alimentent douloureusement la conscience et la solidarité syndicales, les grandes organisations syndicales demeurent divisées dans leurs relations avec les partis. Les unions internationales sont alliées ou neutres par rapport à l'Union nationale, du moins jusqu'à la fin des années 1950, alors que des unions catholiques sont davantage des rivales, en particulier au moment des élections de 1952.

Le gouvernement et l'opposition libérale sous Godbout

À nouveau, nous ne cherchons pas à tout dire de l'activité du parti dans l'espace intra-sociétal, mais plutôt à signaler quelques-unes de ses positions significatives pour ce qui est des alliances, des rivalités ou des neutralités qu'il établit avec les sources de puissance et d'autres acteurs.

Le gouvernement Godbout a duré trop peu longtemps, en 1936, pour faire adopter des politiques gouvernementales qui lui soient propres. Notons seulement que le nouveau gouvernement promet de transférer à un comité judiciaire l'enquête sur les comptes publics qui a entraîné la démission de Taschereau. Il promet aussi une commission royale qui fera enquête sur tous les départements de l'administration gouvernementale, ainsi que l'abrogation de la fameuse loi Dillon. Comme on le voit, le gouvernement libéral cherche surtout à dissiper l'image qu'il a donnée d'une source de puissance négative et par là désobligeante envers les électeurs.

En 1938, un congrès confirme Godbout à la tête du Parti libéral. Les libéraux adoptent aussi un programme. Selon Jean-Guy Genest (1977 : 85-86) :

> Les allocations familiales, le suffrage féminin, la construction d'habitations salubres, l'étatisation des entreprises hydro-électriques, le rappel des bills 19 et 20, l'établissement du Conseil supérieur du travail, le vote d'une loi du salaire minimum, une politique de soutien des prix, l'amélioration du crédit agricole, l'aide à l'achat des fertilisants ou des instruments aratoires sont les points caractéristiques de ce programme marqué par un désir de réforme.

C'est au nom de ce programme que les quelques députés libéraux ayant survécu à la défaite de 1936 critiquent l'action du gouvernement Duplessis. T.D. Bouchard agit comme chef de l'opposition en l'absence de Godbout défait dans sa circonscription de L'Islet.

Quand le Parti libéral est reporté au pouvoir, en 1939, il cherche à réaliser son programme. Toutefois, les impératifs de la guerre l'obligent à se préoccuper de politiques qui ont leur origine dans l'espace extra-sociétal et qui le mettent en relation avec le gouvernement libéral d'Ottawa. Plusieurs de ces politiques sont lourdes de conséquences, étant donné l'opposition farouche des milieux nationalistes et de l'Union nationale. En 1942, une entente fédérale-provinciale entraîne la cession au gouvernement fédéral, pour la durée de la guerre, des droits provinciaux de taxation sur les revenus des corporations et des particuliers. C'est sans doute la mesure la plus contestée. Dès 1940, Godbout avait donné son accord à la modification de la répartition des pouvoirs de façon à permettre au gouvernement fédéral de prendre en charge l'assurance chômage. La même année, il donne aussi son accord au projet de canalisation du fleuve Saint-Laurent. Dans les deux cas, le chef du gouvernement voyait là des mesures qui coûteraient peu au Québec et qui lui permettraient de mieux s'adapter à l'évolution sociale et économique.

Ce souci se retrouve également dans la plupart des politiques du gouvernement Godbout dans l'espace sociétal québécois. Il y a création en 1943 d'une commission indépendante pour assister le gouvernement dans l'engagement des fonctionnaires. Une fois engagé, le fonctionnaire ne peut être congédié que par la commission. En 1940, la ville de Montréal est mise en tutelle et son régime électoral est modifié (le maire sera désormais élu par l'ensemble de la population). La tutelle est levée en 1944, à la veille des élections générales.

La politique la plus audacieuse dans l'espace intra-sociétal fut cependant le droit de vote accordé aux femmes en 1940. Devant l'opposition de l'Église et d'autres milieux conservateurs, le premier ministre aurait même avisé le cardinal Villeneuve qu'il avait l'intention de démissionner si les protestations continuaient. Elles cessèrent presque aussitôt.

Dans le domaine économique, le gouvernement crée la Raffinerie de sucre du Québec à Saint-Hilaire, après avoir tenté d'y intéresser l'entreprise privée. En 1944, il nationalise la Montreal Light Heat and Power et ses filiales et crée du même coup Hydro-Québec. Il lui en coûte 144 millions de dollars, soit le double du budget provincial. La politique est controversée. La principale intéressée et les milieux anglophones y voient une mesure communiste. L'Union nationale et les milieux nationalistes s'y opposent surtout à cause de leurs préjugés contre l'étatisation et parce qu'ils jugent l'indemnisation trop généreuse. Les milieux syndicaux, quant à eux, appuient le gouvernement.

De façon générale, le gouvernement Godbout fait adopter des politiques favorables aux travailleurs, à l'inverse de l'Union nationale qui avait déjà montré, de 1936 à 1939, une attitude plutôt négative à leur égard. Dès 1940, les projets de loi 19 et 20 sont abrogés, ce qui enlève à l'État et à ses entrepreneurs le privilège de passer outre aux stipulations des conventions collectives ou de l'Office des salaires raisonnables. La même année, cet office est remplacé par la Commission du salaire minimum et le gouvernement crée un organisme consultatif, le Conseil supérieur du travail. La Loi des relations ouvrières, adoptée en 1944, comporte entre autres la création de la Commission des relations ouvrières, chargée de prévenir ou de régler les différends entre ouvriers et patrons.

Quand il se retrouve dans l'opposition en 1944, le Parti libéral de Godbout continue de soutenir les mesures qu'il avait prises de 1939 à 1944. En 1948, un peu avant les élections, Godbout élabore un nouveau programme en 86 articles. Il a peu de succès, et le parti est d'ailleurs défait aux élections. Godbout est battu dans L'Islet, comme en 1939.

L'interprétation qui est donnée par les milieux nationalistes de l'action du gouvernement Godbout dans l'espace extra-sociétal, de 1939 à 1944, explique sans doute que le Parti libéral sous sa gouverne n'ait pu établir assez d'alliances favorables dans l'espace intra-sociétal pour supplanter l'Union nationale en 1944 et par la suite.

L'opposition libérale sous Lapalme

Lapalme fut avec Claude Ryan le seul chef du Parti libéral au vingtième siècle à n'avoir pas dirigé le gouvernement du Québec. Plutôt que de politiques gouvernementales, il faut donc parler de positions gouvernementales du Parti libéral, du temps où il en fut chef.

Le parti cherche à prendre ses distances par rapport au gouvernement libéral d'Ottawa, mais il n'y réussit guère, d'autant moins qu'il est en position d'infériorité par rapport au parti fédéral. L'opposition n'appuie pas Duplessis lorsqu'il décide de créer un impôt provincial sur le revenu en 1954. Elle répète que l'autonomie provinciale ne se limite pas à une question d'impôt et à des dénonciations bruyantes du gouvernement « centralisateur » d'Ottawa, mais qu'elle doit s'exercer dans des gestes concrets. Or Duplessis, selon le journal *La Réforme* du 6 juin 1956, « cède notre héritage national, économique, nos ressources naturelles à la finance étrangère pour une bouchée de pain ».

Cette position n'est pas très originale, car elle est celle de presque tous les partis d'opposition depuis le début du siècle. Le Parti libéral insiste pour que les redevances sur l'exploitation des matières premières soient augmentées et pour que ces dernières soient transformées obligatoirement au Québec.

Étant donné que le gouvernement Duplessis entretient des relations de rivalité avec les syndicats ouvriers et en particulier avec les « unions catholiques », il était prévisible que les libéraux cherchent à établir avec eux des relations d'alliance. En plus de la dénonciation des mesures anti-ouvrières du gouvernement, les libéraux de Lapalme promettent notamment de garantir l'indépendance politique de la Commission des relations ouvrières.

Plus généralement, les positions gouvernementales inspirées par Lapalme et son entourage insistent sur la justice sociale, qui doit être assurée de façon statutaire contre les privilèges arbitraires accordés par le gouvernement Duplessis. Dès 1950, Lapalme parle d'assurance hospitalisation, comme l'avait fait Godbout, et même d'assurance santé. Il veut que les allocations sociales, en particulier aux invalides, deviennent statutaires afin de les soustraire au favoritisme gouvernemental.

Le système d'éducation doit être repensé de façon que les Québécois sortent de leur situation d'économiquement faibles. Le Parti libéral promet d'établir la gratuité scolaire, d'encourager financièrement la poursuite des études après la septième année (dernière année du primaire), de créer un prêt universitaire. Lapalme fut sans doute le chef libéral le plus sensible à la culture, dont il traite abondamment dans le document écrit en 1959 (« Pour une politique ») qui deviendra la base du programme libéral de 1960.

Envers les autorités religieuses, le Parti libéral se montre prudent. Il donne son appui tacite au gouvernement et au premier ministre dans les débats et les causes qui les opposent aux religions minoritaires et en particulier aux Témoins de Jéhovah. La justice sociale prônée par les libéraux ne s'étend pas jusqu'à ces groupes religieux.

Par rapport à la sous-période précédente, il n'y a donc pas de grands changements dans les relations du Parti libéral avec l'Église. Par contre, les relations d'alliance avec le Parti libéral fédéral commencent à se relâcher, alors que les relations avec la grande entreprise oscillent entre la neutralité et la rivalité maintenant que les libéraux du Québec sont dans l'opposition. Avec les milieux intellectuels et syndicaux, il y a resserrement des alliances, à cause surtout de l'opposition de ces milieux à l'Union nationale.

Dans la conjoncture de guerre froide qui existe au début des années 1950, l'alliance des libéraux avec des sources progressistes dans la société québécoise et avec un gouvernement libéral à Ottawa, qui est interventionniste, sert de prétexte à l'Union nationale pour accuser les « rouges » d'une trop grande complaisance envers le communisme. Par exemple, au cours de la campagne électorale de 1956, l'Union nationale, dans une page entière de publicité, dénonce le fait que les Québécois sont forcés de manger des œufs communistes, importés de Pologne avec la complicité des libéraux d'Ottawa, dont ceux de Québec sont à la remorque.

L'ESPACE ÉLECTORAL

Le réalignement électoral commencé au milieu des années 1930 et qui se termine avec l'élection de 1944 fait de l'Union nationale la principale rivale du Parti libéral dans le système partisan du Québec. Cette situation durera jusqu'aux années 1970. En vue d'établir la proportion des partisans quasi inconditionnels dans l'électorat, nous avons considéré les données de notre sous-période, soit de 1939 à 1960. On trouve ces résultats au tableau 4.

Les effets du système électoral

De 1897 à 1936, le Parti libéral, qui avait généralement de meilleurs appuis dans les petites circonscriptions rurales que dans les circonscriptions urbaines plus populeuses, avait profité du système électoral. Encore en 1935, avec un vote à peu près égal à celui de la coalition d'union nationale, il avait obtenu 48 sièges contre 42 pour ses rivaux (voir le tableau 1).

L'Union nationale, de 1944 à 1960, profite encore plus du système électoral, étant donné sa forte concentration dans les milieux ruraux et une détérioration de la carte électorale qui s'accentue, si on considère les écarts entre la population des circonscriptions.

TABLEAU 4

Résultats des élections provinciales, de 1939 à 1960

Année d'élection	Participation %	Votes libéraux %	Votes unionistes %	Votes aux autres partis %	Sièges libéraux N	Sièges unionistes N	Sièges aux autres partis N	Nombre total de sièges N
1939	76	54 (41)	39 (30)	7 (5)	70	15	1	86
1944	73	40 (29)	36 (26)	24 (18)	37	48	6	91
1948	75	38 (29)	51 (38)	11 (8)	8	82	2	92
1952	76	46 (35)	52 (40)	2 (1)	23	68	1	92
1956	78	45 (35)	52 (41)	3 (2)	20	72	1	93
1960	82	51 (42)	47 (39)	2 (1)	52	42	1	95

Note : Dans le cas des votes, le nombre qui figure en premier lieu est le pourcentage des votants et le nombre entre parenthèses représente le pourcentage des inscrits.

Source : Bernier et Boily (1986).

En 1944, le Parti libéral est celui qui obtient le plus de votes, soit 29 % des inscrits contre 26 % à l'Union nationale, et pourtant il ne fait élire que 37 députés contre 48 unionistes (voir le tableau 4).

En 1948, la victoire de l'Union nationale est décisive, d'autant plus que l'Union des électeurs vient diviser le vote de l'opposition. Le Parti libéral ne conserve que 8 sièges, même si 29 % des inscrits et 38 % des votants l'appuient.

La comparaison entre les résultats de 1952 et 1956, d'une part, et ceux de 1960, d'autre part, est révélatrice des effets du système électoral. En 1960, le Parti libéral n'obtient que 1 % de moins du vote exprimé que ce qu'avait obtenu l'Union nationale en 1952 et 1956, et celle-ci n'obtient que 1 ou 2 % de plus du vote exprimé que le Parti libéral de 1952 et de 1956. Pourtant, le Parti libéral de 1960 ne gagne que 52 sièges sur 95, alors que l'Union nationale en avait gagné 68 sur 92 en 1952 et 72 sur 93 en 1956.

Les électeurs constants et les autres

Le plancher du Parti libéral, c'est-à-dire son plus bas pourcentage d'électeurs inscrits, est de 29 %. Il est atteint en 1944 et en 1948. C'est une baisse de 3 % par rapport au plancher de la sous-période précédente, qui était de 32 %. L'Union nationale n'a que 26 % du vote des inscrits en 1944, alors que le Bloc populaire, autre parti nationaliste, lui fait compétition dans l'opposition au gouvernement libéral sortant. Le réalignement n'est pas encore terminé à ce moment, et les femmes votent pour la première fois. C'est pourquoi nous proposons de considérer cette élection comme exceptionnelle et d'estimer que le pourcentage des inscrits obtenu par l'Union nationale à la première élection incluse dans le tableau 4 (30 %), celle de 1939, représente mieux la proportion de partisans quasi inconditionnels de l'Union nationale durant la sous-période 1939-1960.

Le taux de participation le plus élevé de la sous-période est celui de 1960, soit 82 %, ce qui laisse 18 % d'électeurs qu'on peut considérer comme neutres par rapport aux partis.

Dans l'espace électoral, les alliés constants du Parti libéral, les rivaux constants qui appuient l'Union nationale et les neutres constants, qui s'abstiennent, seraient donc au total 77 %, comme dans la sous-période précédente. On a en effet :

Alliés du Parti libéral	29 %
Rivaux (de l'Union nationale)	30 %
Neutres (abstentionnistes)	18 %
Total	77 %

Le système partisan est dans l'ensemble plus compétitif durant la sous-période que de 1897 à 1936. Il n'y a que 18 % de neutres, contre 23 % durant la sous-période précédente, et les alliés stables des deux principaux partis sont en proportions à peu près égales, alors que de 1897 à 1936 nous avons établi qu'il y avait 32 % environ de libéraux stables contre 22 % environ de conservateurs stables.

Nous supposons, comme nous l'avons fait pour la sous-période précédente, que les électeurs non constants (23 %) se sont divisés entre le Parti libéral, les autres partis et l'abstention de façon conforme aux résultats des élections. L'ordre des élections, de la plus favorable à la moins favorable au Parti libéral, de 1939 à 1960, est illustré au tableau 5.

TABLEAU 5

Répartition conjoncturelle présumée des électeurs non constants en alliés, rivaux et abstentionnistes, de 1939 à 1948 (en pourcentage)

Année d'élection	Alliés	Rivaux	Abstentionnistes	Total des libéraux	Total des autres partis	Total des abstentionnistes
1939	12	5	6	41	35	24
1960	13	10	0	42	40	18
1952	6	11	6	35	41	24
1956	6	13	4	35	43	22
1944	0	14	9	29	44	27
1948	0	16	7	29	46	25

Nous allons de nouveau tenter d'expliquer ces variations conjoncturelles par les valeurs qu'avait le Parti libéral dans chacun des trois espaces (extra-sociétal, partisan et intra-sociétal), comparé aux autres partis et tout particulièrement à l'Union nationale.

Le tableau 6 présente les valeurs, grande (+), moyenne (±) et petite (–), perçues, de façon comparative, chez les libéraux dans chacun des espaces, d'une élection à l'autre.

TABLEAU 6
Évaluation comparée du Parti libéral par les électeurs non constants dans chacun des espaces, de l'élection de 1939 à celle de 1960

Année d'élection	Espace extra-sociétal	Espace partisan	Espace intra-sociétal	Rang d'après le tableau 5
1939	+	±	±	1
1944	–	±	±	5
1948	–	–	–	6
1952	–	–	±	3
1956	–	–	±	4
1960	±	±	±	2

De l'élection de 1939 à celle de 1960

En 1939, c'est dans l'espace extra-sociétal que l'avantage comparatif du Parti libéral sur l'Union nationale est le plus grand (+). Les libéraux fédéraux interviennent dans la campagne électorale en se présentant comme les remparts contre la conscription. L'Union nationale, en rupture avec l'Action libérale nationale, est assimilée au Parti conservateur, responsable de la conscription au moment de la Première Guerre mondiale. De plus, le premier gouvernement Duplessis n'a pas rempli toutes ses promesses sur le plan intra-sociétal (±) et l'éclatement de l'alliance entre Duplessis et Gouin (l'Action libérale nationale présente 56 candidats) améliore la position du Parti libéral dans l'espace partisan (±) au regard de celle de 1936.

La principale transformation qui se produit en 1944, par rapport à 1939, se situe, bien sûr, dans l'espace extra-sociétal (–). Le Parti libéral est accusé par ses deux rivaux, l'Union nationale et le Bloc populaire, de ne s'être pas opposé à la centralisation par le gouvernement libéral d'Ottawa durant la guerre. C'est là sans doute la principale cause de son recul, chez les électeurs canadiens-français, tout comme l'avantage dont il disposait dans l'espace extra-sociétal en 1939 avait été la principale cause de sa victoire. Dans l'espace partisan, la situation est plus mitigée (±), l'opposition au gouvernement sortant étant divisée entre l'Union nationale et le Bloc populaire, principalement. Il en est de même dans l'espace intra-sociétal (±) où la performance du gouvernement Godbout se compare avantageusement à celle du gouvernement Duplessis de 1936 à 1939.

En 1948, le Parti libéral paraît peu attirant dans les trois espaces. Dans l'espace extra-sociétal, la politique autonomiste de l'Union nationale, qui se pose comme rivale du gouvernement centralisateur d'Ottawa, est évaluée beaucoup plus favorablement chez les Canadiens français que l'alliance qui dure entre les deux partis libéraux (–). Dans l'espace partisan, le Bloc populaire est disparu et un Duplessis très populaire domine Godbout, qui sera d'ailleurs défait dans sa circonscription de L'Islet (–). La présence de l'Union des électeurs, un parti créditiste, empire les choses en divisant l'opposition. Dans l'espace intra-sociétal, le gouvernement Duplessis a profité de la prospérité de l'après-guerre et a fait adopter plusieurs lois qui assurent une sécurité concrète et visible à des clientèles bien définies. L'opposition libérale n'arrive pas à offrir une solution de rechange vraiment attirante dans cet espace (–).

Au moment de l'élection de 1952, la position du Parti libéral ne s'est guère améliorée, aux yeux des Canadiens français, dans l'espace extra-sociétal (–) avec le nouveau chef, Lapalme, ancien député fédéral. Il en est de même dans l'espace partisan (–) où l'Union nationale est devenue un parti très dominant grâce au prestige de son chef et à un système de favoritisme qui lui attache beaucoup d'électeurs. Dans l'espace intra-sociétal, cependant, l'appui des milieux syndicaux au Parti libéral, à la suite de la grève d'Asbestos, en particulier, améliore l'attrait de la position du parti (±), dans les milieux urbains surtout, et peut expliquer que sa performance électorale soit meilleure qu'en 1948.

La situation ne s'est pas modifiée en 1956. Le gouvernement est toujours libéral à Ottawa et les libéraux de Lapalme apparaissent toujours comme ses alliés (–). Duplessis et le favoritisme unioniste assurent la domination de l'Union nationale dans l'espace partisan (–), mais, dans l'espace intra-sociétal, le Parti libéral, par les positions que nous avons rappelées dans la section précédente à propos de l'opposition libérale sous Lapalme, trouve des alliés dans les milieux anglophones, intellectuels et syndicaux, ainsi que dans les grandes villes (±).

L'espace intra-sociétal continue, en 1960, d'avantager de façon mitigée (±) le Parti libéral. Cependant, à la différence de 1952 et de 1956, la position du parti s'améliore dans les deux autres espaces. Le gouvernement à Ottawa est maintenant conservateur, ce qui annule une bonne partie de l'avantage qu'avait l'Union nationale dans l'espace extra-sociétal (±). De plus, Duplessis et Sauvé sont décédés subitement, à quatre mois d'intervalle, et des bruits de corruption, de plus en plus répandus, remettent en question la valeur positive de l'Union nationale dans l'espace partisan (±). Comme le montre le tableau 5, un peu plus d'électeurs inconstants s'allient, de façon conjoncturelle, au Parti libéral qu'à l'Union nationale, ce qui confère aux libéraux leur première victoire depuis 1939.

À nouveau, le modèle sommaire des variations électorales que nous avons mis en place donne une explication satisfaisante des résultats des six élections de la sous-période. La sommation des marques de la position du Parti libéral dans les trois espaces correspond assez bien, en effet, au rang de la performance du parti, d'une élection à l'autre.

Une des limites du modèle, dans son état actuel, est toutefois de ne pas tenir compte de variations régionales ou autres, et aussi de ne distinguer que trois degrés dans l'évaluation faite par les électeurs. Ces limites sont tout particulièrement évidentes dans l'explication des résultats de 1952 et de 1956. Comme le montre le tableau 4, l'Union nationale n'obtient alors que 6 ou 7 % de votes de plus que le Parti libéral, alors que les valeurs du Parti libéral (voir le tableau 5) laissent supposer un écart plus grand. En fait, les valeurs sont celles de la majorité canadienne-française, où l'avantage de l'Union nationale est relativement grand. Chez les électeurs anglophones, qui appuient plutôt le Parti libéral, l'évaluation des partis se révèle évidemment tout autre, ce que nous avons d'ailleurs laissé entendre dans notre présentation des élections de 1952 et de 1956. L'étude de la composition de l'électorat libéral confirmera d'ailleurs les différences linguistiques dans l'appui aux deux principaux partis.

La composition de l'électorat libéral

Afin de déterminer de façon plus précise les alliés électoraux du Parti libéral de 1936 à 1960, nous reprenons la distinction de Lapierre (1973) entre les environnements du système politique. Nous traiterons successivement de l'environnement territorial, de l'environnement culturel et de l'environnement économique. Faute de données, nous ne pouvons traiter du quatrième environnement distingué par Lapierre, l'environnement biosocial.

Les ruraux et les urbains

La proportion des ruraux continue de diminuer au Québec, mais la baisse est moins accusée que dans les décennies précédentes. Les ruraux composaient 37 % de la population en 1931. En 1941, cette proportion est exactement la même, ce qui est une conséquence des années de crise et d'un certain retour à la campagne qu'elles ont provoqué. En 1951, les ruraux ne sont plus que le tiers de la population du Québec et en 1956 ils n'en constituent plus que 30 %, soit la moitié de la proportion qu'ils formaient au début du siècle.

Cependant, il y a encore, en 1956, 60 circonscriptions sur 93 dont la majorité des bureaux de scrutin sont situés en milieu rural. Les gouvernements le savent bien et continuent de beaucoup investir pour s'assurer la mainmise sur ces circonscriptions.

Au début du siècle, les circonscriptions à majorité rurale étaient passées massivement du Parti conservateur au Parti libéral. Le même mouvement se produit en faveur de l'Union nationale, mais sur un plus grand nombre d'années, les élections de 1939 venant freiner momentanément ce mouvement. Paul Cliche (1961), qui a étudié toutes les élections de cette sous-période dans la perspective de l'opposition entre la ville et la campagne, a bien montré ce réalignement des tendances.

Les élections générales de 1935 sont en continuité avec les consultations électorales précédentes, dont elles accentuent même les traits caractéristiques. L'alliance entre le Parti conservateur et l'Action libérale nationale obtient 64 % des votes exprimés à Montréal et 52 % à Québec, alors que 50 % des votants l'appuient dans l'ensemble du

Québec. Les circonscriptions de Sherbrooke, Trois-Rivières et Chicoutimi élisent chacune un député de l'opposition, alors que la grande majorité des circonscriptions rurales continuent d'appuyer le Parti libéral, surtout dans l'est du Québec et autour des villes de Montréal et de Québec.

C'est en 1936 que commence la transition. Cliche note que l'Union nationale domine dans les villes, à Montréal plus qu'à Québec, mais qu'elle enlève également la très grande majorité des circonscriptions rurales au Parti libéral. Même le chef du parti, Adélard Godbout, est défait dans sa circonscription très rurale de L'Islet. Les considérations de favoritisme ne sont sans doute pas étrangères à ce revirement. Les électeurs des milieux ruraux, qui profitent davantage que les autres du favoritisme, perçoivent que le vent tourne et que l'Union nationale va devenir le parti de gouvernement. Plusieurs d'entre eux s'adaptent au changement en cours.

Le Parti libéral remporte en 1939 une victoire aussi décisive, ou presque, que celle de l'Union nationale en 1936, mais les nouvelles tendances qui s'étaient manifestées en 1936 se maintiennent. Les plus fortes majorités du Parti libéral sont obtenues dans les villes. Il obtient 60 % du vote à Montréal, contre 54 % dans l'ensemble de la province. En 1936, le Parti libéral n'avait obtenu que le tiers du vote montréalais, contre 42 % du vote exprimé dans l'ensemble du Québec.

La transition est désormais achevée. Dans les années 1940 et 1950, comme en 1939, l'Union nationale, maîtrisant désormais le favoritisme, sera un parti avec de meilleurs appuis dans les milieux ruraux que dans les milieux urbains, alors qu'à l'inverse le Parti libéral trouvera plus d'alliés dans les milieux urbains que dans les milieux ruraux. Le Parti libéral se retrouve à cet égard dans la même situation que celle du Parti conservateur de 1897 à 1931. À titre de parti d'opposition, il s'attire davantage de sympathie des électeurs urbains – ceux de Montréal surtout – que des électeurs ruraux.

En 1944, le Parti libéral résiste mieux dans les villes que dans les campagnes. Les auditeurs de la radio, au soir du 8 août 1944, se souviendront que le Parti libéral était en avance au début de la soirée, alors que les premiers résultats parvenaient des villes, mais qu'il fut ensuite dépassé par l'Union nationale quand arrivèrent les résultats des milieux ruraux, plus périphériques.

En 1948, note Paul Cliche, le seul secteur qui reste fidèle aux libéraux est celui des circonscriptions anglophones de l'ouest de Montréal. De même, quelques circonscriptions rurales hors de Montréal, où les anglophones sont passablement nombreux (comme celle de Bonaventure), donnent un appui relativement fort au Parti libéral. La position plus fédéraliste du Parti libéral comparée à celle de l'Union nationale, dans l'espace extra-sociétal, explique sans doute ces résultats.

Aux élections générales de 1952, la dichotomie entre les ruraux et les urbains se dessine nettement. Les percées libérales se situent à nouveau dans le secteur ouest de l'île de Montréal, mais aussi dans le secteur est de la métropole, dans la ville et la banlieue de Québec et dans un groupe de circonscriptions industrialisées de l'Estrie. Cela confirme que les positions du parti dans l'espace intra-sociétal, et en particulier ses positions prosyndicales, lui attirent surtout des alliés urbains.

Les élections générales de 1956 marquent un certain effacement des différences qui s'étaient manifestées de façon nette depuis 1944. Même si le Parti libéral gagne un peu moins de sièges qu'en 1952 (20 contre 23), il enlève quelques sièges ruraux à l'Union nationale (dans le Nord-Ouest et dans les Cantons-de-l'Est, en particulier) ainsi que des circonscriptions comme Saint-Hyacinthe, Rivière-du-Loup, Rimouski, tout en perdant quelques sièges urbains au profit des unionistes (Québec-Est, Maisonneuve, Montréal–Sainte-Marie, Montréal–Saint-Jacques).

Cliche n'a pas étudié les résultats des élections de 1960 selon la perspective de l'opposition entre les ruraux et les urbains. Il semble cependant que le mouvement d'effacement des différences, commencé en 1956, se soit poursuivi en 1960.

Les francophones et les anglophones

Les tendances qui se manifestaient au sein de la population anglophone au cours du premier tiers du vingtième siècle continuent d'être à l'œuvre de 1931 à 1961. Les personnes dont la langue maternelle est l'anglais ne forment plus que 13 % de l'ensemble de la population en 1961, alors que ce pourcentage était de 15 % en 1931. En 1931, 35 % des anglophones habitaient hors de Montréal. En 1961, cette proportion était sans doute tombée à moins de 30 % (Rudin, 1985 : 179).

Cependant, les préférences partisanes des anglophones ne sont pas les mêmes dans la sous-période 1936-1960 qu'au cours de la sous-période précédente. De 1897 à 1935, les anglophones avaient appuyé un peu moins le Parti libéral que ne l'avaient fait les francophones, à Montréal tout au moins. De 1936 à 1960, la situation se renverse : les anglophones sont plus portés vers le Parti libéral que vers l'Union nationale, à Montréal surtout mais aussi hors de Montréal. Dans l'ensemble du Québec, le Parti libéral gagne les deux tiers des circonscriptions où les anglophones sont en majorité, alors qu'il n'obtient que 30 % environ des circonscriptions à dominante francophone. À Montréal, le Parti libéral a un pourcentage de réussite qui est de 75 % approximativement dans les circonscriptions dominées par les anglophones et de moins de 50 % dans les circonscriptions à dominante francophone.

Si on ne tient pas compte des élections de 1936, où la majorité des circonscriptions anglophones de Montréal ont appuyé l'Union nationale, les chiffres s'avèrent encore plus éloquents. De 1939 à 1960, aucune circonscription à majorité anglophone de Montréal n'a élu un député de l'Union nationale (Rudin, 1985 : 257-260). Cela montre bien que, comme nous le signalions plus haut, l'évaluation qui a été faite des partis par les deux groupes linguistiques a été fort différente au cours de la sous-période.

De 1936 à 1960, et surtout à partir de 1939, les électeurs anglophones, qui sont concentrés à Montréal (Brome et Pontiac sont les seules circonscriptions hors de Montréal où ils sont en majorité), appuient davantage le parti d'opposition que le parti de gouvernement tout comme dans la sous-période précédente. C'est parce que le parti de gouvernement est celui de l'Union nationale, qui, à partir de 1939, adopte, dans l'espace extra-sociétal, des positions nationalistes inquiétantes pour les anglophones. Le Parti libéral paraît moins inquiétant et trouve pour cela beaucoup d'alliés chez les électeurs anglophones.

André Bernard (1976a: 158-161) a d'ailleurs montré que c'est aux élections de 1939, les plus inquiétantes pour les anglophones, que le taux de participation électorale dans les circonscriptions à majorité anglophone se rapproche le plus du taux général de participation au Québec. Quand les élections sont moins inquiétantes, les taux de participation électorale dans les milieux anglophones sont beaucoup plus bas que dans les autres milieux, à la différence des élections fédérales où les milieux anglophones affichent des taux de participation généralement plus élevés que ceux des milieux francophones.

La plus grande proximité des anglophones avec le Parti libéral se reflète dans la composition du conseil des ministres. De 1897 à 1936, puis en 1939, il n'y a jamais eu moins de 10 % des ministres de langue anglaise, alors que de 1944 à 1956, du temps de l'Union nationale, ce pourcentage a varié de 3,5 à 8,6 % (Bernier et Boily, 1986 : 293).

Les différences socio-économiques

Si l'Union nationale remplace le Parti libéral, comme parti dominant, avec des alliés proportionnellement plus nombreux dans les milieux ruraux que dans les milieux urbains, cela ne signifie pas pour autant que les deux partis échangent leur électorat d'avant 1936, si on les considère sur le plan socio-économique.

Faute de données de sondage sur les électeurs, considérons d'abord les caractéristiques des élus comme des indices de la base socio-économique des partis.

Pour les années 1940 et 1950, nous avons vu que la proportion des députés libéraux qui appartiennent aux professions libérales et financières est toujours plus élevée que celle des élus de l'Union nationale présents dans ces catégories. À l'inverse, les commerçants, les petits administrateurs, les employés, les ouvriers ou les agriculteurs se retrouvent proportionnellement plus nombreux chez les députés unionistes que chez les députés libéraux (Bernier et Boily, 1986 : 284).

En 1936 et 1939, deux élections exceptionnelles il est vrai, on observe la situation contraire, alors que de 1919 à 1935 il n'y a pas de différences constantes entre les deux principaux partis à cet égard. Les élections qui se sont déroulées de 1935 à 1944 apparaissent donc, sur ce plan comme sur bien d'autres, comme des élections de réalignement où le Parti libéral en vient à attirer davantage à lui des classes plus privilégiées de la population que l'Union nationale, plus attirante pour les classes moins privilégiées.

Toujours dans la députation, ces différences sont confirmées quand on considère le niveau de scolarité des députés. De 1944 à 1956, il y a encore de 32 à 40 % des députés de l'Union nationale dont le niveau de scolarité n'a pas dépassé le secondaire supérieur, alors que chez les députés libéraux ce pourcentage oscille entre 12 et 31 %. À l'inverse, le pourcentage des députés ayant une formation universitaire varie de 47 à 62 % chez les libéraux et de 36 à 46 % chez les unionistes. On voit que, dans les deux cas, le plus haut pourcentage d'un des partis n'atteint jamais le plus bas pourcentage de l'autre, ce qui révèle des différences assez nettes. De 1919 à 1931, les différences entre les libéraux et les conservateurs étaient moins constantes (Bernier et Boily, 1986 : 288).

Des données agrégées sur les circonscriptions électorales permettent de confirmer ces caractéristiques socio-économiques de l'électorat libéral, ainsi d'ailleurs que son caractère plus urbain que rural et sa prédominance dans les milieux anglophones.

Dans une étude antérieure portant sur les élections provinciales de 1936 à 1966 (Lemieux, 1973 : 167-191), nous avions hiérarchisé les 95 circonscriptions de 1960 et 1962 (Montréal–Sainte-Anne a été exclue ici et les autres découpages de la carte électorale ont été ramenés à celui de 1960 à 1962, allant de la circonscription la plus libérale à la moins libérale). L'ordre obtenu est reproduit au tableau 7.

Si on compare les 44 circonscriptions les plus libérales (de Montréal–Saint-Louis à Lévis) avec les 50 circonscriptions qui le sont moins (d'Arthabaska à Yamaska), du point de vue territorial, linguistique et socio-économique, on arrive aux résultats présentés au tableau 8.

TABLEAU 7

Échelle des circonscriptions provinciales, de 1936 à 1966
(de la plus libérale à la moins libérale)

Circonscription	Majorité libérale en									Majorité unioniste en								
	1936	1948	1956	1952	1944	1966	1960	1962	1939	1936	1948	1956	1952	1944	1966	1960	1962	1939
1. Montréal–Saint-Louis	x	x	x	x	x	x	x	x	x									
2. Jacques-Cartier		x	x	x	x	x	x	x	x	x								
2. Montréal–Notre-Dame-de-Grâce		x	x	x	x	x	x	x	x	x								
2. Montréal–Outremont		x	x	x	x	x	x	x	x	x								
2. Montréal–Verdun		x	x	x	x	x	x	x	x	x								
2. Westmount–Saint-Georges		x	x	x	x	x	x	x	x	x								
7. Verchères		x		x	x	x	x	x		x		(x)						(x)
8. Québec-Ouest	(x)		x	x	x	x	x	x	x		x							
9. Richmond			x	x		x	x	x	x	x	x			(x)				
10. Montréal–Saint-Henri			x	x			x	x	x	x	x			(x)	(x)			
10. Saint-Maurice			x	x			x	x	x	x	x			(x)	(x)			
12. Québec-Comté				x	x	x	x	x	x	x	x	x						
13. Richelieu	(x)			x	x		x	x	x		x	x			(x)			
14. Drummond				x		x	x	x	x	x	x	x		(x)				
15. Montréal–Jeanne-Mance				x	x	x		x	x	x	x	x				(x)		
16. Témiscamingue				x		x		x	x	x	x	x		(x)		(x)		
17. Chambly			(x)		x	x	x	x	x	x	x		x					
18. Abitibi-Est					x	x	x	x	x	x	x	x	x					
18. Bourget					x	x	x	x	x	x	x	x	x					
18. Laval					x	x	x	x	x	x	x	x	x					
18. Montréal-Laurier					x	x	x	x	x	x	x	x	x					
18. Vaudreuil-Soulanges					x	x	x	x	x	x	x	x	x					

Circonscription	Majorité libérale en									Majorité unioniste en								
	1936	1948	1956	1952	1944	1966	1960	1962	1939	1936	1948	1956	1952	1944	1966	1960	1962	1939
23. Rivière-du-Loup			(x)		x		x	x	x	x	x		x		(x)			
24. Lac-Saint-Jean					x		x	x	x	x	x	x	x		(x)			
25. Châteauguay					x	x		x	x	x	x	x	x			(x)		
25. Gatineau					x	x		x	x	x	x	x	x			(x)		
25. Montréal-Mercier					x	x		x	x	x	x	x	x			(x)		
25. Québec-Centre					x	x		x	x	x	x	x	x			(x)		
29. Abitibi-Ouest			(x)			x	x	x	x	x	x		x	x				
29. Bonaventure			(x)			x	x	x	x	x	x		x	x				
29. Rimouski			(x)			x	x	x	x	x	x		x	x				
32. Duplessis						x	x	x	x	x	x	x	x	x				
32. Hull						x	x	x	x	x	x	x	x	x				
32. Matapédia						x	x	x	x	x	x	x	x	x				
32. Saguenay						x	x	x	x	x	x	x	x	x				
36. Brome			(x)			x	x	x		x	x		x	x				(x)
37. Deux-Montagnes						x	x	x		x	x	x	x	x				(x)
37. Jonquière-Kénogami						x	x	x		x	x	x	x	x				(x)
37. Matane						x	x	x		x	x	x	x	x				(x)
40. Saint-Hyacinthe	(x)		(x)				x	x	x		x		x	x	x			
41. Iberville	(x)						x	x	x		x	x	x	x	x			
41. Saint-Jean	(x)						x	x	x		x	x	x	x	x			
43. Rouyn-Noranda			(x)				x	x	x	x	x		x	x	x			
44. Lévis				(x)			x	x	x	x	x	x		x	x			
45. Arthabaska							x	x	x	x	x	x	x	x	x			
45. Mégantic							x	x	x	x	x	x	x	x	x			
45. Portneuf							x	x	x	x	x	x	x	x	x			
45. Terrebonne							x	x	x	x	x	x	x	x	x			

Circonscription	Majorité libérale en									Majorité unioniste en								
	1936	1948	1956	1952	1944	1966	1960	1962	1939	1936	1948	1956	1952	1944	1966	1960	1962	1939
49. Gaspé-Nord	(x)	(x)					x		x			x	x	x	x		(x)	
50. Wolfe				(x)			x		x	x	x	x		x	x		(x)	
51. Bellechasse					(x)		x		x	x	x	x	x		x		(x)	
51. L'Islet					(x)		x		x	x	x	x	x		x		(x)	
51. Montmagny					(x)		x		x	x	x	x	x		x		(x)	
54. Beauce							x		x	x	x	x	x	x	x		(x)	
54. Roberval							x		x	x	x	x	x	x	x		(x)	
56. Sherbrooke							x	x		x	x	x	x	x	x			(x)
57. Berthier	(x)				(x)			x	x		x	x	x		x	x		
58. Québec-Est				(x)	(x)			x	x	x	x	x			x	x		
59. Maisonneuve				(x)				x	x	x	x	x		x	x	x		
60. Kamouraska					(x)			x	x	x	x	x	x		x	x		
61. Charlevoix						(x)		x	x	x	x	x	x	x		x		
61. Stanstead						(x)		x	x	x	x	x	x	x		x		
63. L'Assomption								x	x	x	x	x	x	x	x	x		
63. Montcalm								x	x	x	x	x	x	x	x	x		
63. Nicolet								x	x	x	x	x	x	x	x	x		
63. Rouville								x	x	x	x	x	x	x	x	x		
67. Beauharnois						(x)		x		x	x	x	x	x		x		(x)
67. Gaspé-Sud						(x)		x		x	x	x	x	x		x		(x)
67. Îles-de-la-Madeleine						(x)		x		x	x	x	x	x		x		(x)
67. Napierville-Laprairie						(x)		x		x	x	x	x	x		x		(x)
71. Bagot	(x)				(x)				x		x	x	x		x	x	x	
71. Pontiac	(x)				(x)				x		x	x	x		x	x	x	
73. Compton			(x)		(x)				x	x	x		x			x	x	
74. Argenteuil					(x)	(x)			x	x	x	x	x			x	x	

Circonscription	Majorité libérale en									Majorité unioniste en								
	1936	1948	1956	1952	1944	1966	1960	1962	1939	1936	1948	1956	1952	1944	1966	1960	1962	1939
74. Huntingdon					(x)	(x)			x	x	x	x	x			x	x	
76. Frontenac				(x)					x	x	x	x		x	x	x	x	
76. Montréal–Sainte-Marie				(x)					x	x	x	x		x	x	x	x	
76. Montréal–Saint-Jacques				(x)					x	x	x	x		x	x	x	x	
76. Shefford				(x)					x	x	x	x		x	x	x	x	
80. Lotbinière					(x)				x	x	x	x	x		x	x	x	
80. Missisquoi					(x)				x	x	x	x	x		x	x	x	
80. Montmorency					(x)				x	x	x	x	x		x	x	x	
80. Saint-Sauveur					(x)				x	x	x	x	x		x	x	x	
84. Laviolette									x	x	x	x	x	x	x	x	x	
84. Maskinongé									x	x	x	x	x	x	x	x	x	
84. Témiscouata									x	x	x	x	x	x	x	x	x	
87. Champlain										x	x	x	x	x	x	x	x	x
87. Chicoutimi										x	x	x	x	x	x	x	x	x
87. Dorchester										x	x	x	x	x	x	x	x	x
87. Joliette										x	x	x	x	x	x	x	x	x
87. Labelle										x	x	x	x	x	x	x	x	x
87. Papineau										x	x	x	x	x	x	x	x	x
87. Trois-Rivières										x	x	x	x	x	x	x	x	x
87. Yamaska										x	x	x	x	x	x	x	x	x
Total des majorités (846)	10	8	19	24	38	42	50	63	76	84	86	75	70	56	52	44	31	18
Total des erreurs (84)	9	1	9	8	15	8	0	0	0	0	0	1	0	5	5	6	7	10

Note : Les x placés entre parenthèses indiquent des majorités inattendues (erreurs), étant donné le rang où se situe une circonscription.
Source : Lemieux (1973).

TABLEAU 8

Relation entre les caractéristiques partisanes des circonscriptions, de 1936 à 1966, et certaines caractéristiques de leur population, en 1961

	Population urbaine		Population non francophone		Population instruite	
	supérieure à la moyenne	**inférieure à la moyenne**	**supérieure à la moyenne**	**inférieure à la moyenne**	**supérieure à la moyenne**	**inférieure à la moyenne**
Circonscriptions les plus libérales	20	24	18	26	19	25
Circonscriptions les moins libérales	9	41	6	44	6	44

Au recensement de 1961, 74,3 % de la population était considérée comme urbaine. Dans 29 des 94 circonscriptions, la proportion des urbains était supérieure à cette moyenne. Or, 20 de ces 29 circonscriptions étaient parmi les plus libérales du Québec de 1936 à 1966. Les 9 exceptions sont ou bien des centres régionaux comme Sherbrooke, Trois-Rivières et Chicoutimi, ou des milieux populaires dans Montréal et Québec, comme Montréal–Sainte-Marie, Montréal–Saint-Jacques, Maisonneuve, Québec-Est et Saint-Sauveur. Beauharnois est l'autre cas. Inversement, là où la proportion des urbains était inférieure à la moyenne, les circonscriptions les plus libérales n'étaient que 24 sur 65.

Les résultats sont à peu près les mêmes si on considère les caractéristiques linguistiques de la population. En 1961, 19,4 % de la population du Québec était non francophone. Là où cette proportion est dépassée, on trouve 18 circonscriptions plutôt libérales contre 6 circonscriptions seulement qui sont plutôt unionistes. Ces 6 circonscriptions sont toutes situées hors de Montréal (ce sont Argenteuil, Huntingdon, Missisquoi, Stanstead, Compton et Pontiac), ce qui confirme les données de Rudin sur le plus grand appui des non-francophones au Parti libéral à Montréal qu'à l'extérieur de Montréal. Dans les 70 circonscriptions où les francophones sont proportionnellement plus nombreux que dans l'ensemble du Québec, on trouve 40 des 46 circonscriptions les moins libérales contre 30 des 48 circonscriptions les plus libérales.

Enfin, toujours en 1961, 39,3 % de la population du Québec avait dépassé l'élémentaire, pour ce qui est de la scolarisation. Ce pourcentage était supérieur à la moyenne dans 25 circonscriptions sur 94. De ces 25 circonscriptions, 19 étaient parmi les 44 qui étaient les plus libérales, alors qu'on en retrouvait 6 seulement parmi les plus unionistes. Inversement, des 69 circonscriptions où le niveau de scolarité était le moins élevé, 25 étaient parmi les plus libérales et 44 parmi les moins libérales.

Ces résultats montrent que durant les 30 années « glorieuses » de l'Union nationale (de 1936 à 1966), qui s'étendent un peu au-delà de notre sous-période, le Parti libéral du Québec a surtout trouvé ses alliés électoraux dans les milieux les plus urbains, dans ceux où les non-francophones étaient relativement nombreux et dans ceux où le taux de scolarisation de la population était le plus élevé. C'est la situation existante, au début des années 1960, quand arrive la Révolution tranquille.

CONCLUSION

Le réseau d'alliances, de rivalités et de neutralités, qui avait bien servi le Parti libéral jusqu'au début des années 1930, se transforme de 1935 à 1944 pour faire de lui un parti dominé qui ne réussira qu'à la fin des années 1950 à redevenir le parti dominant du système partisan.

La Deuxième Guerre mondiale et ce qu'elle a entraîné dans l'espace extra-sociétal ont eu des effets déterminants. L'alliance entre les libéraux fédéraux et les libéraux provinciaux, longtemps perçue comme une source de puissance par les électeurs du Québec, est déterminante dans la victoire de 1939, mais elle ne peut empêcher l'imposition de la conscription après le plébiscite de 1942. Cette alliance est rendue responsable de la centralisation par le gouvernement d'Ottawa durant les années de guerre et après. Il s'instaure alors une situation complexe, que nous tenterons d'éclairer dans les derniers chapitres du présent ouvrage, où les électeurs québécois, tout en continuant d'appuyer massivement le Parti libéral aux élections fédérales, préfèrent l'Union nationale aux élections provinciales. Dans plusieurs circonscriptions s'établissent d'ailleurs des relations de neutralité, sinon d'alliance plus ou moins secrète, entre député libéral fédéral et député unioniste (Thomson, 1984 : 95). Duplessis ne cessera de dénoncer avec succès non seulement la volonté de centralisation du gouvernement d'Ottawa, mais aussi ses largesses envers les « étrangers ». Il dira de Lapalme, ancien député fédéral devenu chef du Parti libéral, qu'il est le « commis voyageur » d'Ottawa.

Le Parti libéral demeure cependant un parti d'opposition avec plus d'alliés d'électoraux constants que n'en avait le Parti conservateur. Il peut compter sur 29 % de l'électorat environ, alors que le Parti conservateur n'en avait que 22 % environ durant les 30 premières années du siècle. Le système électoral dessert les libéraux comme il avait desservi les conservateurs, tellement qu'en 1948 la plupart des quelques députés libéraux élus sont des anglophones, avec George Marler comme chef intérimaire, ce qui alimente l'impression voulant que le Parti libéral soit le parti de l'« étranger » contre le parti familier qu'est l'Union nationale. Dans l'espace partisan, le Parti libéral ne connaît pas de bien grandes rivalités internes, mais avant que Lesage devienne chef en 1958 et que Duplessis meure l'année suivante, les dirigeants de l'Union nationale surpassent de loin les dirigeants libéraux dans la manifestation de leur supériorité.

L'élection d'un gouvernement conservateur à Ottawa, puis la mort subite de Duplessis et celle de Sauvé, viendront modifier à l'avantage du Parti libéral l'attrait des partis dans l'espace extra-sociétal et dans l'espace partisan. Dans l'espace intra-sociétal, l'Union nationale a été le parti de la société familière et traditionnelle, plus fermée qu'ouverte à l'extérieur et aux nouveaux courants de l'intérieur. Ses principaux alliés se trouvaient chez de nombreuses petites sources de puissance locale, maires, professionnels, petits entrepreneurs, commerçants des villages et des villes petites et moyennes ou encore des quartiers très intégrés des grandes villes. L'Église et les milieux nationalistes étaient ses alliés, mais les milieux syndicaux et universitaires lui ont échappé, et ce de plus en plus. Ils se sont tournés vers le Parti libéral, qui était l'unique solution de rechange dans le système partisan et dans l'espace électoral. La victoire de 1960 est celle de milieux plus anglophones, plus urbains et plus instruits que l'ensemble de la population.

CHAPITRE 3

Des alliés qui deviennent des rivaux (1960-1976)

De tous les changements de gouvernement qui surviennent durant la période étudiée, celui de 1960 se caractérise par le plus faible déplacement brut de votes d'un parti à l'autre. Il est de 5 % environ, de l'Union nationale au Parti libéral, alors que les changements de gouvernement de 1936, 1939, 1944, 1966, 1976 et 1985 ont été marqués par des déplacements de plus grande ampleur.

En 1962, le Parti libéral remporte une victoire décisive sur une Union nationale en plein désarroi. On a l'impression à ce moment que le Parti libéral est au gouvernement pour longtemps. Pourtant il est défait en 1966, même s'il obtient plus de votes que l'Union nationale. La transformation des alliances, rivalités et neutralités dans les espaces extra-sociétal, partisan et intra-sociétal explique cette drôle de défaite.

L'Union nationale est vite dépassée par les contraintes de la gouverne dans une société où les sources de puissance ne sont plus les mêmes qu'avant 1960, d'autant plus que ses alliés électoraux stables ne se renouvellent plus et qu'un nouveau parti nationaliste, le Parti québécois, devient le principal rival du Parti libéral, en convertissant d'ailleurs des libéraux à sa cause.

Le Parti libéral de Robert Bourassa profite des transformations dans le système partisan pour s'imposer aux élections de 1970 et de 1973. Le réalignement électoral commencé en 1970 vient à son terme en 1976 quand le Parti québécois, sur sa montée, apparaît comme la solution de rechange au gouvernement libéral. Des politiques et des bruits de corruption donnent de celui-ci une image négative aux électeurs qui ne sont pas des partisans ni des abstentionnistes inconditionnels.

L'ESPACE EXTRA-SOCIÉTAL

Les dirigeants du Parti libéral du Québec ont de bonnes raisons, de 1960 à 1976, de se définir davantage comme des rivaux que des alliés par rapport au gouvernement central et au Parti libéral du Canada.

Ils ont appris de Duplessis que la rivalité avec le gouvernement central est payante dans l'espace électoral. La mise sur pied de la Fédération libérale a rendu le parti provincial plus autonome, ce qui ne manque pas de desserrer l'alliance avec le parti fédéral, même si, sur le terrain, libéraux provinciaux et libéraux fédéraux continuent d'être les mêmes personnes. Enfin, la remontée temporaire de l'Union nationale, le développement du mouvement indépendantiste et l'ascension du Parti québécois incitent encore plus les dirigeants libéraux de Québec à se définir tout autant comme des rivaux que des alliés de ceux d'Ottawa. Ils le font pour ne pas donner prise aux accusations de soumission des libéraux de Québec aux intérêts du gouvernement central.

Il n'arrive pas au cours de la période que les deux partis libéraux se retrouvent en même temps dans l'opposition. Les trois autres situations se réalisent. De 1960 à 1963, le parti provincial est au gouvernement, alors que le parti fédéral est dans l'opposition. De 1963 à 1966, les deux partis dirigent leur gouvernement respectif, même si les libéraux fédéraux sont minoritaires. De 1966 à 1970, le parti fédéral dirige toujours le gouvernement (il n'est majoritaire qu'à partir de 1968, avec Pierre Trudeau), mais le parti provincial est dans l'opposition. Enfin, de 1970 à 1976, on revient à la situation de 1963-1966 : les deux partis libéraux sont des partis de gouvernement, même si le parti fédéral forme un gouvernement minoritaire de 1972 à 1974.

Le gouvernement Lesage face au gouvernement Diefenbaker

Il n'était pas arrivé depuis le début des années 1930 qu'un gouvernement libéral à Québec se trouve confronté à un gouvernement conservateur à Ottawa. La situation est très favorable aux libéraux provinciaux qui ne peuvent être accusés de collusion avec le gouvernement central par l'Union nationale, et qui se trouvent en meilleure position à Québec que le gouvernement conservateur ne l'est à Ottawa.

Même s'il a remporté une victoire éclatante en 1958, le gouvernement Diefenbaker est déjà en difficulté au milieu de l'année 1960, quand survient la victoire libérale à Québec. L'équipe des ministres conservateurs du Québec ne pèse pas lourd au conseil des ministres et les bases électorales du parti sont fragiles au Québec. Aux élections générales du 18 juin 1962, les conservateurs québécois ne conservent que 14 sièges des 50 qu'ils avaient gagnés en 1958. Le gouvernement Diefenbaker devient alors minoritaire et il est finalement renversé aux élections du 8 avril 1963. Lester Pearson, le chef du parti fédéral, forme un gouvernement, minoritaire lui aussi.

Pendant ce temps, le gouvernement libéral de Jean Lesage à Québec est en pleine ascension, comme le montrent les élections générales anticipées du 14 novembre 1962, dont l'enjeu principal est la nationalisation de l'électricité. Le Parti libéral obtient 56 % des voix exprimées, 5 % de plus qu'en 1960, un sommet qui ne sera dépassé par aucun parti par la suite.

Les négociations fédérales-provinciales qui marqueront les années 1960 et le début des années 1970 ne sont qu'amorcées durant les 33 mois où le gouvernement est libéral à Québec et conservateur à Ottawa. Comme le note Thomson (1984 : 456), le premier ministre Diefenbaker avait connu Lesage du temps où celui-ci était député fédéral et il en gardait un bon souvenir. En outre, le gouvernement conservateur voulait se montrer plus sensible aux revendications des provinces que le gouvernement libéral précédent. Les relations entre les deux gouvernements se gâtent cependant à la fin du mandat des conservateurs à propos des arrangements de nature fiscale et financière entre Ottawa et Québec.

Le gouvernement Lesage face au gouvernement Pearson

Si Jean Lesage était bien considéré par John Diefenbaker et les ministres qui l'avaient connu comme député fédéral, il l'était encore mieux par Lester Pearson et les ministres qui formèrent avec lui un gouvernement libéral minoritaire en avril 1963. Plusieurs raisons cependant amènent très vite le gouvernement libéral de Québec à se trouver dans des relations de rivalité avec celui d'Ottawa.

D'abord, le gouvernement Lesage ne voulait pas donner prise aux accusations d'alliance servile avec le « grand frère » fédéral, ce qui lui avait fait tellement mal depuis le début des années 1940. Daniel Johnson, qui se trouvait dans une position inconfortable à la tête de l'Union nationale après la défaite de 1962, ne demandait pas mieux que d'exploiter toute collusion qui aurait pu être décelée entre les deux partis libéraux.

Ensuite, comme nous l'avons déjà signalé, le Parti libéral du Québec est encore sur sa lancée à la suite de son triomphe de 1962, alors que le parti fédéral, même s'il a augmenté ses appuis de 1962 à 1963, n'est qu'un gouvernement minoritaire, ce qu'il demeurera d'ailleurs après les élections fédérales de 1965.

Il y a aussi autour du premier ministre Lesage et de quelques-uns de ses ministres une petite équipe de conseillers (Claude Morin, Jacques Parizeau, Michel Bélanger, André Marier, Claude Castonguay) qui sont mis à contribution pour travailler aux dossiers qui font litige entre Québec et Ottawa. La victoire la plus significative pour l'avenir sera sans doute celle qui a consisté à obtenir que Québec ait son propre régime de rentes, au lieu de le mettre entre les mains du gouvernement central.

Un peu grisés par les premiers succès obtenus dans les négociations avec Ottawa, le gouvernement Lesage et ses conseillers se font de plus en plus exigeants, d'autant qu'ils considèrent avoir besoin de davantage de ressources et de pouvoirs pour développer l'autonomie « réelle » du Québec, par opposition à l'autonomisme artificiel du gouvernement unioniste précédent.

Enfin, la résistance grandissante du gouvernement fédéral et des autres gouvernements provinciaux à la revendication d'un statut particulier pour le Québec amène le gouvernement Lesage à mêler de plus en plus la rivalité entre deux gouvernements différents à l'alliance entre deux partis libéraux. La décision prise au milieu de l'année 1964 de faire du Parti libéral du Québec un parti autonome par rapport au Parti libéral du Canada illustre cette distance prise à l'égard de l'alliance traditionnelle entre les deux partis.

Les débats autour de la formule Fulton-Favreau, définissant une formule d'amendement constitutionnel en vue d'un éventuel rapatriement de la Constitution, ont été marquants pour ce qui est de l'évolution du Parti libéral du Québec. René Lévesque, mis en difficulté par les étudiants de l'Université de Montréal et par Jacques-Yvan Morin, alors qu'il tentait de défendre la formule devant eux, s'engage par la suite sur la voie qui le mènera à quitter le parti. Le gouvernement doit battre en retraite et abandonner son appui à la formule. L'Union nationale profite de cela et d'autres erreurs des libéraux. Contre toute attente, elle est appelée à former le gouvernement après les élections provinciales du 5 juin 1966, où elle obtient pourtant beaucoup moins de votes que le Parti libéral.

Les libéraux dans l'opposition à Québec

Une fois dans l'opposition à Québec, le Parti libéral se montre moins agressif envers le gouvernement libéral d'Ottawa.

Le gouvernement de l'Union nationale poursuit la politique autonomiste du gouvernement précédent, avec des revendications encore plus poussées en matière de partage des sources fiscales de revenu. Il est difficile au Parti libéral de s'opposer à cela, d'autant plus que les deux principaux conseillers de Jean Lesage en la matière, Jacques Parizeau et Claude Morin, sont passés au service de Daniel Johnson.

Les tensions qui se développent à l'intérieur du Parti libéral de 1967 à 1969 ne sont sans doute pas étrangères à la difficulté qu'a eue le parti à tenir une position ferme dans le domaine des relations fédérales-provinciales. Alors que René Lévesque et son entourage évoluent vers l'idée de la souveraineté-association, les éléments orthodoxes du parti se rangent derrière la définition d'un statut particulier, préparée par Paul Gérin-Lajoie, à la demande de Jean Lesage. L'affrontement a lieu à l'automne de 1967, au moment du congrès annuel de la Fédération libérale du Québec. C'est l'occasion pour René Lévesque, mis en minorité, de quitter le parti qui ne se préoccupe guère par la suite de défendre les positions élaborées par Gérin-Lajoie. Celui-ci devait d'ailleurs quitter la politique provinciale en 1969.

Après le congrès de 1967, le leadership de Jean Lesage devient de plus en plus contesté dans le parti. En septembre 1968, Jean-Jacques Bertrand, pour qui Lesage a du respect, remplace Daniel Johnson, décédé subitement. Tout cela fait en sorte que l'opposition libérale, en matière de relations fédérales-provinciales, marque le pas jusqu'à la fin du régime unioniste.

Bourassa face à Trudeau

Durant la campagne électorale de 1970, Robert Bourassa se présente comme fédéraliste, par opposition au Parti québécois, mais il s'engage à défendre les intérêts du Québec à l'intérieur du cadre fédératif. Des sondages faits à l'occasion de cette campagne électorale montrent qu'il apparaît aux yeux des électeurs comme plus québécois que son parti à propos des conflits entre Québec et Ottawa. Il est aussi associé davantage aux enjeux internes au Québec qu'aux enjeux qui tiennent aux relations entre les deux gouvernements (Lemieux *et al.*, 1970 : 110-111).

Avec la victoire du Parti libéral aux élections provinciales du 29 avril 1970, il y a à nouveau un gouvernement libéral à Ottawa et un gouvernement libéral à Québec, comme de 1963 à 1966. La situation est toutefois bien différente. Non seulement le gouvernement libéral à Ottawa est-il largement majoritaire, après les élections fédérales de 1968, mais il a à sa tête Pierre Trudeau, farouche adversaire du séparatisme et même d'un statut particulier pour le Québec.

L'opposition officielle à Québec est constituée par l'Union nationale, mais la force montante est le Parti québécois, qui a d'ailleurs obtenu plus de votes que l'Union nationale aux élections de 1970. Fondé en 1968, et ayant pour chef René Lévesque (absent de l'Assemblée nationale parce qu'il avait été défait aux élections de 1970), le Parti québécois défend une option constitutionnelle radicalement opposée à celle de Pierre Trudeau. Le gouvernement libéral à Québec doit définir une position intermédiaire entre ces deux extrêmes, qui ne le coupe pas entièrement du parti fédéral et qui ne donne pas trop de prise à l'opposition péquiste.

Les débuts sont très difficiles pour le gouvernement Bourassa. En octobre 1970, à la suite de l'enlèvement par des groupes terroristes de l'attaché commercial de la Grande-Bretagne à Montréal et du ministre Pierre Laporte, le gouvernement fédéral décrète la Loi sur les mesures de guerre. Le premier ministre Bourassa et son équipe donnent l'impression d'être plus ou moins dominés par le gouvernement fédéral, ce dont la population ne leur tient pas rigueur, comme si la sécurité en ces matières devait venir d'Ottawa.

La conférence constitutionnelle de Victoria, l'année suivante, ne contribue pas à améliorer les relations entre les deux gouvernements. D'accord avec la formule d'amendement de la Constitution qui donne un droit de veto au Québec, Bourassa finit par refuser l'accord de Victoria parce qu'il n'assure pas au Québec que dans certains domaines des affaires sociales une loi provinciale primera sur une loi fédérale. L'influence du ministre des Affaires sociales, Claude Castonguay, et les réactions défavorables à l'accord de Victoria de la part de plusieurs leaders d'opinion au Québec expliquent sans doute la décision finale de Bourassa.

De 1972 à 1974, le gouvernement libéral à Ottawa est minoritaire, alors que celui de Québec remporte une écrasante victoire aux élections provinciales du 29 octobre 1973. Cela confirme sans doute Bourassa dans son sentiment d'être au moins l'égal de Trudeau. Celui-ci, par contre, n'estime guère Bourassa. Les événements d'octobre 1970 et la volte-face de Victoria font penser à Trudeau que Bourassa n'a rien dans le ventre (Clarkson et McCall, 1990 : 244).

À nouveau, les relations entre les deux partis sont faites d'alliance et de rivalité. Trudeau, opposé à tout statut particulier pour le Québec, ne peut admettre que le gouvernement Bourassa profite des négociations constitutionnelles pour tenter de faire reconnaître la primauté du Québec dans des domaines constitutionnels controversés. En 1971, ce sont les affaires sociales; plus tard, en 1976, à la conférence de Québec, le gouvernement Bourassa réclame la primauté dans le domaine de la culture et des communications. Le premier ministre fédéral est convaincu que toutes ces manœuvres favorisent le Parti québécois, dont la plupart des sondages montrent, à partir de 1975, qu'il est devenu plus populaire que le Parti libéral.

Les élections du 15 novembre 1976 vont donner raison à Trudeau, bien que les politiques constitutionnelles du Parti libéral ne suffisent pas à expliquer la défaite libérale. Quand Bourassa revient à la tête du gouvernement du Québec, à la fin de 1985, Trudeau n'est plus à Ottawa. Bourassa avait désiré être premier ministre « plus longtemps que Pierre » (Murray et Murray, 1978 : 186), ce qu'il a réussi contre toute attente...

L'ESPACE PARTISAN

Dans l'espace partisan, le Parti libéral est le siège de transformations importantes de 1960 à 1976. Ces dernières touchent à la fois ses structures et son fonctionnement internes, l'équipe de ses dirigeants et aussi sa place par rapport aux autres partis dans le système partisan. Toutes ces transformations sont d'ailleurs liées entre elles et peuvent être interprétées en termes d'alliances, de rivalités et de neutralités entre les acteurs de l'espace partisan.

Dès les premières années de pouvoir du gouvernement libéral, des rivalités se dessinent à l'intérieur du parti. Jean Lesage réussit tant bien que mal à les arbitrer. Il y a l'aile réformiste, d'une part, dont les principaux leaders sont de Montréal et dont la Fédération est le lieu privilégié. Il y a l'aile plus modérée, d'autre part, dont les leaders viennent plutôt de Québec et des régions et qui demeurent attachés à des formes plus traditionnelles d'organisation. Les élections de 1962 permettront d'effacer ces rivalités, au profit surtout de l'aile réformiste, mais elles se manifesteront de nouveau de 1962 à 1966. La défaite de 1966 sera attribuée par certains leaders de l'aile modérée aux défauts dans l'organisation et ils entreprendront d'intégrer la Fédération, trop autonome à leur goût, dans les cadres du parti. Cette opération sera facilitée par le départ de René Lévesque et de ses amis, qui étaient pour la plupart favorables à l'autonomie de la Fédération. Après l'élection de Robert Bourassa à la tête du parti, l'opération arrivera à son terme, la Fédération disparaissant comme telle pour devenir l'aile militante du parti.

L'organisation contre la Fédération

Nous avons noté au chapitre 2 que la Fédération libérale ne s'était pas implantée dans toutes les circonscriptions électorales au cours des années 1950. Il semble bien que cette situation perdure dans les années 1960. Plus généralement, des tentatives sont faites pour créer partout des associations de circonscription et des associations locales, avec les postes officiels et les activités prévues par les règlements de la Fédération. Toutefois, dans plusieurs circonscriptions, ou bien ces tentatives n'ont pas beaucoup de succès ou encore l'organisation traditionnelle, orientée vers les élections et le favoritisme, continue de fonctionner (Dorval, 1959) tout en laissant à l'association officielle la conduite d'activités jugées moins importantes, comme la préparation de résolutions en vue des congrès annuels de la Fédération.

C'est du moins l'impression qui se dégage de la lecture de monographies portant sur des organisations de circonscription du Parti libéral au cours des années 1960. Paul-André Comeau qui a étudié la situation dans la circonscription de Shefford, après la victoire de 1962, écrit (1965 : 362-363) :

> La nouvelle association s'est implantée, mais elle n'a pas réussi à étendre son autorité sur l'ensemble des agirs du parti ; d'ailleurs, il ne semble pas qu'elle l'ait cherché, ce contrôle, précisément à cause de l'allégeance de ses dirigeants à l'égard de l'ancienne organisation. De cette façon, les décisions importantes, vitales pour le parti, se prennent

à l'extérieur de l'association; les procédures prévues par la Constitution de la F.L.Q. ne sont respectées que pour les besognes secondaires.

Michel Chaloult (1982), étudiant la situation dans deux circonscriptions du Bas-Saint-Laurent et de la Gaspésie, à la même époque, constate que dans Rimouski les leaders traditionnels ne se sont pas opposés à la création de l'association, mais qu'ils la dirigent ou l'ignorent, selon le cas. Dans Gaspé-Sud, l'association ne fonctionne plus au moment de la recherche, soit en 1965, même si l'organisation électorale est toujours en place.

Nos propres travaux dans la région de Québec, à la fin des années 1960 (Lemieux et Renaud, 1982 : 179), montrent que dans à peu près toutes les 19 circonscriptions provinciales étudiées il y a une association, selon les règles prévues dans la constitution de la Fédération libérale, mais que plusieurs d'entre elles fonctionnent au ralenti de 1966 à 1970. Plusieurs de nos informateurs s'opposent à l'existence d'une association officielle parce que les postes officiels sont sources d'ambition et de jalousie, parce que des gens y adhèrent uniquement dans l'espoir d'obtenir des faveurs, ce qui est une cause de tensions et d'inefficacité, ou encore parce qu'il y a des problèmes quand un secteur de la circonscription est surreprésenté ou sousreprésenté.

Le problème du favoritisme

Le problème du favoritisme est un des éléments des divisions qui existent entre les partisans traditionnels qui utilisent les associations ou les contournent, mais n'y croient guère, et les partisans de la « nouvelle culture politique » qui partagent davantage les idéaux des dirigeants de la Fédération libérale et des ministres réformistes du cabinet Lesage.

Des entrevues faites à l'île d'Orléans auprès d'organisateurs libéraux montrent bien le contraste entre les tenants de l'association et de la nouvelle culture politique et ceux de l'organisation et de l'ancienne culture politique (Lemieux, 1982).

L'opposition libérale de la fin des années 1950 s'était engagée publiquement à mettre fin au favoritisme. Après sa victoire de 1960, le nouveau gouvernement libéral crée la commission Salvas, chargée d'enquêter sur le « scandale du gaz naturel » et sur les méthodes d'achat du gouvernement de l'Union nationale au Service des achats et au ministère de la Colonisation.

Il semble bien que le gouvernement libéral ait freiné les pratiques habituelles de favoritisme dans la fonction publique et dans les emplois qui en dépendent. Même si les partisans de l'Union nationale ne sont pas de cet avis (Cardinal *et al.*, 1978 : 205), le ralentissement a été suffisamment ressenti sur le terrain pour que dès le milieu de 1961 la Fédération libérale présente un mémoire aux membres du cabinet. Elle se plaint surtout de ce que des hauts fonctionnaires et des membres de commissions, nommés par l'Union nationale, aient été maintenus en place :

> Nous sommes étonnés chaque jour de constater qu'alors que le gouvernement s'est prononcé ouvertement contre toute forme de patronage, les fonctionnaires de l'administration, par ailleurs, le pratiquent ouvertement en faveur des partisans de l'Union Nationale. Tous les jours, nous entendons dire que des achats, des contrats ont été accordés à des partisans de l'Union Nationale et que même des promotions à l'intérieur du service civil sont données à des partisans de l'Union Nationale.

La Fédération recommande qu'à compétence égale, qualité égale et service égal la préférence soit accordée aux libéraux et que dans l'octroi des contrats pour travaux, achats et services la préférence soit accordée aux personnes et sociétés de la région où les travaux et services sont exécutés. Des partisans sur le terrain veulent aller beaucoup plus loin. Une façon d'y arriver est de créer un comité consultatif auprès du député, comité non prévu par les règlements de la Fédération, dont le rôle consiste en fait à le conseiller en matière de favoritisme.

L'élection de 1962, sur le thème de la nationalisation de l'électricité, permet de rassembler dans un combat commun les alliés-rivaux, que le problème du favoritisme divise, mais les tensions se font sentir à nouveau de 1962 à 1966, tellement que certains verront là une des causes de la défaite de 1966. On comprend un des leaders de la Fédération d'avoir déclaré, un peu désabusé : « Aussi bien faire du patronage, parce que même quand on n'en fait pas on est accusé quand même d'en faire. » Parmi les principales causes de la diminution du favoritisme, il y a certainement la syndicalisation dans le secteur public. Les dirigeants syndicaux n'ont d'ailleurs pas manqué, à l'occasion, de dénoncer des cas de favoritisme, ce qui a mis un frein aux ambitions des libéraux, et des unionistes par la suite.

Comparé au favoritisme de l'Union nationale de 1944 à 1960, celui des libéraux de 1960 à 1966 se distingue en ce qu'il comporte une plus forte proportion de contrats et de positions importantes accordées à des clients. Le gouvernement de l'Union nationale avait des visées plus électoralistes dans son favoritisme. Il comprenait une plus forte proportion de subventions, dont les retombées sont plus collectives et plus rentables sur le plan électoral que les contrats ou les positions (Lemieux et Hudon, 1975 : 64).

L'autonomie acquise par le Parti libéral du Québec

La question du favoritisme n'était pas la seule à diviser les partisans libéraux. Au congrès de la Fédération libérale, en octobre 1963, un débat acrimonieux oppose ceux qui demandent que la Fédération devienne distincte de la Fédération pancanadienne à laquelle elle était affiliée depuis 1957. Concrètement, il était proposé que les associations de circonscription deviennent libres de s'affilier ou non à la Fédération libérale du Canada. René Lévesque est le chef de file des autonomistes dont plusieurs en ont contre les positions prises par le parti fédéral, notamment en matière de politique nucléaire, aux élections d'avril 1963.

Gérard Bergeron (1966 : 96-144) a raconté dans le détail les péripéties du débat qui se solde alors par la victoire de ceux qui voulaient maintenir le statu quo. Dans leurs arguments, ils rappellent que la Fédération avait été créée, en 1955, « pour se débarrasser des putains qui la trahissaient » en votant pour l'Union nationale à Québec et pour le Parti libéral à Ottawa. Selon eux, il faut demeurer « rouge » à Québec et « rouge » à Ottawa.

Après le congrès, le débat continue dans les circonscriptions et dans les organes du parti ainsi que dans la presse. Jean Lesage et les ministres fédéraux du Québec finissent par appuyer la solution de la double affiliation, convaincus qu'ils sont que la très grande majorité des associations de circonscription et des partisans à la base continueront de travailler pour les deux partis libéraux. Un congrès spécial, au début de juillet 1964, approuve à la quasi-unanimité la résolution en faveur de la double allégeance.

Le départ de René Lévesque

Au cours de cet épisode, René Lévesque, entre autres, avait manifesté ouvertement ses idées autonomistes et même souverainistes. En ces matières, où l'espace extra-sociétal recouvrait l'espace partisan, des rivalités continuèrent de se développer dans le parti.

Comme il arrive souvent, la défaite électorale donne libre cours à des rivalités demeurées latentes, sous un couvert de neutralité, tant que le parti se trouve au gouvernement. C'est sur l'orientation constitutionnelle du parti que les rivalités se manifestent. Il faut comprendre que la conjoncture de l'époque entraînait le Parti libéral à définir sa position en matière constitutionnelle. Les négociations avec le gouvernement fédéral avaient été telles que le gouvernement du Québec était emporté dans une espèce de spirale inflationniste qui l'amenait à demander « plus de la même chose ». L'Union nationale, avec le livre de Daniel Johnson, *Égalité ou indépendance*, s'était réhabilitée aux yeux des nationalistes à la veille des élections de 1966. Le Rassemblement pour l'indépendance nationale (RIN) mobilisait des étudiants derrière sa cause.

René Lévesque et son entourage, surtout montréalais, proposent au congrès de la Fédération libérale de 1967 que le parti opte pour la souveraineté-association, ce à quoi Paul Gérin-Lajoie, plus proche de Jean Lesage et de son entourage, oppose un statut particulier pour le Québec. C'est la position adoptée par la Fédération. Lévesque refuse de s'y rallier et avant même que le vote soit pris sur les deux propositions, il quitte la salle du congrès, suivi d'un certain nombre de militants qui formeront bientôt avec lui le Mouvement souveraineté-association.

Des alliés du parti, dans son espace partisan, deviennent donc des rivaux, ce qui sera consacré quand le Mouvement souveraineté-association se transforme en Parti québécois en 1968. Toutes les divisions à l'intérieur du parti ne sont pas pour autant éteintes. Elles se manifestent à propos de la réforme des structures et surtout du congrès de désignation du chef du parti qui amène Robert Bourassa à la tête du parti.

L'intégration de la Fédération dans le parti

Le départ de René Lévesque et de ses amis, qui, avec d'autres, voyaient la Fédération libérale comme une espèce de groupe de pression à l'intérieur du parti, allait favoriser l'intégration de la Fédération dans les cadres du parti à titre d'aile militante dans une organisation unique, celle du Parti libéral du Québec.

Comme nous l'avons déjà noté, l'organisation officieuse du parti, orientée vers des fins d'élection, de financement et de favoritisme, subsistait à côté ou au travers de la Fédération et de ses prolongements locaux, les associations de circonscription et les associations locales. Parmi les nombreuses causes de la défaite de 1966 (Jean Lesage disait un jour qu'il en avait relevé une soixantaine), les rivalités ou les neutralités qui s'étaient produites entre libéraux, là où il y aurait dû y avoir alliance, sont retenues et amènent des dirigeants du parti à revoir les structures (sur les causes de la défaite, voir Lévesque (1991)). Paul Desrochers, conseiller de Jean Lesage, ainsi que les députés Pierre Laporte, Jean-Paul Lefebvre et même Paul Gérin-Lajoie, avant qu'il quitte la politique provinciale, sont particulièrement actifs dans cette réforme qui ne fut consacrée qu'après 1970, mais qui a eu des effets, en pratique, avant les élections de cette année-là. Eric Kierans est en 1967-1968 le dernier président de la Fédération à la concevoir comme un groupe de pression, gardant ses distances avec le parti. Après lui, l'intégration au parti est à toutes fins utiles accomplie, même si la Fédération ne disparaît officiellement qu'après 1970.

La sélection du nouveau chef, Robert Bourassa

Depuis la défaite de 1966, Lesage était l'objet de critiques à l'intérieur du parti et, pour faire taire les critiques, il avait même songé, à la suggestion de certains de ses conseillers, à déclencher un congrès de désignation du chef du parti où il serait candidat. Jean-

Jacques Bertrand allait le faire en 1969, un an après avoir été nommé premier ministre du Québec.

Lesage s'appuie de plus en plus sur les élites libérales de Québec et des régions contre le groupe de Montréal. Il perd ainsi la qualité d'arbitre qui avait fondé une bonne partie de son pouvoir dans l'espace partisan. Il finit par démissionner en 1969 à la suite de la publication d'un article du député libéral Jean-Paul Lefebvre. Les candidats à la succession de Jean Lesage sont Robert Bourassa, Pierre Laporte et Claude Wagner. Les trois sont députés et les deux derniers ont été ministres sous Lesage. Wagner a des alliés chez les libéraux fédéraux et chez les éléments les plus conservateurs du parti. Il est le moins nationaliste des trois. Laporte a des alliés dans l'organisation du parti. Il est le plus nationaliste des trois, mais même s'il a servi fidèlement Lesage, il n'est pas le favori de l'ancien chef et de son entourage, dont Paul Desrochers, pourtant très proche de Laporte au cours des années précédentes. C'est Robert Bourassa qui est le choix de la plupart des dirigeants du parti et de leurs alliés du monde des affaires. On mise sur son nationalisme modéré, sur son absence d'attaches sur la scène fédérale et surtout sur ses préoccupations économiques. On espère ainsi contrer les positions du Parti québécois dans l'espace extra-sociétal et dans l'espace intra-sociétal.

Robert Bourassa est élu dès le premier tour devant Wagner, suivi de Laporte. À 36 ans, il est le plus jeune chef de l'histoire du Parti libéral.

L'entourage de Bourassa

La victoire décisive de Robert Bourassa, combinée à la disparition tragique de Pierre Laporte lors des événements d'octobre 1970 et au retrait de la politique de Claude Wagner, assure au nouveau premier ministre la maîtrise entière de son parti. Il y a peu de divisions internes de 1970 à 1976. La victoire électorale de 1970, la crise d'octobre, l'affrontement avec les syndicats en 1972 puis la victoire écrasante aux élections de 1973 affermissent l'unité du parti. Même de 1974 à 1976, quand la popularité du parti décroît rapidement, le leadership de Robert Bourassa est peu contesté.

Pierre O'Neill et Jacques Benjamin (1978: 95-183) ont décrit l'entourage de Robert Bourassa, comme celui d'ailleurs des autres premiers ministres des années 1960 et 1970. On retient de cette description que Bourassa entretient des relations étroites avec les simples députés et son caucus, aux dépens de ses ministres. Il aurait eu durant ses deux mandats des années 1970 un style quasi présidentiel, avec des conseillers, dont surtout Paul Desrochers, qui étaient davantage des stratèges et des fabricants d'image que des concepteurs de politiques. À l'exception de Claude Castonguay et de son entourage au ministère des Affaires sociales, de 1970 à 1973, les ministres auraient joui de peu d'autonomie. Les grandes décisions en matière d'action économique du gouvernement et de gestion des relations du travail sont prises par le premier ministre et ses conseillers, souvent pardessus la tête des ministres.

Quoi qu'il en soit, il n'y a pas de division dans l'espace partisan parce que personne n'incarne un point de ralliement autour duquel pourraient s'agglutiner les éventuels rivaux du premier ministre. Raymond Garneau, qui sera candidat au poste de chef après la défaite de 1976, demeure loyal à Robert Bourassa tout au long des deux mandats.

Les caractéristiques des élus

Comme l'a montré Réjean Pelletier (1989: 313-342), c'est bien plus à l'élection de 1966 qu'à celle de 1960 que les caractéristiques des élus changent de façon notable par rapport à la situation existante du temps de la longue domination de l'Union nationale.

Du temps de Duplessis, l'Assemblée législative était composée en proportions à peu près égales d'universitaires et de non-universitaires. Deux députés libéraux sur trois étaient titulaires d'un diplôme universitaire, le plus souvent en droit. En 1960 et 1962, cette proportion ne change guère, mais elle atteint 80% en 1966 et se maintient à ce niveau au cours des années 1970.

Les domaines d'études des diplômés d'université sont aussi plus diversifiés qu'avant les années 1960. Les avocats qui constituaient presque 60% du contingent des universitaires n'en forment plus que 40% dans les années 1960. Dans les deux partis, il y a de plus en plus de comptables, d'agronomes, d'ingénieurs, de professeurs et de journalistes. Alors que les gens d'affaires étaient généralement plus nombreux dans l'Union nationale que dans le Parti libéral, la situation se retourne quand le Parti québécois devient, dans les années 1970, le principal adversaire du Parti libéral. Bernier et Boily (1986 : 285) ont calculé que 31 % des députés libéraux élus en 1976 étaient des gens d'affaires contre 7 % seulement des députés péquistes. Réjean Pelletier, de son côté (1988 : 355), estime que 22,2 % des députés libéraux de 1970 et 38,5 % des députés libéraux de 1976 viennent du champ économique contre 14,3 % et 11,3 % respectivement des députés péquistes.

L'ESPACE INTRA-SOCIÉTAL

La Révolution tranquille a pour parti pris et pour effet de faire des acteurs du secteur public les principales sources de puissance dans l'espace intra-sociétal. Le débat autour du projet de loi 60 en matière d'éducation, au milieu des années 1960, est le dernier où l'Église se présente publiquement comme source de puissance dans la société. Même si les milieux d'affaires, dans le secteur privé, demeurent des sources importantes d'emploi, durant la sous-période, les gouvernements successifs voient plutôt l'avenir du Québec dans le développement du secteur public. Le gouvernement Bourassa, de 1970 à 1976, s'appuie davantage sur le secteur privé, mais il ne restreint pas pour autant le développement du secteur public. Il est même le principal artisan du développement du réseau des affaires sociales, après que le gouvernement Lesage eut été celui du développement du réseau de l'éducation.

Le développement du secteur public a favorisé celui du syndicalisme. Les syndicats et en particulier la CSN sont d'abord les alliés du gouvernement libéral, au début des années 1960, mais ils deviennent ensuite des alliés-rivaux. Ils obtiennent le droit de grève dans le secteur public et négocient des conventions collectives qui sont plutôt à leur avantage, même si la négociation donne lieu à des accidents de parcours dont le plus dramatique est sans doute l'emprisonnement des chefs syndicaux par le gouvernement Bourassa en 1972. Avec l'apparition du Parti québécois, à la fin des années 1960, les centrales syndicales deviennent plus nettement des alliées de ce parti, et donc des rivales du Parti libéral, qui, en conséquence, apparaît de plus en plus comme le parti des milieux patronaux dans le secteur public comme dans le secteur privé.

La croissance du secteur public

Le développement du secteur public se manifeste dans l'augmentation considérable du nombre des employés des ministères et régies ainsi que des entreprises publiques. Bernier et Boily (1986: 373) estiment qu'il y avait, en 1960, un peu moins de 30 000 employés dans les ministères et régies, alors qu'il y en avait 85 000 en 1975. Dans les entreprises publiques, on comptait environ 7 500 employés en 1960, alors que ce chiffre s'élève à 27 000 approximativement en 1975, soit une augmentation du simple au triple. Rappelons que de 1936 à 1960 le nombre d'employés du secteur public était passé de 8 000 à 37 000 environ.

Dans les ministères et régies, c'est de 1966 à 1968, sous le gouvernement de l'Union nationale, que l'augmentation est la plus rapide. Elle n'est donc pas le fait des seuls gouvernements libéraux.

Les données contenues dans le livre de Gélinas (1975) montrent que 90% environ des quelque 130 organismes autonomes (régies, entreprises publiques, offices, commissions, etc.) recensés en 1972 avaient été ou bien créés ou bien modifiés depuis 1960.

Quant aux dépenses de l'État par tête, elles sont multipliées par 3,5 en dollars constants de 1960 à 1976, passant de 285 à 995 dollars (Blais et McRoberts, 1983). La part des dépenses de l'État dans le produit intérieur brut du Québec passe de 7 à 24% durant la sous-période. La participation du Québec à de nombreux programmes fédéraux, avec les transferts de fonds qu'ils impliquent, explique en bonne partie cette augmentation, qui est due également à l'action de ceux que nous allons nommer les « entrepreneurs en affaires publiques ».

Les entreprises et les syndicats

Le développement du secteur public paraît plus grand encore si on considère que la majeure partie du « réseau » de l'éducation et du « réseau » des affaires sociales est passé à toutes fins utiles dans le secteur public (ou parapublic, comme on le dit encore parfois) après l'adoption des grandes lois de 1964 et de 1971, qui ont fait suite aux travaux de la commission Parent sur l'éducation et de la commission Castonguay sur les affaires sociales. La plupart des écoles primaires et secondaires ainsi que les cégeps, créés en 1967, sont devenus des établissements d'enseignement du secteur public, et il en a été de même des établissements (centres hospitaliers, centres d'accueil, centres de services sociaux (CSS), centres locaux de services communautaires (CLSC)) reconnus ou créés par la Loi sur les services de santé et les services sociaux.

De 1960 à 1976, le taux de syndicalisation au Québec est passé de 30 à 40% de la main-d'œuvre salariée. La Centrale de l'enseignement du Québec (CEQ) passe de 30 000 à 68 000 membres de 1960 à 1968 alors que les grandes réformes de l'enseignement sont en cours (Linteau *et al.*, 1986 : 527). La CSN connaît elle aussi un essor considérable dans les années 1960, même si les fonctionnaires provinciaux autres que les professionnels lui échappent pour former leur propre syndicat, le Syndicat des fonctionnaires provinciaux du Québec (SFPQ). Les syndiqués de la Fédération des affaires sociales sont parmi les plus militants de la CSN. Quant à la Fédération des travailleurs du Québec, la majorité de ses membres sont dans le secteur privé, mais elle est bien en place au sein d'Hydro-Québec.

En 1964, le gouvernement libéral accordait le droit de grève aux employés du secteur public, convaincu qu'il était que les syndicats qui étaient alors ses alliés en feraient un usage limité. Le gouvernement croyait aussi fermement que le mécanisme de l'arbitrage n'était plus approprié dans le secteur public. La possibilité du recours à l'injonction venait toutefois limiter le droit de grève (Comeau, 1989 : 207-235).

Linteau et ses collaborateurs (1986) notent la montée d'une bourgeoisie francophone durant la sous-période. Ils rapportent les travaux de Raynauld (1974), puis de Raynauld et Vaillancourt (1984) qui montrent que de 1961 à 1978 la part de l'emploi dans les établissements dont la direction est francophone est passée de 47 à 55%, alors qu'elle a diminué de 39 à 31% dans le cas des établissements dont les dirigeants sont anglophones (canadiens). La part de l'emploi dans les établissements sous domination étrangère est restée la même, à 14 %, de 1961 à 1968.

Contrairement aux gouvernements libéraux précédents, celui de Jean Lesage prend ses distances envers la grande entreprise, au moins à l'occasion de la nationalisation de l'électricité. De façon plus générale, le parti pris des libéraux pour le secteur public les amène à négliger leurs alliances dans le secteur privé.

Des statistiques que nous avons compilées sur les revenus déclarés, au Québec, pour les années d'imposition 1960 et 1968 (Lemieux, 1971b: 164) montrent justement que certaines occupations ont profité plus que d'autres de la Révolution tranquille. Si on range les occupations selon le rapport entre leur revenu moyen en 1968 et leur revenu moyen en 1960 (en dollars courants), on obtient le classement suivant:

Instituteurs et professeurs	169
Employés d'établissements	168
Professions libérales	167
Employés provinciaux	167
Employés d'entreprises	139
Vendeurs	132
Propriétaires d'entreprises	116
Pensionnés	110
Cultivateurs	91

Il y a une coupure nette entre les employés du secteur public et les professions libérales, d'une part, dont le rapport entre le revenu de 1968 et de 1960 est de 165-170 environ, et les autres occupations, d'autre part, toutes du secteur privé, avec les pensionnés en plus, dont le rapport ne dépasse pas 139 et descend même jusqu'à 91 dans le cas des cultivateurs. Les données sur les cultivateurs sont cependant sujettes à caution, car la majorité d'entre eux ne déclaraient pas leurs revenus au début de la période.

Les gouvernements municipaux

Après 1960, les gouvernements libéraux ne sont pas associés aux principales réformes dans le secteur des affaires municipales, si on fait exception de la fusion qui a donné naissance à la ville de Laval en 1965. C'est à la fin du gouvernement de l'Union nationale, en 1969, que sont créées les communautés urbaines de Montréal (CUM) et de Québec (CUQ), ainsi que la communauté régionale de l'Outaouais (CRO). À la fin des années 1970, sous le gouvernement du Parti québécois, la réforme fiscale et la création des municipalités régionales de comté (MRC) sont adoptées.

Le gouvernement libéral, de 1960 à 1966, cherche à favoriser le regroupement volontaire des municipalités, mais il ne réussit pas à convaincre un bien grand nombre d'entre elles. Il y avait 1 672 municipalités en 1960, il y en a encore 1 635 à la fin de la décennie (Gow, 1986 : 179). Le gouvernement libéral de 1970 à 1976 ne s'illustre par aucune mesure importante dans le secteur municipal.

Les entrepreneurs en affaires publiques et la Révolution tranquille

Au début des années 1960, après la victoire du Parti libéral, une coalition aussi implicite qu'explicite regroupe quelques ministres et autres élus libéraux ainsi que leurs principaux alliés. Ils voient le développement du Québec, mais aussi leur propre promotion, dans la construction de l'État et dans son intervention dans des secteurs où règnent, selon eux, le désordre (Lemieux, 1984 : 17) ou encore des sources de puissance concurrentes, en particulier l'Église et la grande ou moyenne entreprise anglophone. Cette coalition regroupe, bien plus sous forme de réseaux que dans une organisation intégrée, des ministres comme Gérin-Lajoie et Lévesque ainsi que leur entourage politique ou administratif, des conseillers du premier ministre, des leaders syndicaux, des intellectuels, sans compter les cadres et les professionnels de la fonction publique venus des universités, et en particulier de facultés et d'écoles, comme celles de sciences sociales, qui avaient jusque-là fourni peu de diplômés aux milieux politiques et administratifs. L'action de ces entrepreneurs est favorisée par des initiatives fédérales (en transports, en santé, en enseignement technique et professionnel) auxquelles le gouvernement Lesage se rallie, mais elle va bien au-delà de ces programmes fédéraux.

La montée de ces nouvelles élites a été beaucoup commentée (voir à ce propos McRoberts (1988 : 128-172)). On a surtout parlé à leur sujet de « nouvelle classe moyenne », comme si la meilleure façon de les caractériser était de dire qu'elles se situaient entre la grande bourgeoisie (la classe supérieure) et les travailleurs (la classe inférieure). On a aussi mêlé dans cette nouvelle classe moyenne des acteurs du secteur privé (dans les milieux d'affaires) et des acteurs du secteur public. On voit mieux aujourd'hui, alors que les gens d'affaires nouvellement installés tiennent une place importante dans l'activité publique au Québec, que la place qu'ils occupaient, au début des années 1960, était restreinte, que ce soit à titre de protagonistes actifs ou de bénéficiaires passifs de la Révolution tranquille.

Les politiques des deux gouvernements libéraux

La comparaison de certaines caractéristiques des lois d'intérêt public qui ont été sanctionnées sous les deux gouvernements libéraux de 1960 à 1966 et de 1970 à 1976 avec celles du gouvernement unioniste de 1944 à 1960 et de celui de 1966 à 1970 fait apparaître des différences significatives (Lemieux, 1991).

Notons d'abord que d'un gouvernement à l'autre les lois deviennent de plus en plus complexes, ce qui démontre que l'intervention des gouvernements dans l'espace intra-sociétal va grandissant de la sous-période 1936-1960 à la sous-période 1960-1976, et qu'il en est de même à l'intérieur de cette dernière sous-période. Ces deux gouvernements libéraux se distinguent des autres par la plus grande importance qu'ils accordent dans leurs lois à la mission économique par rapport aux trois autres (gouvernementale, sociale, éducative et culturelle). Le deuxième de ces gouvernements, celui de 1970-1976, est celui qui attache le plus d'importance à la mission sociale. Ajoutons que le gouvernement libéral de 1960-1966 se distingue aussi des autres par la place qu'il fait aux appareils politiques et aux organismes autonomes ainsi que par son caractère centralisateur. Comme le note Gow (1986 : 298) à propos d'un article de Latouche (1974), on doit tenir compte d'aspects comme ceux de l'activité de l'État, et non de la seule ventilation des dépenses budgétaires, quand on cherche à établir, à l'instar de Latouche, la « vraie nature... de la Révolution tranquille ».

Nous allons retrouver certains de ces traits qui ressortent des lois dans les quelques grandes politiques des deux gouvernements libéraux que nous avons retenues. Nous allons surtout y retrouver les alliances, rivalités ou neutralités que ces gouvernements et les entrepreneurs en affaires publiques ont établies ou exploitées dans l'espace intra-sociétal. Certaines de ces politiques ont influé sur les rapports du parti dans l'espace extra-sociétal ou dans l'espace partisan et ont eu des conséquences, comme nous le verrons, dans l'espace électoral.

La réforme de l'éducation

À la fin du siècle dernier, le gouvernement Marchand s'était heurté à l'opposition de l'Église dans sa volonté de créer un ministère de l'Éducation. Le gouvernement Lesage, qui crée en 1961 la Commission d'enquête sur l'enseignement, se heurte lui aussi à cette opposition quand il propose, en 1963, de créer le ministère de l'Éducation et le Conseil supérieur de l'éducation.

Dans ses études sur le projet de loi, adopté après amendement en 1964, Léon Dion (1966, 1967) a montré que le débat auquel a donné lieu la politique a départagé les alliés et les rivaux du gouvernement. Du côté des alliés, on trouve des groupes proches de la coalition des organisateurs d'État, soit les professeurs d'université, les étudiants, les syndicalistes et leurs associations. Du côté des rivaux se démarquent particulièrement la Fédération des Sociétés Saint-Jean-Baptiste et les groupes d'enseignants et de commissions scolaires dont les convictions traditionnelles ou les intérêts sont menacés par la réforme. Il semble bien, toutefois, que c'est après avoir neutralisé l'opposition de l'Assemblée des évêques que le gouvernement a réussi à faire adopter un projet de loi qui augmentait les pouvoirs du Conseil supérieur de l'éducation aux dépens de ceux du Ministère, ce qui pouvait rassurer les opposants à la création du Ministère.

Cette politique des organisateurs d'État était centralisatrice par rapport à la situation antérieure. Il en fut de même, au palier régional cette fois, avec la création des commissions scolaires régionales à la suite de l'opération dite 55. Des écoles secondaires locales disparaissent, ce qui entraîne, entre autres transformations, le transport par autobus scolaires des écoliers vers des écoles secondaires éloignées. À la différence des allocations monétaires, qui avaient commencé d'être distribuées avant 1962 pour maintenir les jeunes à l'école, le transport scolaire fut considéré en plusieurs milieux comme une mesure négative, parce qu'on estimait que les trop longues absences de la maison et les relations créées entre les jeunes à l'intérieur des autobus étaient malséantes. Le Parti libéral allait en souffrir aux élections de 1966.

Les politiques économiques

Parmi les nombreux organismes autonomes créés ou modifiés par le gouvernement Lesage, il y a beaucoup de sociétés d'État, ou entreprises publiques. Deux des gestes les plus significatifs des relations que visait à établir le gouvernement, en même temps que les plus lourds de conséquences quant à l'avenir, sont sans doute la nationalisation des compagnies d'électricité après les élections de 1962 et la création de la Caisse de dépôt et placement du Québec en 1965.

Ces deux gestes, de même que la création des nombreuses sociétés d'État, peuvent être interprétés, dans notre perspective, comme étant orientés vers la formation, dans le secteur public, d'alliances stables qui permettent aux Québécois francophones de rivaliser avec les sources de puissance économique non francophones dans l'espace intra-sociétal. Ces politiques sont le fait des entrepreneurs en affaires publiques et se traduisent, comme les politiques de l'éducation, par une plus grande centralisation au profit de l'appareil gouvernemental.

Ces politiques économiques avaient aussi des aspects qui touchaient l'espace extra-sociétal. La campagne électorale de 1962, que le Parti libéral centre sur la nationalisation des compagnies d'électricité, est l'occasion d'affirmer qu'il faut être « maîtres chez nous ». Cette campagne marque une étape importante dans le développement du nouveau nationalisme québécois, qui amène le Parti libéral à relâcher ses alliances avec les acteurs fédéraux. La création de la Caisse de dépôt et placement, qui fait suite à l'instauration d'un régime des rentes différent de celui d'Ottawa, vient consacrer une plus grande autonomie financière du Québec. Simeon (1972) considère qu'il s'agit là de la plus grande victoire du Québec dans les relations fédérales-provinciales de l'époque. Les moyens monétaires d'action ainsi accumulés seront utilisés, comme les autres leviers économiques mis en place sous le gouvernement libéral de 1960-1966, pour créer ou raffermir des alliances francophones compétitives dans l'espace intra-sociétal.

La création de la Société générale de financement (SGF) en 1962 est certainement un des plus importants parmi ces leviers, en ce qu'elle permet aux entreprises d'obtenir un financement à des conditions qu'elles n'auraient pas autrement.

Les politiques sociales

C'est sous les deux gouvernements libéraux que sont adoptées et mises en œuvre les principales politiques de la sous-période dans le secteur de la santé et des services sociaux. À la suite des initiatives prises par le gouvernement fédéral en ces matières (Taylor, 1978), le gouvernement Lesage instaure l'assurance hospitalisation dès le début de son premier mandat, et le gouvernement Bourassa fait de même en 1970 avec l'assurance santé. Les politiques sociales du début des années 1970 comprennent aussi la création du ministère des Affaires sociales, la réforme de l'organisation des services de santé et des services sociaux, dont la création des conseils régionaux de la santé et des services sociaux (CRSSS) et des centres locaux de services communautaires (CLSC), ainsi que la réforme des professions (y compris la création de l'Office des professions), la plupart d'entre elles se trouvant d'ailleurs dans le secteur des affaires sociales.

Ces réformes des entrepreneurs en affaires publiques ont été accompagnées, elles aussi, de centralisation du contrôle des activités dans le secteur, ce qui était d'ailleurs l'aboutissement d'un processus commencé avant 1960 (Lemieux *et al.*, 1974). Le Parti libéral, tout comme le Parti québécois après lui, a été amené à établir de lui-même ou par fonctionnaires interposés des relations d'alliance-rivalité avec les principaux acteurs du secteur, les médecins et leurs associations (sur ce point, voir Tuohy (1988)). Le caractère ambivalent de ces relations a été dramatisé à l'automne 1970, alors que les médecins ont finalement accepté de mettre fin à leur grève, contre le projet d'assurance maladie, dans la conjoncture tragique des événements d'octobre (enlèvement de Cross et de Laporte, et assassinat de ce dernier). Depuis, comme l'a montré Tuohy, pour l'ensemble du Canada, les médecins se sont soumis au contrôle de leurs activités d'entrepreneurs, mais ont conservé une large autonomie dans leurs activités proprement professionnelles.

Comme nous l'avons déjà noté, le gouvernement Lesage avait accordé en 1964 le droit de grève aux employés du secteur public, dont les dirigeants syndicaux étaient alors ses alliés. Le secteur de la santé et celui de l'éducation ont été les lieux des grèves qui ont eu le plus d'effets dans la population. Les premières grèves, dont celles des professionnels de la fonction publique en 1966, se produisent sous le gouvernement Lesage, puis sous le gouvernement de l'Union nationale, mais c'est sous le gouvernement Bourassa qu'elles atteignent leur plus grande ampleur. Comme on le verra dans la section suivante qui porte sur l'espace électoral, la gestion de ces situations par le gouvernement libéral semble avoir été jugée plus positive en 1973 qu'en 1976.

Les politiques linguistiques

Du côté de la mission dite éducative et culturelle, le geste le plus remarquable du gouvernement Lesage, en plus de la réforme de l'éducation, demeure probablement la création du ministère des Affaires culturelles en 1961. Le gouvernement mettait ainsi des moyens d'action à la disposition de certains types d'électorat où il comptait plus d'alliés ou de neutres qui lui étaient sympathiques que n'en totalisait l'Union nationale.

Le gouvernement Lesage n'a pas agi dans le secteur linguistique. La première mesure importante en ce secteur fut le fameux projet de loi 63, succédant au projet de loi 85, qui fut présenté par le gouvernement de l'Union nationale en 1969, à la suite des événements de Saint-Léonard, où les commissaires scolaires avaient décidé de supprimer les classes bilingues dans la localité. Le projet de loi veut à la fois empêcher la possibilité de telles situations et promouvoir le français au Québec, mais il accorde également aux individus la liberté de choix de la langue d'enseignement. Il fait éclater des rivalités à l'intérieur de l'Union nationale et mobilise contre le parti les groupes nationalistes opposés à la liberté de choix.

Le gouvernement libéral de Robert Bourassa va plus loin avec le projet de loi 22, adopté en 1974, qui fait du français la langue officielle du Québec. Le Parti libéral perd alors plusieurs de ses alliés anglophones, qui voteront pour l'Union nationale en 1976. Il ne gagne pas pour autant de nouveaux alliés chez les francophones. Les électeurs sensibles aux problèmes linguistiques lui préfèrent le Parti québécois.

Les réformes électorales

C'est aussi sous les deux gouvernements libéraux que sont adoptées les principales réformes électorales de la sous-période. Au début de son deuxième mandat, le gouvernement libéral fait adopter une loi qui limite les dépenses électorales des partis et des candidats et accorde un remboursement d'une partie des dépenses de certains d'entre eux. Un peu plus tard, avant les élections de 1966, il abaisse l'âge du droit de vote à 18 ans et effectue une réforme partielle de la carte électorale, dans les régions de Montréal, de Québec et du Saguenay–Lac-Saint-Jean.

Cette réforme de la carte, que le gouvernement unioniste de 1966-1970 refuse de poursuivre, est achevée après 1970, alors que les différences de population électorale entre les circonscriptions sont soumises à la norme de 25 % en plus ou en moins par rapport à la moyenne.

Ces réformes ont évidemment des conséquences dans l'espace partisan et dans l'espace électoral. Le contrôle des dépenses électorales et le remboursement partiel égalisent les chances entre les partis rivaux dans l'espace partisan. Il libère les partis d'alliés intéressés qui les financent pour mieux les dominer ou pour obtenir des moyens d'action en retour. Dans l'espace électoral, l'état de la carte électorale et plus généralement du système électoral a eu, à cause de réformes trop partielles, des effets déformants sur la plupart des élections de la sous-période.

L'ESPACE ÉLECTORAL

La fin de la sous-période est marquée par l'achèvement d'un réalignement électoral qui fait du Parti québécois le rival principal du Parti libéral dans l'espace électoral ainsi d'ailleurs que dans les autres espaces. L'Union nationale perd la moitié environ de ses appuis électoraux, de 1966 à 1970, et ne fait élire aucun député en 1973. Elle connaît une résurgence temporaire en 1976. Le réalignement est aussi marqué par l'apparition d'un parti créditiste qui, après qu'il eut connu un succès relatif en 1970 et en 1973, s'efface ou presque en 1976. La présence dans la compétition électorale du Rassemblement pour l'indépendance nationale (RIN) et du Ralliement national (RN) en 1966 est le signe avant-coureur du réalignement. Le tableau 9 illustre les résultats électoraux de la sous-période.

Les effets du système électoral

En 1962, l'écart en votes qui sépare le Parti libéral de l'Union nationale est beaucoup plus grand que celui qui séparait l'Union nationale du Parti libéral dans les années 1950 ; pourtant l'écart en sièges, en faveur du Parti libéral, est beaucoup moins grand (voir le tableau 4).

Le Parti libéral ne fait qu'une réforme partielle de la carte électorale, ce qui lui coûte la victoire en 1966 (Lemieux, 1967). Même s'il obtient beaucoup plus de votes que l'Union nationale dans l'ensemble du Québec, il ne gagne que 50 sièges contre 56 pour le parti rival.

Les résultats de 1970 sont tout à fait aberrants, dans une carte que le gouvernement de l'Union nationale s'est bien gardé de modifier. Le pourcentage de voix exprimées du Parti libéral est moins élevé qu'en 1966 (45 % contre 47 %), et pourtant il gagne 22 sièges de plus

TABLEAU 9

Résultats des élections provinciales, de 1960 à 1976

Année d'élection	Participation %	Votes libéraux %	Votes unionistes %	Votes péquistes %	Votes créditistes %	Sièges libéraux N	Sièges unionistes N	Sièges péquistes N	Sièges créditistes N	Nombre total de sièges N
1960	82	51 (42)	47 (39)	–	–	52	42	–	–	95
1962	80	56 (45)	42 (34)	–	–	63	31	–	–	95
1966	74	47 (35)	41 (30)	5 (4)[a]	3 (2)[b]	50	56	–	–	108
1970	84	45 (38)	20 (17)	23 (19)	11 (9)	72	17	7	12	108
1973	84	55 (44)	5 (4)	30 (24)	10 (8)	102	–	6	2	110
1976	85	34 (29)	18 (15)	41 (35)	5 (4)	26	11	71	1	110

[a] : Vote au RIN.
[b] : Vote au RN.
Note : Dans le cas des votes, le nombre qui figure en premier lieu est le pourcentage des votants et le nombre entre parenthèses représente le pourcentage des inscrits.
Source : Bernier et Boily (1986).

qu'en 1966. Le Ralliement créditiste a deux fois moins de votes que le Parti québécois, mais il obtient 12 sièges contre 7 au Parti québécois. L'Union nationale a moins de voix que le Parti québécois, mais gagne quand même 17 sièges et devient l'opposition officielle.

En 1973, la carte a été réformée, mais les effets du mode de scrutin donnent 17 fois plus de sièges au Parti libéral qu'au Parti québécois, même s'il n'a pas deux fois plus de votes que son rival.

Enfin, en 1976, le Parti québécois profite à son tour du système électoral. Il n'obtient l'appui que de deux votants sur cinq et d'un inscrit sur trois ; mais cela suffit à lui donner une confortable majorité de 71 sièges sur 110 (sur les effets déformants du système électoral, voir Boily (1971) et Massicotte et Bernard (1985)).

Les électeurs constants et les autres

En 1976, le Parti libéral est réduit, en fait d'inscrits, au plancher qu'il avait atteint en 1944 et en 1948, soit 29 %. On peut estimer que ce pourcentage représente la proportion de ses alliés stables dans l'électorat au cours de la sous-période. Cette proportion est la même qu'au cours de la sous-période précédente.

L'Union nationale, quant à elle, retrouve en 1966 son plancher d'inscrits de la sous-période précédente, que nous avions évalué à 30 %. Ensuite, elle s'écroule pour tomber aussi bas qu'à 4 % en 1973. En ce qui concerne la période de réalignement, qui s'étend de 1970 à 1976, nous cumulons les planchers des trois partis rivaux du Parti libéral pour donner une approximation des électeurs qui, de façon stable, étaient des rivaux des libéraux. Aux 4 % d'électeurs de l'Union nationale s'ajoutent les 4 % du Parti créditiste (en 1976) et les 19 % du Parti québécois (en 1970), pour un total de 27 %. Dans le cas du Parti québécois qui mobilise surtout les plus jeunes électeurs, ses alliés stables sont en progression constante, si bien que le pourcentage indiqué (19 %) ne vaut sans doute pas pour 1973 et 1976 (sur les identifications partisanes en 1970, voir Lemieux *et al.* (1970 : 33-48)).

À supposer, pour le moment, que notre approximation soit valable, les électeurs stables se distribueraient ainsi, étant donné que le plancher des abstentionnistes se situe à 15 % (en 1976) :

Alliés du Parti libéral	29 %
Rivaux des autres partis	27 %
Neutres (abstentionnistes)	15 %
Total	71 %

Il y aurait donc 29 % d'électeurs non constants qui se seraient distribués entre le Parti libéral, les autres partis et l'abstention d'une élection à l'autre. À cet égard, les cinq élections qui se déroulent, de celle de 1962 à celle de 1976, se présentent selon l'ordre illustré au tableau 10, de la plus favorable au Parti libéral à la moins favorable, si on considère la répartition des électeurs non constants.

TABLEAU 10

Répartition conjoncturelle présumée des électeurs non constants en alliés, rivaux et abstentionnistes, de 1962 à 1976
(en pourcentage)

Année d'élection	Alliés	Rivaux	Abstentionnistes	Total des libéraux	Total des autres partis	Total des abstentionnistes
1962	16	8	5	45	35	20
1973	15	9	5	44	36	20
1970	9	19	1	38	46	16
1966	6	12	11	35	39	26
1976	0	29	0	29	56	15

Nous avons considéré que la performance du parti avait été meilleure en 1970 qu'en 1966, étant donné qu'il avait à faire face à trois partis plus attirants, dans l'ensemble, que ceux de 1966.

Pour expliquer ces résultats électoraux, nous proposons que les perceptions du Parti libéral dans chacun des trois espaces, à chacune des cinq élections de la sous-période, étaient celles que nous présentons au tableau 11. À nouveau, ces perceptions sont formulées en termes de valeur accordée aux moyens d'action attribués par le parti et aux relations sociales établies par lui. La valeur peut être grande (+), moyenne (±) ou petite (−).

TABLEAU 11
Évaluation comparée du Parti libéral par les électeurs non constants dans chacun des espaces, de l'élection de 1962 à celle de 1976

Année d'élection	Espace extra-sociétal	Espace partisan	Espace intra-sociétal	Rang d'après le tableau 10
1962	+	+	±	1
1966	–	±	±	4
1970	±	±	±	3
1973	+	±	+	2
1976	–	–	–	5

De l'élection de 1962 à celle de 1976

En 1962, le Parti libéral est en très bonne position (+) dans l'espace extra-sociétal où il se trouve opposé à un gouvernement conservateur. Son projet de nationalisation de l'électricité le fait paraître comme un parti nationaliste. Dans l'espace partisan, il domine facilement (+), avec un Jean Lesage prestigieux à sa tête, l'Union nationale dont le nouveau chef, Daniel Johnson, n'est guère populaire à ce moment-là. Celui-ci perd manifestement, aux yeux du plus grand nombre, le débat télévisé qui l'oppose à Lesage en fin de campagne. Dans l'espace intra-sociétal, par contre, les politiques du gouvernement libéral sont évaluées de façon plus mitigée (±), dans les milieux ruraux en particulier, comme nous le verrons dans l'étude de la composition de l'électorat libéral.

En 1966, ces mêmes milieux continuent de s'opposer au gouvernement libéral, dans l'espace intra-sociétal, d'autant plus que la réforme de l'éducation est jugée de façon négative par beaucoup d'électeurs, comme nous l'avons noté dans la section sur l'espace intra-sociétal. Par contre, les réformes des libéraux sont mieux reçues dans les milieux urbains, d'où une évaluation dans l'ensemble mitigée (±). Dans l'espace extra-sociétal, le Parti libéral est en bien moins bonne position qu'en 1962, à la suite de la publication du livre de Daniel Johnson, *Égalité ou indépendance*, et de la montée du nouveau nationalisme de l'Union nationale. La présence du RIN et du RN contribue encore plus à affaiblir (–) la position nationaliste du gouvernement libéral, qui souffre de l'appui donné à la formule Fulton-Favreau. Dans l'espace partisan, Daniel Johnson a regagné de la prestance et Jean Lesage en a perdu. Plus généralement, l'Union nationale, qui a organisé en 1965 des assises où elle a donné l'impression qu'elle se renouvelait, paraît mieux face à son rival, le Parti libéral (±).

En 1970, le Parti libéral a des attraits dans chacun des trois espaces, mais qui sont tempérés par des traits plus négatifs. Dans l'espace extra-sociétal, Robert Bourassa semble plus proquébécois que Jean-Jacques Bertrand mais moins que le Parti québécois de René Lévesque (±). Dans l'espace partisan, c'est un peu la même situation : le Parti libéral avec son nouveau chef se présente mieux que l'Union nationale en déclin, mais en cette époque de début de réalignement, il apparaît comme un « vieux parti » en comparaison avec le Parti québécois et le Ralliement créditiste (±). La prétendue compétence économique de Robert Bourassa, qui promet la « création » de 100 000 nouveaux emplois, rassure dans l'espace intra-sociétal, mais les deux nouveaux partis ont l'avantage sur lui de n'avoir jamais gouverné et de pouvoir proposer des solutions qui captent plus l'attention des électeurs disponibles pour le changement (±).

Aux élections de 1973, le gouvernement libéral sortant a « créé » les 100 000 emplois promis, il a tenu tête aux chefs syndicaux et il a instauré l'assurance maladie, ce qui contente un peu tous les indécis dans l'espace intra-sociétal (+). Dans l'espace extra-sociétal, le Parti québécois, qui a souffert des événements d'octobre 1970, où il a été plus ou moins associé au Front de libération du Québec (FLQ), se déconsidère en présentant le budget de l'an 1, après l'indépendance, qui est mis en pièces par les libéraux (+). Dans l'espace partisan, l'avantage du Parti libéral est plus mitigé (±), étant donné que René Lévesque est un chef tout aussi populaire, sinon plus, que Robert Bourassa.

En 1976, le Parti libéral est réduit à son noyau de fidèles alliés électoraux. Dans tous les espaces, sa valeur est plus négative que positive. Cela est tout particulièrement évident dans l'espace partisan (−) où Robert Bourassa et son entourage font l'objet d'accusations de favoritisme et même de corruption, en particulier pour ce qui est de la construction du Stade olympique de Montréal. La situation n'est guère plus favorable dans l'espace intra-sociétal (−) où moins d'emplois ont été créés, où des grèves dans le secteur de l'enseignement et dans celui de la santé ont été mal gérées, prétend-on, par le gouvernement, et où la loi 22 est mal reçue par les anglophones. Dans l'espace extra-sociétal, le Parti québécois neutralise en bonne partie l'opposition que des indécis pouvaient avoir envers lui en promettant qu'il y aura référendum sur l'avenir du Québec. De plus, Bourassa, qui est traité avec mépris par Trudeau, n'apparaît pas comme un protagoniste influent dans cet espace (–).

Comme pour les deux sous-périodes précédentes, l'interprétation générale du vote des électeurs non constants par l'évaluation qui est faite de la situation relative du Parti libéral dans chacun des trois espaces apparaît satisfaisante. Elle reste bien sûr à parfaire, selon des voies que nous indiquerons au chapitre 6.

La composition de l'électorat libéral

Les données de sondage dont nous disposons sur la sous-période 1960-1976 nous permettent de traiter de la dimension biosociale de l'électorat libéral, en plus de ses dimensions territoriale, économique et culturelle, pour reprendre encore une fois la distinction faite par Lapierre (1973) entre les systèmes sociaux autres que le système politique.

Le vote libéral dans le territoire

Tant que son principal rival a été l'Union nationale, le Parti libéral a reçu de meilleurs appuis des milieux très urbanisés que des milieux moins urbanisés. Comme nous l'avons montré ailleurs (Lemieux, 1973 : 24-25), en 1960 et en 1962 le Parti libéral réussit beaucoup mieux dans les circonscriptions les plus urbanisées du Québec que dans les circonscriptions qui le sont moins. Il remporte 30 victoires en 1960 et 37 en 1962 dans les 48 circonscriptions les plus urbaines contre 22 et 26 victoires respectivement dans les 47 circonscriptions les moins urbaines. Il est d'ailleurs remarquable de constater qu'en 1962 le Parti libéral recule dans une dizaine de circonscriptions rurales près de Québec, alors qu'il passe de 51 % à 56 % des votants dans l'ensemble du Québec. Encore en 1966, le Parti libéral gagne les deux tiers des 39 circonscriptions où il y a 80 % et plus d'urbains, mais le tiers seulement des autres circonscriptions.

Au cours des années 1970, le Parti libéral, dont le principal rival est désormais le Parti québécois, conserve des appuis électoraux massifs dans les circonscriptions de Montréal où les anglophones et les allophones sont relativement nombreux, mais, en dehors de ces circonscriptions, ses appuis n'ont plus les traits de ceux des années 1950 et 1960. En 1970, le parti obtient 55 % des votes dans la région de Montréal (îles de Montréal et Jésus) contre 45 % dans l'ensemble du Québec, mais en 1973 ces pourcentages respectifs sont de 58 % et 54 %. En 1976, ils sont de 37 % et 33 % (Bernier et Boily, 1986 : 265-266). Un sondage précédant les élections de 1976 indique que les intentions de vote pour le Parti libéral sont à peu près les mêmes dans les différentes régions du Québec, à l'exception de l'est de l'île de Montréal où ils sont plus bas (Bernard, 1976b : 52).

Le vote libéral selon l'âge

Les données de sondage dont nous disposons sur les élections des années 1960 semblent indiquer que les électeurs du Parti libéral sont en moyenne plus jeunes que ceux de l'Union nationale, qui est à ce moment-là un parti vieillissant dont les alliés électoraux ne se renouvellent que très peu.

En 1966, les quelques électeurs qui appuient le RIN sont pour la plupart très jeunes. Ils annoncent l'appui très important que le Parti québécois trouvera chez les jeunes électeurs, ce qui fera de lui, pour une bonne part, un parti générationnel (Ouellet, 1989), trouvant ses principaux appuis chez les électeurs qui ont voté pour la première fois dans les années 1970.

Les sondages de 1970 montrent en effet que c'est chez les 18-24 ans que le Parti québécois reçoit ses meilleurs appuis et qu'à l'inverse il a peu d'alliés chez les électeurs de 65 ans et plus (Lemieux *et al.*, 1970 : 61). Le Parti libéral a des appuis relativement élevés dans toutes les classes d'âge, mais dans la plupart des sondages le groupe des 18-24 ans est celui qui lui est le moins favorable. Il en est de même en 1973 et en 1976 où un sondage (reproduit dans Bernard (1976b : 49)) montre que le Parti libéral a ses meilleurs appuis chez les électeurs qui ont 55 ans ou plus, mais que dans les autres groupes d'âge, y compris les 18-24 ans, il a des appuis à peu près égaux en pourcentage. Au contraire, les appuis du Parti québécois décroissent avec l'âge. Blais et Nadeau (1984a) ont d'ailleurs estimé que de 1970 à 1981 l'âge était, après la langue, le meilleur prédicteur du vote au Parti québécois.

La scolarité et l'occupation

Nous avons montré au chapitre 2 que de 1936 à 1966 le Parti libéral avait beaucoup mieux réussi dans les circonscriptions où la population instruite était dans une proportion supérieure à la moyenne que dans les autres. Avec l'apparition du Parti québécois sur la scène politique, la situation se modifie. Les trois sondages de 1970 dont les résultats sont reproduits dans Lemieux *et al.* (1970 : 63) montrent que le Parti libéral, à l'instar de l'Union nationale, a des appuis assez semblables dans presque toutes les catégories de scolarité, alors que le Parti québécois réussit mieux chez les gens très scolarisés et que le Ralliement créditiste réussit mieux chez les gens peu scolarisés.

La situation est la même en 1976. Le Parti libéral a des alliés électoraux qui sont répartis assez également dans toutes les catégories de scolarité, tout comme l'Union nationale, alors que la proportion des électeurs péquistes est deux fois plus élevée chez ceux qui ont 16 années ou plus de scolarité que chez ceux qui ont 7 années ou moins de scolarité (Bernard, 1976b : 49).

Il est plus difficile d'établir quelles sont les catégories d'occupation les plus favorables et les moins favorables au Parti libéral, étant donné que ces catégories sont souvent variables d'un sondage à l'autre. À l'examen des différents sondages, il ressort cependant que de 1962 à 1976 les administrateurs et les propriétaires d'entreprises ainsi que les commerçants et les employés ont donné les meilleurs appuis au Parti libéral. Les professionnels et les semi-professionnels étaient plus attirés par lui que par les autres partis en 1970, mais en 1976 les préférences de la majorité d'entre eux se portaient vers le Parti québécois, surtout s'ils travaillaient dans le secteur public. Les étudiants ont appuyé majoritairement le Parti québécois dès 1970, et l'appui au Parti libéral semble avoir été faible, durant toute la sous-période, de la part des ouvriers non spécialisés (manœuvres, journaliers).

Les francophones, les anglophones et les allophones

Durant toute la sous-période, le Parti libéral a été le parti préféré des anglophones et des allophones. Les données présentées au chapitre 2 ont montré que c'était là un trait évident des années 1936-1966. En 1962, le Parti libéral remporte la victoire dans 75% des 24 circonscriptions où les non-francophones forment 20% ou plus de la population. En 1966, cette proportion s'élève à 84% (Lemieux, 1973: 27). Les sondages de 1970 montrent que 7 ou 8 anglophones sur 10 se proposent de voter pour le Parti libéral (Lemieux *et al.*, 1970: 60). Cette proportion est plus élevée encore en 1973 et en 1976. Malgré la loi 22 qui consacre la prédominance du français, il y a plus de non-francophones qui se proposent de voter pour le Parti libéral que pour l'Union nationale (Bernard, 1976b: 49).

Blais et Nadeau (1984a: 311) ont estimé que la langue était le meilleur prédicteur du vote péquiste. Il en est de même, à l'inverse, du vote libéral durant la sous-période, qu'il s'agisse des élections des années 1960 ou de celles des années 1970. Les anglophones et les allophones l'ont appuyé de façon très majoritaire de 1960 à 1976, même si le projet de nationalisation de l'électricité, en 1962, et la loi 22, en 1976, ont éloigné de lui, de façon conjoncturelle, une partie de son électorat non francophone. Le Parti québécois a fait quelques progrès chez les allophones au cours des années 1970, mais l'appui lui venant des anglophones n'a guère augmenté (Blais et Nadeau, 1984a: 311-312).

CONCLUSION

De 1960 à 1976, le Parti libéral perd plus d'alliés qu'il n'en gagne. Dans l'espace extra-sociétal, quand le gouvernement redevient libéral à Ottawa en 1963, les relations sont d'abord plutôt amicales avec le gouvernement libéral à Québec, mais les négociations fédérales-provinciales et l'autonomie acquise par le parti du Québec, dès 1964, transforment les alliés fédéraux en alliés-rivaux. Cette situation durera jusqu'en 1976, l'arrivée de Pierre Trudeau à la tête du parti et du gouvernement fédéral n'ayant pas pour effet de resserrer l'alliance entre les deux partis.

Cette relation d'alliance-rivalité, où l'alliance ne l'emporte pas toujours sur la rivalité, place le Parti libéral du Québec dans une situation plus confortable que celle qui avait été la sienne de 1944 à 1960. Quand les partis nationalistes rivaux du Québec, l'Union nationale, le RIN et surtout le Parti québécois, s'en prennent aux positions fédéralistes du Parti libéral, ces attaques sont beaucoup moins dommageables, dans l'espace électoral, qu'elles ne l'avaient été du temps de Duplessis. Les défaites de 1966 et de 1976 ne sont pas attribuables en tout premier lieu aux positions du parti dans l'espace extra-sociétal, pas plus d'ailleurs que ne le sont les victoires de 1962, 1970 et 1973.

La perte d'alliés et les rivalités internes dans l'espace partisan ont des conséquences électorales plus graves. Il y a bien en 1966 l'hostilité larvée entre les partisans de la Fédération et de ses associations et ceux de l'organisation électorale, déçus de la disparition progressive du favoritisme, mais c'est surtout la scission de 1967, marquée par le départ de René Lévesque, qui s'avère la plus dommageable dans l'espace partisan, et à plus longue échéance dans l'espace électoral. Au lieu d'avoir pour seuls rivaux, dans les années qui suivent ce départ, une Union nationale déclinante, un parti créditiste aux appuis limités et quelques petits partis indépendantistes divisés entre eux, le Parti libéral doit affronter un Parti québécois qui a rallié ces petits partis et qui a attiré à lui des militants et des électeurs qui autrement seraient peut-être demeurés libéraux. Quoi qu'il en soit, beaucoup d'alliés du Parti libéral, de 1960 à 1967, deviennent des rivaux après 1967 et le demeurent jusqu'en 1976.

Dans l'espace intra-sociétal également, le Parti libéral perd des alliés sans en gagner beaucoup de nouveaux. Les dirigeants syndicaux, des universitaires, des enseignants, des étudiants qui étaient ses partenaires dans la construction de l'État durant la première moitié des années 1960 deviennent, avec les années, des alliés du Parti québécois, surtout si les sources de puissance auxquelles ils appartiennent sont dans le secteur public. Le Parti libéral garde cependant la plupart de ses alliés dans le secteur privé, même si leur fidélité est un peu ébranlée par la nationalisation des compagnies d'électricité. Les alliés anglophones, quant à eux, sont secoués par la loi 22 sur la question linguistique.

Par rapport aux autres, la sous-période se caractérise par une évolution importante de chacun des trois espaces et par une interpénétration qui semble plus grande qu'auparavant de l'espace extra-sociétal et de l'espace intra-sociétal. Cette évolution ouvre l'un à l'autre des sous-systèmes qui étaient auparavant plus étanches.

Chapitre 4

Des rivaux dont l'attirance augmente puis diminue (1976-1985)

Au chapitre des sièges obtenus, la victoire du Parti québécois, en 1976, apparaît décisive puisqu'il fait élire 71 députés sur 110. Cependant, il est appuyé par 41 % des votants seulement. Le Parti libéral, quant à lui, reçoit son plus faible appui en votants depuis le début du siècle, soit 34 %. Les 29 % d'inscrits qui votent pour lui le font descendre à un plancher déjà atteint en 1944 et en 1948.

Les deux principaux partis n'obtiennent en 1976 que 75 % des votes exprimés, alors qu'ils en avaient obtenu 85 % aux élections de 1973. Pourtant, en 1981, ils obtiennent ensemble 95 % des voix (49 % au Parti québécois et 46 % au Parti libéral). Cela montre bien comment le référendum de 1980, avec la division entre les deux grandes alliances, celle du « oui » et celle du « non », a entraîné une bipolarisation dans le système partisan. Cette bipolarisation se maintient d'ailleurs aux élections de 1985, alors que les deux principaux partis reçoivent à nouveau 95 % des suffrages exprimés (56 % au Parti libéral et 39 % au Parti québécois).

Le Parti libéral est bien peu attirant au début de la sous-période. La plupart de ses alliés, dont les anglophones, ont des réticences envers lui. L'arrivée d'un nouveau chef, Claude Ryan, et surtout le débat référendaire permettront de resserrer des alliances qui avaient été relâchées. Le Parti québécois, cependant, continue jusqu'au début des années 1980 d'étendre ses propres alliances dans l'intra-sociétal. Il devient ensuite de moins en moins attirant, après la récession économique et les gestes qu'il pose à l'endroit des syndiqués du secteur public. Le Parti libéral en profite, et profite aussi de changements culturels dans l'espace intra-sociétal pour reprendre la direction du gouvernement après les élections de 1985.

L'ESPACE EXTRA-SOCIÉTAL

L'ambivalence des relations entre les libéraux provinciaux et les libéraux fédéraux se maintient tout au long de la sous-période. Avec l'accession de Claude Ryan à la direction du parti provincial, cette ambivalence prend un caractère idéologique plus marqué, étant donné que le nouveau chef libéral prône un fédéralisme plus décentralisé que celui de Pierre Trudeau, qui dirige le gouvernement libéral à Ottawa.

Le référendum et la nécessité qui est faite par la loi de former deux grandes alliances, celle du « oui » et celle du « non », rapprochent stratégiquement les deux partis libéraux, mais non sans que les différences idéologiques subsistent. Le Parti libéral du Québec tient à maintenir ses distances envers le gouvernement et le parti fédéral, ce qui est un choix sur lequel le parti provincial ne revient pas depuis les années 1960. Même si Claude Ryan a plusieurs reproches à faire au gouvernement du Parti québécois dans la négociation de l'accord constitutionnel de 1982, il n'en dénonce pas moins cet accord qui a été conclu sans le Québec.

Cette stratégie réussit relativement bien, et d'ailleurs le Parti québécois parle assez peu de connivence entre les deux partis libéraux. Il s'emploie plutôt à dénoncer le parti fédéral et surtout son chef, Pierre Trudeau. Les élections fédérales de 1984, qui surviennent à la fin de la sous-période, contribuent encore plus à semer l'ambivalence dans les relations entre les partis provinciaux et les partis fédéraux. Des partisans du Parti québécois se retrouvent avec des partisans du Parti libéral du Québec pour appuyer le Parti conservateur contre d'autres libéraux provinciaux qui appuient le Parti libéral fédéral.

Le Parti québécois pratique envers le Parti conservateur ce qu'il aurait mauvaise grâce de reprocher aux libéraux provinciaux.

La conjoncture référendaire

Après les élections de novembre 1976, le Parti libéral se prépare à la consultation référendaire dont le Parti québécois a promis qu'elle prendrait place à l'intérieur de son premier mandat. À la suite de l'accession de Claude Ryan à la direction du parti, en avril 1978, la position du parti va être définie. Elle est publiée au tout début de 1980, dans ce qui sera nommé le « Livre beige », intitulé *Une nouvelle fédération canadienne*.

Le chapitre 1 du document énonce les objectifs de la réforme constitutionnelle. Il faut :

1) donner au peuple canadien un document constitutionnel écrit, moderne, canadien ;
2) affirmer l'égalité foncière des deux peuples fondateurs et donner au Québec des garanties propres à faciliter la protection et l'affirmation de sa personnalité distincte ;
3) assurer la primauté juridique des droits et libertés fondamentaux des citoyens ;
4) affirmer et reconnaître les droits fondamentaux des peuples qui ont été les premiers habitants du pays ;
5) affirmer la richesse des patrimoines culturels régionaux ;
6) assurer l'égalité des chances pour les individus, les provinces et les régions ;
7) maintenir au Canada un système fédéral de gouvernement ;
8) assurer l'existence d'un pouvoir central assez fort pour être en mesure de faire face aux défis que pose le monde actuel ;
9) assurer l'existence de pouvoirs provinciaux assez forts pour prendre en charge le développement de leurs ressources physiques et humaines ;

10) établir un partage clair des responsabilités législatives et fiscales entre les deux ordres de gouvernement ;

11) corriger ou tout au moins atténuer la disproportion très grande dans la taille des États membres ;

12) établir un système d'arbitrage des litiges constitutionnels qui tienne compte, entre autres, de la dualité fondamentale de la population ;

13) reconnaître que dans pratiquement tous les domaines l'action des pouvoirs publics débouche aujourd'hui sur des prolongements internationaux.

Dans l'ensemble, les positions du Livre beige sont beaucoup plus proches de celles de Pierre Trudeau et du Parti libéral fédéral que de celles du Parti québécois dans son Livre blanc sur la souveraineté-association : *La nouvelle entente Québec-Canada*. Cela tient principalement à ce que le Parti libéral du Québec veut maintenir un système fédéral de gouvernement (l'objectif numéro 7), alors que le Parti québécois ne le veut pas.

L'affirmation de la dualité canadienne et la reconnaissance du Québec comme « société distincte » sont contraires à la philosophie de Pierre Trudeau. Celui-ci a d'autres raisons de ne pas être totalement allié avec Claude Ryan. Le style des deux hommes est bien différent et, surtout, ils se sont opposés durement au moment de la crise d'octobre 1970, alors que Ryan avait dénoncé le recours à la Loi sur les mesures de guerre par le gouvernement fédéral de Pierre Trudeau. Celui-ci, de son côté, soupçonnait Ryan d'être à l'origine d'un « comité du salut public » visant à remplacer le gouvernement Bourassa (Clarkson et McCall, 1990 : 190).

Cependant, l'opposition commune au Parti québécois, au cours de la bataille référendaire, ne manque pas d'atténuer l'ambivalence des rapports entre les deux partis libéraux et leurs chefs, qui paraissent beaucoup plus alliés que rivaux.

Après le référendum

Après le référendum, des tensions entre les deux chefs et leur parti n'ont pas tellement l'occasion de se manifester. La principale occasion est toutefois celle de la résolution de la fin de septembre 1981, adoptée le 2 octobre par l'Assemblée nationale, en session d'urgence, qui demande au gouvernement fédéral de renoncer à sa démarche unilatérale dans les négociations constitutionnelles, après que la Cour suprême eut déclaré que cette démarche était « légale ». Ryan décide d'appuyer la résolution, mais neuf députés libéraux, la plupart non francophones, font dissidence. Le leadership de Ryan en est ébranlé. Il finit par démissionner de son poste le 10 août 1982.

Robert Bourassa redevient chef du parti le 15 octobre 1983, après que Gérard D. Levesque eut assuré l'intérim. Il n'a pas tellement l'occasion, comme chef de l'opposition, non élu à l'Assemblée nationale, de se définir par rapport à Pierre Trudeau. Celui-ci quitte son poste en février 1984, et son successeur, John Turner, est défait aux élections fédérales de septembre 1984. Brian Mulroney, le chef du Parti conservateur, qui devient premier ministre du Canada, est un ami de Robert Bourassa. Beaucoup de libéraux provinciaux du Québec travaillent à son élection et contribuent, avec des péquistes, aux 58 victoires sur 75 qu'il remporte au Québec.

L'ESPACE PARTISAN

La désorganisation du Parti libéral est grande après la défaite de 1976. Non seulement obtient-il alors son plus faible pourcentage d'électeurs inscrits depuis les années 1940, mais l'organisation du parti sur le terrain, négligée par Robert Bourassa, est démotivée après la démission impromptue de celui-ci. Deux mesures du gouvernement du Parti québécois vont, paradoxalement, permettre au parti de se réorganiser dans l'espace partisan. D'abord, la Loi sur le financement des partis politiques, adoptée en 1977, oblige les libéraux à ne plus compter que sur le financement par les individus, alors que, traditionnellement, le parti dépendait en bonne partie des entreprises. Ensuite, la décision de faire un référendum sur l'option constitutionnelle du Parti québécois s'avère un puissant stimulant pour réorganiser le parti sur le terrain. Claude Ryan, qui devient chef du parti le 15 avril 1978, s'emploie à sa manière à cette réorganisation. Il suscite à nouveau les tensions des années 1960 entre les « militants » et les « organisateurs ». Avec le retour de Robert Bourassa, ces tensions disparaîtront au profit des organisateurs. Les jeunes, de plus en plus actifs dans le parti, au sein de la commission jeunesse, prendront en charge la fonction militante. Le financement du parti par les individus est une réussite, aux dépens d'ailleurs du Parti québécois (voir, plus loin, le tableau 12). Cette évolution n'est pas étrangère à la victoire de 1985.

La sélection de Claude Ryan

De son poste de directeur du journal *Le Devoir*, Claude Ryan fait fonction d'un des principaux leaders de l'opposition au gouvernement du Québec. Au moment de la crise d'octobre 1970, il rencontre René Lévesque et des chefs syndicaux afin de former, au besoin, un gouvernement de salut public. Le chef du Parti québécois, René Lévesque, étant absent de l'Assemblée nationale de 1973 à 1976, alors que son parti forme l'opposition officielle, Ryan s'impose de plus en plus. Le premier ministre Bourassa et ses ministres craignent bien davantage les éditoriaux de Ryan que les positions prises par l'opposition péquiste à l'Assemblée ou hors de l'Assemblée. À la veille des élections du 15 novembre 1976, Ryan, à titre de directeur du *Devoir*, recommande aux électeurs de voter pour le Parti québécois.

Il aurait été inconcevable de 1897 à 1936, ou encore de 1936 à 1960 et même de 1960 à 1976, qu'un tel homme devienne chef du Parti libéral du Québec. Tous les chefs du parti au cours de ces années étaient des libéraux de longue date et ils avaient, avant leur sélection, une expérience parlementaire à Québec ou à Ottawa. Tous, sauf Godbout, étaient aussi des avocats de formation. En plus du prestige acquis par Ryan, à titre d'éditorialiste du *Devoir* et de leader réel de l'opposition, deux raisons peuvent expliquer son accession à la direction du Parti libéral. D'abord, le parti est mal en point, avec son plus faible pourcentage d'appuis depuis les années 1940. Ensuite, le style de gouverne de Robert Bourassa, de 1973 à 1976, a fait que peu de ministres se sont imposés. En vue de la bataille référendaire annoncée, les libéraux sentent le besoin de se donner un chef qui « a des idées ». Des démarches infructueuses sont faites auprès de Claude Castonguay, ancien ministre, et de Michel Bélanger, ancien conseiller du gouvernement et chef de la direction de la Banque provinciale du Canada.

Les premières démarches auprès de Ryan n'ont pas de succès. Il annonce même en novembre 1977 qu'il a décidé de rester au *Devoir*. Il revient cependant sur sa décision au début de 1978 et annonce qu'il sera candidat au congrès de désignation du chef du parti prévu pour le milieu d'avril. Son seul adversaire est Raymond Garneau, ancien ministre des Finances dans le cabinet Bourassa. Il a contre lui d'être soupçonné de conflits d'intérêts alors qu'il était ministre. Même si le ministre de la Justice du gouvernement péquiste, Marc-André Bédard, décide qu'il n'y a pas lieu de porter d'accusation, on craint dans les milieux libéraux, échaudés par les accusations de conflit d'intérêts qui ne sont pas étrangères à la défaite de 1976, que Garneau demeure vulnérable.

Le 15 avril 1978, Ryan l'emporte contre Garneau par 1 748 voix contre 807. Garneau quitte son poste de député quelque temps plus tard, avant que s'engage la bataille référendaire.

Les attraits et les handicaps du parti sous Ryan

Du temps de Claude Ryan, le Parti libéral a été victorieux dans les 11 élections partielles qui se sont déroulées avant les élections générales de 1981. Le parti a dirigé également la coalition victorieuse, celle du « non », lors du référendum de 1980. Par contre, il a été vaincu aux élections générales d'avril 1981. Nous tenterons de rendre compte, dans la section sur l'espace électoral, de ces résultats à première vue paradoxaux. Limitons-nous pour le moment à signaler les attraits et handicaps du parti et de son chef dans l'espace partisan par rapport à son principal rival, le Parti québécois.

Ce que Ryan promettait en tant que chef de cette source de « vie » qu'est le Parti libéral était de l'ordre des idées. Une deuxième caractéristique de Ryan, qui tenait à sa formation dans les mouvements d'action catholique, était la personnalisation des rapports sociaux. Par contre, son peu d'expérience de la politique et de l'appareil gouvernemental, ajouté à un style de commandement plutôt moral et autoritaire, pouvait faire douter de sa capacité à exprimer sa supériorité une fois qu'il aurait assumé la direction du gouvernement.

À la différence d'une élection générale, le référendum de 1980 fut une bataille d'idées plutôt qu'une bataille de chefs. Il ne s'agissait pas d'une consultation visant à choisir des députés, un parti de gouvernement et son chef. On demandait aux électeurs d'opter pour la souveraineté-association ou pour le fédéralisme « renouvelé ». Les délégués libéraux du congrès de désignation du chef du parti d'avril 1978 ont choisi collectivement Ryan contre Garneau dans cette perspective d'une consultation référendaire. La principale contribution de Ryan à la victoire du « non » a été d'apporter une caution intellectuelle crédible à l'option opposée à celle de la souveraineté-association. Il était en cela plus attrayant que repoussant.

Quant aux élections partielles, leur enjeu n'est pas le choix d'un parti de gouvernement et de son chef et il n'est plus, comme auparavant, le choix entre le parti qui a la mainmise sur le favoritisme et celui qui ne l'a pas. C'est plutôt l'occasion d'exprimer sa satisfaction ou non envers le gouvernement en place et, si les candidats se démarquent nettement entre eux, de choisir le plus prestigieux. À cet égard, Ryan n'était ni attrayant ni repoussant, le chef du parti d'opposition n'étant pas un élément décisif dans une élection partielle.

Par contre, les élections générales sont davantage l'occasion de la confrontation de deux chefs, dont la « forme » apparaît toujours sur le « fond » de leur parti. Les handicaps, ou éléments repoussants chez Ryan, sont apparus en 1981 : son inexpérience du gouvernement et même l'absence d'une « cause » qui aurait identifié le parti en politique provinciale (Ryan s'était surtout préoccupé des relations Québec-Ottawa) devant le gouvernement du Parti québécois qui paraissait encore attirant à ce moment-là ; l'image austère et peu empathique qu'il donnait de lui-même, sa trop grande confiance mise dans le contact personnel et dans l'improvisation sur le terrain, qui l'a conduit à sous-estimer les enseignements des sondages ; la personnalisation également excessive dans la définition des relations sociales, qui a été jugée négative en certains milieux, par comparaison avec la popularité de René Lévesque (sur la campagne électorale de 1981, voir Lavoie (1981) et Bernard et Descôteaux (1981)).

L'organisation et le financement

Claude Ryan a travaillé très fort à la réorganisation du parti qu'il voulait rebâtir « selon l'image du bénévolat éclairé » (Fraser, 1984 : 195). En plusieurs circonscriptions, une situation un peu semblable à celle du début des années 1960 s'est reproduite : à côté des organisateurs traditionnels coexistaient les militants fidèles à Ryan, sans que l'entente entre les deux soit parfaite.

Après la loi de 1977 sur le financement des partis politiques, le parti dut se reconvertir à un mode de financement où seuls les individus ou personnes physiques étaient habilités à contribuer, et ce pour un maximum annuel de 3 000 dollars, les noms des souscripteurs de 100 dollars ou plus étant rendus publics dans un rapport annuel.

Si on le compare à celui du Parti québécois, le financement du Parti libéral, sous forme de contributions (ce qui exclut les frais d'adhésion au parti, d'inscription à des congrès, etc., ainsi que le remboursement des dépenses électorales et les autres subventions de l'État), a connu une évolution en trois temps, de 1978 à 1985, comme le montre le tableau 12.

Dans un premier temps, les deux partis, avant l'année du référendum, recueillent à peu près le même montant d'argent. Ensuite, à partir de 1980, le Parti québécois dépasse le Parti libéral. En 1981, il recueillera même cinq fois plus d'argent ou presque que le parti de Claude Ryan, qui souffre à cet égard de la défaite électorale d'avril. En 1983, la tendance est inversée puisque le Parti libéral recueille un peu plus d'argent que le Parti québécois. En 1984, le Parti libéral, dirigé par Robert Bourassa, recueille deux fois plus d'argent que le Parti québécois. En 1985, année d'élection, les contributions aux deux partis augmentent considérablement, le Parti libéral maintenant un avantage très net sur le Parti québécois.

TABLEAU 12
Contributions recueillies par les deux principaux partis, de 1978 à 1985

Année	Parti libéral ($)	Parti québécois ($)
1978	1 757 740	1 892 670
1979	2 587 460	2 394 548
1980	2 387 067	3 601 585
1981	717 619	3 384 152
1982	997 980	1 981 048
1983	1 807 369	1 638 919
1984	3 459 241	1 709 577
1985	6 407 233	3 940 487

Source: Massicotte (1990).

Le retour de Robert Bourassa

Non sans quelque raison, la défaite électorale de 1981 fut attribuée à Claude Ryan. D'autant plus que le parti était en avance dans les sondages jusqu'au début de 1981 et que la campagne électorale de Ryan était évaluée comme malhabile et improvisée dans la plupart des milieux libéraux. Le leadership de Ryan dans le parti et à l'Assemblée nationale s'en ressentit. Il démissionne finalement de son poste de chef, au mois d'août 1982. Gérard D. Levesque assume à nouveau l'intérim. Il est même question qu'il soit candidat à la direction du parti, ce qu'il finit par démentir.

La récession économique du début des années 1980 et la crise que le gouvernement ne sait éviter dans ses relations avec les syndiqués du secteur public favorisent Bourassa, dont la réputation de bon gestionnaire de l'économie est ce qui a été le moins terni chez lui par la défaite de 1976. Des séjours faits en Europe, auprès de la Communauté européenne en particulier, lui confèrent une nouvelle autorité en la matière.

Michel Vastel (1989: 282-285) raconte que Pierre Trudeau a tout fait pour convaincre Raymond Garneau d'être candidat à la direction contre Bourassa, dont il n'apprécie pas la mollesse à défendre le fédéralisme. Des sondages internes au parti qui donnent

Bourassa en avance et les réticences de l'épouse de Garneau auraient finalement convaincu celui-ci de ne pas être candidat.

Les deux autres candidats à la direction sont deux jeunes députés à l'Assemblée nationale : Daniel Johnson, le fils aîné de l'ancien premier ministre unioniste du même nom, et Pierre Paradis, qui a à peine 30 ans. Les préférences de Ryan vont à Johnson, ce qui n'empêche pas Bourassa de l'emporter dès le premier tour au congrès d'octobre 1983. Johnson obtient même un peu moins de votes que Paradis, le meilleur tribun des trois.

Bourassa, qui n'a jamais eu l'Assemblée nationale en haute estime, ne se fait élire député que le 3 juin 1985. Il travaille surtout à la reconstruction du parti sur le terrain, un ordre de préoccupation qu'il n'avait pas tellement de 1970 à 1976.

Le tableau 12, sur les contributions recueillies par les deux principaux partis, permet de constater que le Parti libéral, avec Robert Bourassa à sa tête, réussit à faire augmenter grandement le montant des contributions qui lui sont accordées. Ce montant de 1,8 millions de dollars en 1983 grimpe à plus de 3,4 millions en 1984. En 1985, il passe à 6,4 millions. Cette remontée est évidemment favorisée par la perte de popularité du Parti québécois à partir de 1982. La popularité de ce parti décroît encore après qu'il eut coupé les salaires des employés du secteur public au début de 1983.

Les montants d'argent recueillis sous forme d'adhésion au Parti libéral suivent la même tendance. Ce montant était de 351 000 dollars environ en 1982. Il grimpe à 610 000 dollars en 1983 et à 875 000 en 1984. En 1985, il atteint le million de dollars ou presque. Au cours de la même période, ces montants passent, au Parti québécois, de 721 000 dollars (en 1982), à 430 000 (en 1983), puis à 386 000 (en 1984), pour remonter cependant à 881 000 en 1985, année de la course à la présidence dans ce parti, puis d'élections générales peu après cette course.

Les caractéristiques des élus

Avant 1985, les élus libéraux ne se distinguent pas des élus péquistes par leur degré de scolarité. De 1976 à 1985, trois députés libéraux sur quatre ont fait des études universitaires, une proportion qui ne varie guère d'une élection à l'autre. La proportion est la même chez les élus du Parti québécois, sauf en 1985 où elle tombe à 57 % (Bernier et Boily, 1986 : 289).

Cette baisse est sans doute due à des phénomènes d'âge. En 1976 et en 1981, les élus du Parti québécois sont en moyenne plus jeunes que ceux du Parti libéral, ce qui traduit des différences qui existent également dans l'électorat. En 1985, cependant, les élus des deux partis ont à peu près la même moyenne d'âge, soit 45 ans.

Les champs d'activité d'où proviennent les élus des deux partis sont bien différents. Réjean Pelletier (1988 : 355) a calculé que plus de 40 % des élus du Parti québécois, en 1976 et en 1985, venaient du champ culturel (composé de professeurs, journalistes, écrivains, artistes) alors que 15 % environ des élus libéraux se rattachaient à ce champ. À l'inverse, 30 % des élus libéraux sont issus du champ économique, ou des affaires, alors que c'est le cas pour seulement 10 % des élus du Parti québécois.

Ces oppositions traduisent les alliances et les rivalités des deux partis dans l'espace intra-sociétal.

L'ESPACE INTRA-SOCIÉTAL

Dans l'opposition du Parti libéral aux politiques élaborées par le gouvernement du Parti québécois, il y a, bien sûr, le jeu habituel du « système d'adversaires », propre au bipartisme dans le régime parlementaire, mais il y a aussi dans la plupart des cas l'expression d'alliances et de rivalités qui sont propres au parti à la fin des années 1970 et au début des années 1980. Ces alliances et rivalités sont assez différentes de celles du Parti québécois, qui modifiera cependant ses positions, au cours de son deuxième mandat, pour les rapprocher un peu de celles du Parti libéral.

Les alliés spécifiques du Parti libéral dans l'espace intra-sociétal ne sont plus les entrepreneurs en affaires publiques, qui appuient maintenant le Parti québécois. Ce sont plutôt les non-francophones et les milieux d'affaires principalement. Avec ces groupes, le gouvernement du Parti québécois réussit, au mieux, à établir des rapports de neutralité. Plus généralement, le Parti libéral adopte à la fin des années 1970 les idéaux néo-libéraux qui commencent à s'imposer en Occident. Ces idéaux valorisent les libertés individuelles, le retour aux valeurs de l'entreprise privée contre les solutions étatiques aux problèmes de la société. L'ouvrage *Le Québec des libertés* (1977), qui rassemble les textes des allocutions au Congrès d'orientation du Parti libéral, en novembre 1977, est révélateur de ces idéaux, qui ne pouvaient que raviver l'alliance du parti avec les milieux d'affaires.

On retrouve ces idéaux, à l'état plus ou moins pur, dans les positions prises par l'opposition libérale en réaction aux politiques du Parti québécois.

Les positions en matière linguistique

L'opposition libérale n'a qu'un chef intérimaire, Gérard D. Levesque, quand survient, en 1977, le débat sur le projet de loi 1 puis 101, qui une fois adopté deviendra la Charte de la langue française. Les libéraux ont de la difficulté à prendre des positions claires sur le projet de loi, tiraillés qu'ils sont entre leur aile nationaliste, faite surtout des jeunes libéraux, et leurs partisans des milieux anglophones ou allophones. Pour eux, la loi 22 était suffisante et ils contestent les prétentions du gouvernement Lévesque à vouloir aller plus loin.

D'accord sur la primauté à donner au français, les libéraux dénoncent, selon leurs idéaux néo-libéraux, le caractère autoritaire sinon totalitaire du projet de loi, l'ignorance qu'il manifeste des réalités économiques nord-américaines et les atteintes qu'il comporte aux droits et libertés des personnes ainsi qu'à ceux des institutions anglophones. L'opposition libérale s'en prend surtout à la fameuse « clause Québec », qui limite le droit à l'enseignement en anglais aux enfants dont l'un des deux parents, au moins, a reçu un enseignement dans cette langue au Québec. Elle propose plutôt la « clause Canada », qui étend à l'ensemble du pays cette condition.

Même s'il n'est pas encore le chef du Parti libéral à ce moment-là, Claude Ryan, éditorialiste au *Devoir*, est le véritable chef de l'opposition. Les positions du Parti libéral correspondent aux siennes, quand elles ne sont pas inspirées par lui. Une fois devenu chef du parti, il continuera de dénoncer les clauses trop restrictives de la Charte de la langue française sur la langue des affaires et sur la langue d'affichage, et surtout sur la langue d'enseignement.

Les positions en matière économique

Au cours du premier mandat du gouvernement péquiste, l'opposition libérale aura plusieurs fois l'occasion d'exprimer ses convictions en faveur de la libre entreprise et d'un rôle plus restreint de l'État par rapport à des politiques qu'elle estime aller dans le sens contraire.

Le projet de loi sur l'assurance automobile débattu à la fin de 1977 et au début de 1978 met l'opposition libérale dans l'embarras. Le projet qui propose d'étatiser le traitement des cas de dommages corporels, à l'exclusion des cas de dommages matériels, laissés à l'entreprise privée, va en deçà de ce que proposait le comité Gauvin, créé par le gouvernement libéral précédent. Tout en reconnaissant qu'il faut réorganiser le régime de l'assurance automobile du Québec, l'opposition libérale, par la voix du député André Raynauld, s'interroge sur les coûts entraînés par l'existence de deux régimes parallèles, l'un privé et l'autre public. À la ministre Payette qui avait déclaré que l'entreprise privée ne pouvait pas démontrer une plus grande efficacité, il réplique que la ministre ne peut démontrer non plus que l'entreprise publique soit plus efficace. Raynauld illustre ainsi les réticences envers l'État qui habitent désormais les officiants libéraux dans l'espace intra-sociétal.

Ces réticences s'expriment avec plus d'ardeur à l'occasion du débat sur le projet de loi visant à protéger les terres agricoles. À nouveau, l'économiste André Raynauld mène la charge. Selon lui, avec ce projet de loi on met la charrue devant les bœufs. Pour protéger les bonnes terres agricoles, la solution n'est pas le zonage mais des plans d'aménagement du territoire aux fins d'habitation ou d'implantation d'industrie. Le malaise tient, selon le député d'Outremont, à l'excroissance maladive du développement urbain ou semi-urbain. Il tient aussi au manque de politiques de développement des activités agricoles sans lesquelles le zonage agricole est une mesure stérile.

Le Parti libéral s'en prend encore une fois au caractère centralisateur du projet de loi qui propose de créer une commission « nationale » pour administrer la loi. Les libéraux préféreraient des commissions régionales où les municipalités auraient des représentants. La critique des libéraux est vaine puisque le gouvernement maintient dans la loi une commission centrale et décide d'ailleurs que la Loi sur la protection du territoire agricole aura priorité sur celle portant sur l'aménagement du territoire et le développement régional, adoptée à peu près à la même époque.

L'opposition du Parti libéral est encore plus vive quand le gouvernement péquiste décide au printemps 1978 de nationaliser la société Asbestos, dans le secteur des mines d'amiante. Outre qu'elle voit là un autre exemple du nationalisme et du socialisme outranciers du gouvernement, l'opposition libérale, par la voix de Claude Forget, remet en question le moyen pris pour développer le secteur. Il aurait été préférable, à son avis, d'investir dans de nouvelles mines ou de favoriser le développement de la recherche dans une industrie où il y a ralentissement de la demande. On accuse aussi le gouvernement de se mettre à la merci d'une compagnie qui, menacée de nationalisation, gonfle artificiellement le prix de ses actions. L'obstruction (*filibuster*) des députés libéraux, appuyés par ceux de l'Union nationale, n'empêchera pas le gouvernement de faire adopter son projet de loi.

De façon plus générale, l'opposition libérale ne cesse de dénoncer, au cours des deux mandats gouvernementaux du Parti québécois, le climat d'incertitude que font peser sur le Québec les positions souverainistes ou socialisantes de ce parti. Elle dénonce aussi des mesures comme la hausse du salaire minimum et la loi qui interdit aux entreprises en grève d'employer des briseurs de grève (*scab*), parce qu'elles créent un climat économique peu favorable aux investissements et au développement de l'entreprise. Ces critiques, qui sont stimulées par la dépression économique du début des années 1980, continuent même lorsque le gouvernement du Parti québécois, à la fin de son deuxième mandat, se montre plus favorable à l'entreprise privée.

Les positions par rapport aux négociations dans le secteur public

Alors que le Parti québécois déclare, au moment de sa victoire de 1976, son parti pris favorable aux travailleurs, le Parti libéral, du temps de Robert Bourassa et après, maintient des relations beaucoup moins positives avec les syndicats, perçus comme une entrave au développement économique du Québec par leurs attitudes de confrontation avec les employeurs.

Les négociations de 1979 et de 1982 avec les syndicats du secteur public vont obliger le Parti libéral à prendre des positions, marquées d'ambiguïté, en ce qu'elles expriment à la fois des convictions idéologiques et un certain opportunisme à coloration électorale.

Les négociations de 1979 donnent peu de prise aux critiques du Parti libéral. Même s'il n'ose pas le dire sur le coup, il prétendra plus tard, avec d'autres, que le gouvernement a alors acheté la paix avec les syndicats, par des concessions excessives, afin d'avoir l'appui des syndiqués au moment du référendum. Les libéraux, dont leur chef Claude Ryan, parlent, au moment de ces négociations, d'interdire le droit de grève dans les hôpitaux. Ils parlent aussi de revoir le processus de négociation dans le secteur public, ce qui n'est guère original.

La crise de la fin de 1982 et du début de 1983 dans les négociations avec les employés du secteur public est marquée surtout par des grèves illégales et par des coupures de salaire imposées par voie de décrets. Le Parti libéral n'approuve pas les grèves, en particulier dans le secteur hospitalier, mais il s'en prend à l'imprévoyance et à la manière de faire du gouvernement. Celui-ci est passé d'un laxisme et de concessions exagérées à des coupures brutales quand il a été pris de panique en 1982. Les coupures auraient pu être étalées sur une période plus longue. Les libéraux proposent aussi qu'une commission parlementaire spéciale soit convoquée pour que le gouvernement renoue le contact avec les centrales syndicales.

Politiquement, la crise fait évidemment l'affaire du Parti libéral. Les syndiqués du secteur public, alliés du Parti québécois, rompent avec lui. Devant cela, les libéraux affichent de l'ambivalence, eux qui demeurent opposés au trop grand pouvoir que les syndicats ont acquis dans la société, mais qui leur manifestent une certaine sympathie, parce qu'ils se sont opposés à un gouvernement qui est le rival du Parti libéral.

L'ESPACE ÉLECTORAL

Pour être bien comprises, les élections générales de 1981 et de 1985 ainsi que le référendum de 1980 doivent être vus en continuité avec les élections des années 1970, où le Parti québécois a remplacé l'Union nationale à titre de principal opposant au Parti libéral. C'est pourquoi nous reproduisons, au tableau 13, les résultats de ces élections avec ceux des années 1980.

Les électeurs constants et les autres

Étant donné que la sous-période est brève et qu'elle donne lieu à un réalignement du système des partis, elle ne peut pas être traitée comme les autres. C'est d'ailleurs pourquoi notre point de départ est l'année 1970, à l'élection où commence le réalignement. Nous supposons que la répartition des électeurs constants est la même que pour la sous-période précédente, étant entendu qu'en 1981 et en 1985 les deux seules alliances partisanes dans l'électorat sont l'alliance libérale et l'alliance péquiste. Le pourcentage d'électeurs constants attribués au Parti québécois (27 %) peut prêter à discussion. Ce parti n'a obtenu l'appui que de 24 % des électeurs inscrits en 1973, mais il subissait encore à cette époque la concurrence de l'Union nationale et du Parti créditiste qui avaient eux aussi des électeurs constants. En 1985, le Parti québécois a l'appui de 30 % des électeurs inscrits, même si on a le sentiment qu'il n'est pas loin de son plancher. Si on considère les résultats de ces deux élections, le pourcentage d'électeurs constants du Parti québécois (27 %) a le mérite d'être à mi-chemin entre celui de 1973 (24 %) et celui de 1985 (30 %).

Le taux de participation en 1981 et en 1985 n'ayant pas dépassé celui de 1976 (85 %), nous posons donc que de 1976 à 1985, comme

TABLEAU 13

Résultats des élections provinciales, de 1970 à 1985, et du référendum de 1980

Année d'élection	Participation %	Votes libéraux %	Votes péquistes %	Votes aux autres partis %	Sièges libéraux N	Sièges péquistes N	Sièges aux autres partis N	Total des sièges N
1970	84	45 (38)	23 (19)	31 (26)	72	7	19	108
1973	80	55 (44)	30 (24)	15 (12)	102	6	2	110
1976	85	34 (29)	41 (35)	23 (19)	27	70	13	110
1981	83	46 (38)	49 (41)	5 (4)	42	80	–	122
1985	76	56 (43)	39 (30)	5 (4)	99	23	–	122
Année de référendum	**Participation %**	**Votes au « non » %**	**Votes au « oui » %**					
1980	86	60 (52)	40 (34)					

Note : Dans le cas des votes, le nombre qui figure en premier lieu est le pourcentage des votants et le nombre entre parenthèses représente le pourcentage des inscrits.

Source : Bernier et Boily (1986).

durant la sous-période précédente, les électeurs constants se répartissaient ainsi :

Alliés du Parti libéral	29 %
Alliés du Parti québécois	27 %
Neutres (abstentionnistes)	15 %
Total	71 %

Si on accepte cette répartition des électeurs constants, les résultats de 1981 et de 1985 s'expliqueraient par les répartitions des autres électeurs telles que nous les présentons au tableau 14.

TABLEAU 14
Répartition conjoncturelle présumée des électeurs non constants en alliés, rivaux et abstentionnistes, en 1981 et 1985
(en pourcentage)

Année d'élection	Alliés	Rivaux	Abstentionnistes	Total des libéraux	Total des autres partis	Total des abstentionnistes
1981	9	18	2	38	45	17
1985	14	6	9	43	34	24

À nouveau, nous proposons d'expliquer les résultats des deux élections, c'est-à-dire la répartition des électeurs non constants, à partir des évaluations faites par ces électeurs du Parti libéral dans les trois espaces. Ses valeurs présumées, grande (+), moyenne (±) ou petite (–), sont présentées au tableau 15.

TABLEAU 15
Évaluation comparée du Parti libéral par les électeurs non constants dans chacun des espaces, aux élections de 1981 et de 1985

Année d'élection	Espace extra-sociétal	Espace partisan	Espace intra-sociétal	Rang d'après le tableau 13
1981	±	–	±	2
1985	+	±	+	1

Les élections de 1981 et de 1985

Aux élections générales de 1981, c'est surtout dans l'espace partisan que le Parti libéral est évalué de façon défavorable (–).

Comme nous l'avons signalé plus haut, Ryan n'est pas aussi populaire que Lévesque et il conduit une campagne électorale qui manque d'organisation. De plus, le gouvernement du Parti québécois est encore très apprécié à ce moment-là, par contraste avec le gouvernement libéral précédent. Dans l'espace extra-sociétal, le Parti libéral, après la victoire du « non » au référendum, est au moins aussi apprécié (±) que le Parti québécois, qui s'est engagé sans trop de conviction dans les négociations visant à rapatrier la Constitution canadienne. Dans l'espace intra-sociétal, les positions prises par le Parti libéral en faveur du secteur privé ont commencé à paraître attirantes en un début de décennie où l'État est remis en question, mais elles se heurtent à des courants sociodémocratiques encore puissants (±).

Aux élections de 1985, la position relative du Parti libéral s'améliore d'un degré dans chacun des espaces. Pierre-Marc Johnson est un chef plus populaire que Robert Bourassa, qui sera d'ailleurs défait dans sa circonscription de Bertrand, mais le Parti québécois qu'il dirige semble usé et est d'ailleurs amputé de plusieurs de ses vedettes devant une équipe libérale renouvelée (±). Dans l'espace extra-sociétal, le gouvernement du Parti québécois est déconsidéré par les électeurs inconstants, après l'échec des négociations constitutionnelles avec le gouvernement central et les autres provinces, alors que le Parti libéral de Robert Bourassa apparaît comme un gage de renouveau à cet égard (+). Dans l'espace intra-sociétal, l'avantage du Parti libéral est grand (+), là aussi, après le rejet du Parti québécois par beaucoup de syndiqués du secteur public, et plus généralement à la suite de la récession des années 1982-1983, qui a contribué à revaloriser le secteur privé et l'esprit d'entreprise. Le Parti libéral les valorise de façon plus crédible que le Parti québécois.

La composition de l'électorat libéral

Comme pour la période précédente, nous traiterons d'abord du vote libéral dans le territoire et du vote libéral selon l'âge. Nous aborderons ensuite des aspects socio-économiques et culturels de l'électorat libéral en 1981 et en 1985. Nous introduirons aussi à l'occasion quelques considérations sur l'électorat du « non » lors du référendum de 1980.

Le vote libéral dans le territoire

En 1985 comme en 1981, la distribution du vote libéral est très variable d'une région du Québec à l'autre (Lemieux, 1988). Il y a deux régions, l'ouest de l'île de Montréal et l'Outaouais, où le parti reçoit en 1981 et en 1985 un appui supérieur à celui qu'il reçoit dans l'ensemble du Québec. Il en est de même dans la région de Québec en 1985. Dans toutes les autres régions, les libéraux ont, en 1981 et en 1985, un pourcentage de votes moindre que celui qu'ils obtiennent dans l'ensemble du Québec. Dans deux régions, le Saguenay–Lac-Saint-Jean et le Nord-du-Québec (comprenant l'Abitibi-Témiscamingue et la Côte-Nord), les résultats des libéraux sont très inférieurs à ceux de l'ensemble du Québec (voir le tableau 16).

L'Outaouais et surtout l'ouest de l'île de Montréal sont des régions où les non-francophones sont proportionnellement nombreux. Le voisinage de la capitale fédérale explique aussi que le Parti libéral soit attirant dans l'Outaouais. Les huit régions qui suivent

TABLEAU 16
Proportion du vote exprimé, obtenu par le Parti libéral,
dans 12 régions du Québec, en 1981 et en 1985
(en pourcentage)

Région	1981	1985
1. Ouest de l'île de Montréal	69,1	74,0
2. Outaouais	53,4	61,1
3. Québec métropolitain	40,0	58,2
4. Estrie	45,0	53,8
5. Ceinture du Québec métropolitain	43,2	54,8
6. Montérégie (sud de Montréal)	43,4	54,4
7. Laurentides et Laval (nord de Montréal)	43,4	52,5
8. Est de l'île de Montréal	44,4	50,5
9. Est du Québec	39,2	54,7
10. Mauricie–Bois-Francs, Lanaudière	38,4	51,8
11. Nord-du-Québec	32,0	48,5
12. Saguenay–Lac-Saint-Jean	32,4	41,7
Ensemble du Québec	46,1	56,0

Note : Le résultat de la région est établi à partir de celui de la circonscription médiane quant au vote libéral.

dans le tableau 16 présentent peu de différences entre elles. Elles ressemblent à l'ensemble du Québec. Par contre, les deux dernières, qui sont périphériques et situées au nord du Saint-Laurent, sont beaucoup moins libérales que l'ensemble du Québec. Ce sont les régions qui ont peu de contacts avec l'extérieur du Québec (sauf en certaines parties de l'Abitibi-Témiscamingue) et où existent de fortes traditions nationalistes (au Saguenay–Lac-Saint-Jean surtout), ce qui les rend plus perméables à l'option souverainiste du Parti québécois.

Le vote libéral selon l'âge

Aux élections de 1981, comme d'ailleurs au référendum de 1980, le Parti québécois et son option souverainiste ont reçu un appui très majoritaire de la part des électeurs les plus jeunes, dans les milieux francophones tout au moins. Par contraste, le Parti libéral a été davantage appuyé par les électeurs plus âgés.

Blais et Nadeau (1984a : 287) ont montré que 80 % des électeurs francophones nés entre 1945 et 1959 avaient l'intention de voter pour le Parti québécois en 1981 (ils avaient alors entre 21 et 36 ans), ce qui ne laissait que 20 % des électeurs de cet âge au Parti libéral. Par contre, 60 % environ des électeurs de 65 ans et plus avaient l'intention de voter pour le Parti libéral. Chez les électeurs qui avaient entre 35 et 64 ans, plus ils étaient âgés, plus la probabilité qu'ils appuient le Parti libéral était grande.

Dans leur étude, Blais et Nadeau (1984a : 287) notent que les électeurs francophones nés dans les années 1960 (les 18-21 ans, en 1981) étaient moins favorables au Parti québécois que leurs aînés immédiats. Il en était d'ailleurs de même au moment du référendum. Cette tendance à ce que les nouveaux électeurs soient plus favorables au Parti libéral que dans les années 1970 allait se maintenir aux élections de 1985. Utilisant les données d'un sondage où le vote péquiste était surévalué, Blais et Crête (1986 : 14) montrent que chez les 18-19 ans le Parti libéral recueille plus d'intentions de vote que le Parti québécois. D'autres sondages faits au cours de la campagne électorale ont montré que les 18-24 ans étaient plus favorables au Parti libéral que les 25-34 ans.

La scolarité et l'occupation

Les traits caractéristiques de l'électorat libéral, par rapport à ceux de l'électorat péquiste, sont les mêmes dans la première moitié des années 1980 qu'au cours des années 1970. Les électeurs les moins scolarisés et ceux qui travaillent dans le secteur privé sont plus attirés par le Parti libéral en 1981 et en 1985, et par le camp du « non » au référendum de 1980, que ceux qui sont plus scolarisés ou qui travaillent dans le secteur public. En 1980 et en 1981, les travailleurs syndiqués sont moins libéraux que les travailleurs non syndiqués, mais de 1981 à 1985 le Parti québécois perd proportionnellement plus de votes que chez l'ensemble des électeurs dans les ménages où il y a un fonctionnaire provincial (Blais et Crête, 1986 : 22).

Blais et Nadeau (1984b : 334) notent que le camp du « oui » a moins bien réussi que le Parti québécois de 1981 chez les électeurs moins scolarisés et chez ceux qui travaillaient dans le secteur privé. À cet égard comme à bien d'autres, le référendum a été plus polarisant que les élections de 1981 et surtout que les élections de 1985. À l'occasion des élections de 1985, le Parti libéral fait des progrès chez ceux qui depuis 15 ans étaient les plus ardents partisans du Parti québécois : les plus jeunes, les employés du secteur public, les syndiqués. Ces catégories étaient aussi, dans les années 1970, plus politisées que d'autres. Le fait que plusieurs électeurs y appartenant aient abandonné le Parti québécois s'est traduit par une dépolitisation manifeste aux yeux de beaucoup d'observateurs de la scène politique québécoise.

Les francophones, les anglophones et les allophones

Une fois passée l'épreuve de 1976, alors que plusieurs abandonnent momentanément le Parti libéral à cause de la loi 22, les anglophones reviennent massivement à ce parti en 1981 et en 1985, après qu'ils eurent à peu près tous voté « non » au référendum de 1980.

Quant aux allophones, il a été estimé que plus de 90 % d'entre eux avaient voté « non » au référendum de 1980 (Blais et Nadeau, 1984b : 324) et que plus de 70 % avaient voté pour le Parti libéral en

1981 (Blais et Nadeau, 1984a: 284). En 1985, il semble que plus de 90 % aient voté pour le Parti libéral (Blais et Crête, 1986: 20).

Les francophones sont beaucoup plus partagés. À l'occasion du référendum, Drouilly a prétendu que la majorité des francophones avaient appuyé le « oui », mais une analyse plus rigoureuse (Pinard et Hamilton, 1984: 338-347) tend à montrer qu'ils ont été légèrement plus nombreux à voter « non » qu'à voter « oui ». En 1981, ils ont appuyé le Parti québécois à six contre quatre environ, mais en 1985 la majorité d'entre eux ont voté pour le Parti libéral qui se trouve ainsi à avoir obtenu la majorité dans chacun des trois grands groupes linguistiques, ce qui n'était pas arrivé depuis 1973.

CONCLUSION

C'est surtout dans l'espace partisan que le Parti libéral est dominé de 1976 jusqu'au début des années 1980. La performance gouvernementale du Parti québécois apparaît bien meilleure que celle du gouvernement libéral de 1973 à 1976, et René Lévesque est un chef plus populaire que Claude Ryan, le successeur de Robert Bourassa.

Dans l'espace extra-sociétal, le Parti libéral est mieux placé. L'option souverainiste du Parti québécois ne rallie pas la majorité des électeurs québécois et le Parti libéral du Québec, avec Claude Ryan à sa tête, semble suffisamment autonome à l'égard du parti fédéral, dont le chef Pierre Trudeau est lui aussi très populaire au Québec, pour que le Parti libéral tire plus d'avantages que d'inconvénients de sa position. Le référendum de 1980 viendra prouver que dans cet espace le Parti libéral est mieux placé que le Parti québécois. L'échec du gouvernement de celui-ci dans les négociations constitutionnelles de 1982 affaiblira encore plus la position relative du Parti québécois.

Dans l'espace intra-sociétal, la situation est plus évolutive. Le rival du Parti libéral, le Parti québécois, fait des progrès, jusqu'à la récession du début des années 1980, chez les travailleurs syndiqués, en particulier dans le secteur public, mais aussi dans certains milieux d'affaires régionaux ainsi que chez les professionnels ou semi-professionnels du secteur public, y compris les réseaux de l'éducation et des affaires sociales.

Avec le début des années 1980, plusieurs sources de puissance, en particulier dans les milieux syndicaux, cessent de se concevoir comme les alliées du Parti québécois. Elles se réfugient dans la neutralité quand elles ne deviennent pas les alliées temporaires du Parti libéral, par dépit ou autrement. Elles sont d'ailleurs appuyées en cela par « l'esprit du temps » où les valeurs néo-libérales, que le Parti libéral avait adoptées dès la fin des années 1970, deviennent dominantes.

La position relative du Parti libéral dans l'espace intra-sociétal s'améliore sans cesse de 1976 à 1985. Aux élections de 1985, il n'y a à peu près plus de source de puissance dans la société qui ne soit ou bien son alliée ou bien neutre par rapport à lui.

Chapitre 5

De nouveaux alliés et de nouveaux rivaux (1985-1992)

La victoire électorale du Parti libéral, en 1985, est la plus imposante au Québec depuis 1973, aussi bien en votes accordés (56 % des votants) qu'en sièges obtenus (99 sur 122). Le Parti libéral obtient ainsi pour la quatrième fois depuis 1960 l'appui de plus de la moitié des votants, ce que le Parti québécois n'a pas réussi, ni en 1976 ni en 1981.

Le mandat du gouvernement libéral, de 1985 à 1989, s'avère relativement facile. La conjoncture économique est favorable, même si le taux de chômage demeure assez élevé au Québec. Les rentrées d'impôts sont à la hausse, ce qui permet au gouvernement de diminuer son déficit budgétaire. Le Parti québécois est le siège de tensions qui viendront finalement à bout du chef, Pierre-Marc Johnson. Il démissionne à la fin de 1987 et est remplacé par Jacques Parizeau, qui n'a pas d'adversaire comme candidat à la présidence du parti. L'organisation et les finances du Parti québécois sont en mauvais état et le nouveau chef du parti est absent de l'Assemblée nationale, ce qui facilite la tâche des libéraux.

L'incendie d'un entrepôt de BPC à Saint-Basile-le-Grand à l'été 1988 et l'adoption d'une loi sur l'affichage commercial à la fin de la même année viendront troubler la quiétude de l'administration libérale. Les anglophones et des milieux écologistes deviennent des rivaux des libéraux, qui comptent cependant sur un nouvel allié important, le premier ministre Mulroney, dont le gouvernement conservateur est réélu en novembre 1988. Moins d'un an plus tard, le gouvernement libéral à Québec obtient lui aussi une victoire assez facile aux élections du 25 septembre 1989.

À la fin du chapitre, nous déborderons du cadre des élections de 1989 pour traiter des positions du Parti libéral dans l'espace extrasociétal après l'échec de l'accord du lac Meech, en juin 1990. Nous montrerons comment ces positions sont à la fois en continuité et en rupture avec celles du parti au cours du vingtième siècle. Pour le moment, nous allons traiter des années 1985-1989, selon les distinctions habituelles entre les espaces politiques.

L'ESPACE EXTRA-SOCIÉTAL

Durant les années 1985-1989, le Parti libéral du Québec et surtout le gouvernement qu'il dirige achèvent en quelque sorte l'évolution qui les a conduits à s'éloigner progressivement du Parti libéral canadien. Alors qu'au début du siècle le Parti libéral québécois n'était qu'une succursale du parti canadien et que le Parti conservateur était son rival, les libéraux provinciaux du Québec deviennent au milieu des années 1980 les alliés ou presque du gouvernement conservateur à Ottawa. Ils sont de toute façon plus proches des conservateurs que du Parti libéral du Canada avec qui les relations sont, au mieux, de neutralité.

Qui eût dit du temps de Laurier que les choses tourneraient ainsi ? Le terme de cette évolution s'explique par des facteurs conjoncturels, mais aussi par des facteurs plus structurels.

La montée du Parti conservateur au Québec

L'arrivée de Brian Mulroney à la tête du Parti conservateur du Canada entraîne un regain de popularité de ce parti au Québec sur la scène fédérale. D'autant plus que Pierre Trudeau est remplacé par John Turner à la tête du Parti libéral et du gouvernement du Canada. Depuis Laurier, il n'est jamais arrivé qu'un chef du Québec n'ait pas obtenu pour son parti la majorité des sièges québécois aux élections fédérales. Jusque-là, tous ces chefs avaient été des libéraux (Laurier, Saint-Laurent et Trudeau). Les 58 sièges sur 75 obtenus au Québec par le Parti conservateur aux élections fédérales de septembre 1984 montrent qu'un chef conservateur, s'il est du Québec, peut jouir lui aussi d'un appui majoritaire.

Même si cela n'a pas été démontré de façon certaine, il semble bien que le Parti conservateur, au Québec, ait été appuyé sur le terrain, à l'occasion de ces élections, par une vaste coalition d'alliés comprenant bon nombre de péquistes, mais aussi des libéraux provinciaux et même des libéraux fédéraux déçus que Turner ait été choisi plutôt que Jean Chrétien.

Bourassa et Mulroney se connaissent depuis longtemps et entretiennent des relations personnelles cordiales. Quand Bourassa devient à son tour premier ministre, à la suite des élections provinciales de décembre 1985, ces bonnes relations se maintiennent, aux dépens du Parti libéral du Canada. L'accord du lac Meech et l'Accord de libre-échange entre le Canada et les États-Unis, les deux principaux enjeux de la sous-période dans l'espace extra-sociétal, contribuent fortement à resserrer les liens entre les deux alliés.

Le traité de libre-échange et les élections de 1988

Au moment de la campagne électorale fédérale de 1988, Robert Bourassa, de même que Jacques Parizeau, le nouveau chef du Parti québécois, sont favorables au traité de libre-échange avec les États-Unis. Ils sont en cela les alliés du gouvernement conservateur de Brian Mulroney contre les deux partis d'opposition à Ottawa, le Parti libéral et le Nouveau Parti démocratique, qui font obstacle au traité. Des sondages faits au cours de la campagne électorale de 1988, où le débat sur le libre-échange est omniprésent, montrent d'ailleurs que les électeurs du Québec sont parmi les plus favorables au traité. Il n'est pas étonnant dans ces circonstances que le Parti conservateur ait recueilli 53 % des votes exprimés et 63 sièges sur 75, au Québec, lors des élections du 21 novembre.

Ce deuxième triomphe de Mulroney au Québec confirme qu'un chef du Québec, quel que soit son parti, l'emporte toujours dans sa province contre un chef qui n'est pas du Québec. Le Parti libéral du Québec, avec Robert Bourassa à sa tête, a contribué aux deux succès électoraux de Brian Mulroney, soit en 1984 et en 1988. Cette alliance s'est doublée de neutralité avec les libéraux de John Turner, même si celui-ci a tout fait pour s'allier avec les libéraux de Robert Bourassa. Son attitude à l'égard de l'accord du lac Meech le montre bien.

L'accord du lac Meech

L'intérêt commun de Brian Mulroney et de Robert Bourassa à faire en sorte que le Québec adhère à l'accord constitutionnel de 1982 était évident. Les deux voulaient montrer que la coopération donnait de meilleurs résultats que la confrontation. Il fallait cependant, de la part du gouvernement libéral de Robert Bourassa, que les exigences dites minimales posées par le Québec, pour adhérer à l'accord constitutionnel, paraissent suffisamment fortes aux yeux des nationalistes québécois pour qu'ils adoptent envers lui une position davantage de neutralité que de rivalité.

La notion de société distincte allait être la principale arme utilisée par le gouvernement libéral. À la rencontre du lac Meech, au début de juin 1987, le premier ministre du Canada et les dix premiers ministres des provinces acceptaient à l'unanimité de faire voter par leurs parlements respectifs une motion autorisant des modifications à la Constitution canadienne, dont une reconnaissait que le Québec forme une société distincte à l'intérieur du Canada et que le gouvernement du Québec a l'obligation de promouvoir ce caractère distinct. Le Parlement fédéral de même que celui de huit provinces sur dix adoptèrent la motion, alors qu'au Nouveau-Brunswick, à la suite d'un changement de gouvernement, et au Manitoba, dans une situation de gouvernement devenu minoritaire, la motion n'avait toujours pas été adoptée au moment des élections québécoises de 1989.

L'opposition à l'accord du lac Meech se mit d'ailleurs à grandir dans plusieurs partis provinciaux et dans d'autres milieux d'abord favorables quand le gouvernement du Québec, invoquant la clause dérogatoire, décida de ne pas donner suite au jugement de la Cour suprême établissant qu'il était contraire aux droits et libertés de la personne d'interdire à un commerçant d'afficher dans sa langue, l'anglais en l'occurrence. La loi 178, adoptée à la fin de l'automne 1988, posait qu'à l'extérieur des commerces l'affichage en français était le seul permis, alors qu'à l'intérieur le français devait être prédominant.

Cette décision, qui avait l'avantage de neutraliser plus ou moins les oppositions nationalistes à l'intérieur du Québec, fut le prétexte, à l'extérieur, pour remettre en question la notion de société distincte et par là tout l'accord du lac Meech (sur ce point, voir Blais et Crête (1991)). Si c'est cela la société distincte, se disait-on, on n'en veut pas pour le Québec. Alors que Brian Mulroney, qui avait tout à perdre dans l'échec de l'accord, jouait tour à tour la tactique de la confiance et celle de la menace devant ces oppositions grandissantes, Robert Bourassa n'était pas fâché, devant l'opposition péquiste, d'apparaître comme un « méchant » nationaliste québécois aux yeux de ses ennemis de l'extérieur. Il n'en demeurait pas moins inquiet, avec raison, de la démission, après l'adoption de la loi 178, de quelques-uns de ses ministres anglophones et de la formation du Parti Égalité, en vue des élections provinciales à venir.

Quoi qu'il en soit, l'alliance Mulroney-Bourassa a certainement comporté plus d'avantages que d'inconvénients pour le gouvernement libéral de 1985 à 1989 et encore au moment des élections provinciales de septembre 1989. La position du Parti libéral dans l'espace extra-sociétal était suffisamment nationaliste pour que les attaques du Parti québécois n'aient pas beaucoup de résonnance chez les électeurs.

L'ESPACE PARTISAN

Durant les quatre années du mandat libéral, le parti maintient un avantage manifeste sur le Parti québécois dans l'espace partisan. Robert Bourassa qui doit se faire élire à l'occasion d'une élection partielle, dans la circonscription de Saint-Laurent, après sa défaite dans Bertrand aux élections générales, s'impose rapidement comme le chef incontesté du gouvernement et du parti. De son côté, le Parti québécois est divisé à l'intérieur de lui-même. La notion d'affirmation nationale, proposée par son chef Pierre-Marc Johnson pour décrire le processus cumulatif qui devrait mener finalement à la souveraineté, ne rallie pas les partisans de l'indépendance. À la suite de manœuvres plus ou moins secrètes menées contre lui, Johnson finit par démissionner en novembre 1987. Jacques Parizeau est le seul candidat à sa succession et devient président du Parti québécois au début de 1988. Il refuse cependant d'être candidat à une élection partielle et ne fera son entrée à l'Assemblée nationale qu'après les élections générales de septembre 1989.

L'organisation et le financement

Stimulée par la victoire de décembre 1985, l'organisation libérale surpasse celle du Parti québécois dans presque toutes les circonscriptions. Ce n'est qu'après l'adoption de la loi 178 sur la langue d'affichage qu'elle connaîtra des ratés dans les circonscriptions de Montréal où les anglophones sont relativement nombreux.

Les données sur le financement des partis (Massicotte, 1990) montrent bien l'avantage considérable dont dispose le Parti libéral sur le Parti québécois de 1986 à 1988, même si la situation de ce dernier s'améliore quelque peu en 1988.

Le tableau 17 donne les montants recueillis par les deux principaux partis en 1986, 1987 et 1988. Alors que les montants recueillis par le Parti québécois chutent brutalement de 1985 à 1986, passant de près de 4 millions de dollars (voir le tableau 12) à un peu plus de 80 000 dollars, ceux recueillis par le Parti libéral après 1986 se maintiennent à 6 millions et demi de dollars.

TABLEAU 17
Contributions recueillies par les deux principaux partis, de 1986 à 1988

Année	Parti libéral ($)	Parti québécois ($)
1986	6 550 257	836 089
1987	6 543 846	839 756
1988	7 242 687	1 225 479

Ce n'est qu'en 1988 que le Parti québécois dépasse le million de dollars, avec une augmentation de 400 000 dollars par rapport à l'année précédente. Quant au Parti libéral, il augmente de 700 000 dollars les montants qu'il recueille de 1987 à 1988, franchissant du même coup le cap des 7 millions.

La place prise par les jeunes libéraux

Dans les premières années de la Fédération libérale jusqu'à la fin des années 1960, il avait existé une association des jeunes libéraux qui avait ensuite été fondue dans le parti. Ces jeunes libéraux sont actifs au moment du congrès de désignation du chef du parti de 1970 qui porte Robert Bourassa à la tête du parti. La plupart d'entre eux appuient Bourassa. Dans les années qui suivent, leur présence se fait moins sentir dans le parti. Ils y sont sans doute relativement moins nombreux (aucun chiffre précis n'est disponible à ce sujet), étant donné que les jeunes qui sont actifs en politique militent plutôt dans le Parti québécois. Les jeunes sont peu attirés par Claude Ryan, mais quand Robert Bourassa redevient le chef du parti, en 1983, ils redeviennent actifs dans la commission jeunesse du parti.

Sous les gouvernements libéraux élus en 1985 et en 1989, la commission jeunesse prend des positions qui sont souvent contraires à celles de l'ensemble du parti ou du gouvernement. C'est en particulier le cas au moment du débat sur la réforme sociale, dont il sera question plus loin, à propos de l'espace intra-sociétal. Mais ce sera surtout après l'échec de l'accord du lac Meech, alors que le parti cherche à redéfinir sa position constitutionnelle, que les jeunes libéraux se montreront à l'avant-garde. Robert Bourassa s'accommode assez bien de ce progressisme des jeunes libéraux qui éclipse les actions sporadiques des jeunes péquistes, dont l'autonomie dans leur parti est réduite. Les positions prises par les jeunes libéraux présentent aussi l'avantage d'être des espèces de ballons d'essai qui permettent au premier ministre et aux dirigeants libéraux de voir comment réagissent les autres libéraux et les autres acteurs politiques.

Les caractéristiques des élus

De toutes les élections depuis celles de la fin des années 1950 et du début des années 1960, l'élection de 1989 est celle qui a apporté le moins de changement dans la composition de l'Assemblée nationale par rapport à l'élection précédente. Pas moins de 75 des 98 députés libéraux de l'Assemblée nationale, au moment de la dissolution en août 1989, sont réélus. Si l'on tient compte du fait que 16 députés libéraux sortants ne sont pas candidats, 75 députés sur 82 qui cherchent à être réélus sont retournés à l'Assemblée nationale.

C'est dire que les caractéristiques des élus ne changent guère par rapport à celles de 1985, si ce n'est qu'ils sont un peu plus jeunes et qu'ils viennent encore un peu plus souvent du secteur privé. Il est remarquable de constater que les députés du Parti libéral sont maintenant légèrement plus jeunes, en moyenne, que ceux du Parti québécois et qu'ils sont proportionnellement beaucoup plus nombreux à avoir reçu une formation en droit (Pelletier, 1990). Le peu de changement chez les élus, qui fait suite aux résultats des élections, se manifeste également dans la composition du conseil des ministres. Tous les principaux ministres qui sollicitent la réélection sont appelés à nouveau à faire partie du conseil des ministres, même si quelques-uns d'entre eux passent d'un ministère à l'autre.

L'ESPACE INTRA-SOCIÉTAL

Dès le début de son mandat, le gouvernement libéral crée un groupe de travail, sous la direction du ministre Paul Gobeil, président du Conseil du trésor, qui a pour mandat la révision des fonctions et des organisations gouvernementales. Le groupe, dit indépendant, est composé de quelques personnes, maintenant dans le secteur privé, qui ont été associées aux gouvernements précédents à titre de sous-ministre ou de conseillers, avec en plus un conseiller du premier ministre libéral.

Le groupe produit ses rapports, l'un sur l'organisation gouvernementale et l'autre sur la gestion des programmes gouvernementaux, dès le mois de mai 1986. Il propose un allégement de l'organisation gouvernementale afin d'accroître l'efficacité et l'efficience de l'appareil mais aussi la qualité des services fournis à la population. À propos des fonctions gouvernementales et des programmes, le groupe de travail choisit de traiter de certaines questions prioritaires : gestion du réseau de l'éducation et du réseau de la santé et des services sociaux, développement économique, main-d'œuvre et sécurité du revenu, gestion gouvernementale et fonction publique.

Les rapports consacrent, dès le début du régime libéral, l'alliance de celui-ci avec les leaders du secteur privé. Ils manifestent la volonté des libéraux de délester l'État d'organismes et de fonctions jugés inefficaces ou inefficients, ou encore qui sont devenus inutiles étant donné l'existence d'autres agents dans le secteur public ou dans le secteur privé.

Les rapports ont suscité de nombreuses réactions défavorables de la part de ceux qui étaient visés directement ou indirectement par les recommandations du groupe de travail (Dion et Gow, 1989). Même si le gouvernement libéral n'a donné suite qu'à bien peu de ces recommandations, les positions qu'il a prises dans l'espace sociétal de 1985 à 1989 ont été inspirées dans bien des cas par la volonté, sous-jacente dans les rapports, de miser sur le marché plutôt que sur la place publique pour résoudre les problèmes sociétaux.

Les finances publiques et la politique économique

Profitant d'une conjoncture économique favorable et porté par un mouvement généralisé des gouvernements occidentaux visant à réduire leurs déficits budgétaires, le gouvernement Bourassa tend à « assainir », à grand renfort de publicité, les finances publiques. Le premier ministre exploite ainsi l'image du bon gestionnaire de l'économie qui l'a bien servi au début des années 1970. Même si on a prétendu que c'est par des trucs comptables, bien plus qu'autrement, que le déficit a été réduit, le gouvernement libéral, de 1985 à 1989, a certainement réussi, contrairement au gouvernement péquiste qui l'avait précédé de 1981 à 1985, à donner l'impression aux électeurs qu'il maîtrisait les finances publiques, faisant ainsi la preuve de sa supériorité dans l'espace intra-sociétal.

Le premier ministre a également continué à associer son image à celle du développement des ressources hydro-électriques et à la vente d'électricité à l'extérieur du Québec et en particulier aux États-Unis. Le gouvernement s'est aussi employé, comme les gouvernements précédents, à attirer les investisseurs étrangers, en particulier dans l'aluminerie, en faisant valoir les avantages comparatifs liés aux faibles coûts qu'ils auraient à payer pour l'électricité du Québec.

La réforme de l'aide sociale

La réforme de l'aide sociale, très controversée, est significative en ce qu'elle illustre la rencontre de deux préoccupations du gouvernement libéral : assainir les finances publiques et rendre au marché ce qui est assumé, sans nécessité, par le secteur public.

Le gouvernement commence par faire visiter les bénéficiaires de l'aide sociale par des inspecteurs (dits « Bou-bou macoutes », par dérision à l'égard du premier ministre) afin de vérifier s'ils ont bien droit aux prestations qui leur sont versées. Il présente ensuite un projet de loi qui a surtout pour but, dans la suite du Livre blanc sur la fiscalité des particuliers (élaboré sous le gouvernement péquiste) et du rapport Gobeil, de faire en sorte que les deux tiers des bénéficiaires, qui sont aptes au travail, soient incités davantage à se trouver un emploi qu'à recevoir de l'aide sociale. Le projet de loi, souvent modifié, est finalement adopté à la fin de la législature après plusieurs débats où les groupes d'assistés sociaux sont particulièrement actifs, et non sans que le ministre responsable ait été remplacé en cours de route. Comme nous l'avons déjà signalé, les jeunes libéraux sont eux aussi très actifs dans le débat. Leurs positions sont souvent plus proches de celles des opposants que de celles du gouvernement libéral.

Les négociations dans le secteur public

Dans les premières années du gouvernement du Parti québécois et avant, il était de bon ton de considérer le secteur public comme une locomotive, sur le plan salarial, qui devait entraîner le secteur privé derrière lui. Les coupures salariales de 1982 dans le secteur public ont mis fin à ce parti pris. Le gouvernement libéral de 1985 à 1989 a plutôt eu comme philosophie de rajuster les hausses de salaire du secteur public par rapport à celles du secteur privé, tout en satisfaisant à des revendications des syndicats à propos du rattrapage de certains groupes, dont en particulier les femmes.

Les négociations de 1986 se déroulent sans beaucoup de problèmes. Le gouvernement n'a pas à recourir à des lois spéciales ou à des décrets pour venir à bout des syndicats. Il avait fait adopter la loi 160 qui restreignait grandement le droit de grève dans le secteur de la santé en obligeant les syndiqués à fournir, au moment de la grève, à peu près la même quantité de services qu'en temps normal. Si cette loi a des effets dissuasifs en 1986, elle en a moins en 1989. Les négociations débutent bien avant que commence la campagne électorale au mois d'août. Les infirmières sont les premières à faire la grève. Elles sont frappées par les sanctions prévues dans la loi 160 et par d'autres sanctions adoptées par décret, mais devant une opinion publique qui leur est favorable, le gouvernement fait une ouverture qui aboutit finalement à un accord, une fois qu'elles mettent fin à leur grève illégale. D'autres syndicats dans le secteur de la santé ou de l'enseignement ainsi que le syndicat des fonctionnaires débrayent pendant quelques jours, mais en viennent à une trêve avec le gouvernement quelques jours avant les élections.

Les problèmes du gouvernement libéral dans ces négociations avec les syndicats ne se traduisent pas pour autant par une nouvelle alliance des syndicats avec le Parti québécois, même si plusieurs leaders syndicaux continuent de se sentir plus proches de ce parti que du Parti libéral. Le souvenir des coupures salariales de 1982 est encore bien présent à la base et Jacques Parizeau, le ministre des Finances du temps, devenu chef du Parti québécois, prend d'ailleurs ses distances par rapport aux grèves illégales.

L'environnement

Tout au cours des années 1985-1989, et particulièrement à l'occasion de l'incendie d'un entrepôt de BPC à l'été 1988 puis des complications entraînées par la recherche d'un lieu d'entreposage sécuritaire pour ces matières lors de la campagne électorale de 1989, des groupes aux préoccupations écologiques se montrent critiques envers l'action ou l'inaction du gouvernement. Ils ne sont pas pour autant des alliés du Parti québécois, associé lui aussi à une gouverne peu sensible aux problèmes écologiques, même si ce parti leur apparaît sous un jour un peu plus favorable. Le ministre libéral de l'Environnement, Clifford Lincoln, démissionnaire après l'adoption de la loi 178 sur l'affichage commercial, sert de caution aux groupes écologiques. Après son départ, le Parti libéral apparaît plus étranger à ces groupes, dont les partisans ont d'ailleurs la possibilité de voter, dans 46 circonscriptions, pour des candidats du Parti vert.

L'ESPACE ÉLECTORAL

L'élection de 1989 est la première depuis les années 1960 à ne pas être marquée par des déplacements importants par rapport à l'élection précédente. Les deux principaux partis obtiennent à peu près le même nombre de sièges. Les appuis au Parti québécois, en pourcentage d'électeurs inscrits, ne changent guère, tandis que ceux du Parti libéral décroissent un peu, à cause surtout de la présence de deux partis anglophones, le Parti Égalité et le Parti Unité (sur l'analyse des résultats, voir Drouilly (1990)). Cependant, étant donné que ces partis réussissent surtout dans des circonscriptions très libérales, leur effet de nuisance auprès du Parti libéral est somme toute restreint en fait de sièges obtenus (voir le tableau 18).

Le Parti Égalité qui présente 19 candidats dans la région de Montréal obtient 3,7 % des votes exprimés. Il remporte les quatre sièges qui ne sont pas gagnés par les deux partis principaux. Le Parti Unité présente 16 candidats hors de la région de Montréal et ne recueille que 1,0 % des suffrages exprimés. Les 46 candidats du Parti vert recueillent 2,0 % du vote. Dans chacune des 27 circonscriptions où il y a aussi un candidat du Nouveau Parti démocratique (NPD), ils font mieux que ce dernier. Les 55 candidats du NPD ne recueillent d'ailleurs que 1,2 % du vote total.

Les électeurs constants et les autres

Les deux principaux partis obtiennent en 1985 et en 1989 un appui plus élevé, en pourcentage d'inscrits, que leur plancher de la

TABLEAU 18

Résultats des élections provinciales, en 1985 et 1989

Année d'élection	Participation %	Votes libéraux %	Votes péquistes %	Votes aux autres partis %	Sièges libéraux N	Sièges péquistes N	Sièges aux autres partis N	Total des sièges N
1985	76	56 (43)	39 (30)	5 (4)	99	23	–	122
1989	75	50 (37)	40 (30)	10 (7)	92	29	–	125

Note : Dans le cas des votes, le nombre qui figure en premier lieu est le pourcentage des votants et le nombre entre parenthèses représente le pourcentage des inscrits.

Source : Rapports du directeur général des élections.

sous-période précédente. Nous supposons donc que les proportions d'électeurs constants dans leur appui à un parti ou dans l'abstention ne changent pas par rapport à la sous-période 1976-1985 :

Alliés du Parti libéral	29 %
Alliés du Parti québécois	27 %
Neutres (abstentionnistes)	15 %
Total	71 %

Si on compare les résultats de 1989 à ceux de 1985, la répartition des électeurs non constants aux deux élections est plutôt différente, selon les résultats présentés au tableau 19.

TABLEAU 19
Répartition conjoncturelle présumée des électeurs non constants en alliés, rivaux et abstentionnistes, en 1985 et 1989 (en pourcentage)

Année d'élection	Alliés	Rivaux	Abstentionnistes	Total des libéraux	Total des autres partis	Total des abstentionnistes
1985	14	6	9	43	34	24
1989	9	10	10	37	38	25

À la différence de l'élection de 1985 où la moitié des rivaux (3 % sur 6 %) auraient accordé leur vote au Parti québécois, celle de 1989 est une élection où le principal parti d'opposition n'aurait obtenu la faveur que de 3 % des 10 % d'électeurs non constants qui votent pour un autre parti que le Parti libéral.

Évidemment, l'avenir dira si, parmi ces électeurs supposés non constants, il n'y en a pas qui deviendront constants dans leur appui aux partis anglophones ou encore au Parti vert.

Le Parti libéral dans les trois espaces politiques

Pour expliquer l'attrait du Parti libéral auprès des électeurs non constants, nous proposons qu'il se présentait de façon un peu différente en 1989 et 1985 dans l'espace intra-sociétal (voir le tableau 20).

TABLEAU 20
Évaluation comparée du Parti libéral par les électeurs non constants dans chacun des espaces, aux élections de 1985 et de 1989

Année d'élection	Espace extra-sociétal	Espace partisan	Espace intra-sociétal	Rang d'après le tableau 18
1985	+	±	+	1
1989	+	±	±	2

Par rapport à 1985, il y a peu de changement dans l'espace extra-sociétal pour ce qui est des positions comparées des deux principaux partis. Les deux apparaissent plus nationalistes qu'en 1985. Le Parti québécois, avec Jacques Parizeau, est revenu à une position nettement souverainiste, et le Parti libéral qui a fait adopter la loi 178 et qui se porte à la défense de l'accord du lac Meech présente lui aussi des positions plus nationalistes. Si, pour les anglophones de Montréal, ces positions sont jugées négatives, aux yeux des francophones, qui sont très majoritaires chez les électeurs non constants, elles sont jugées positives (+) par rapport à la position extrême du Parti québécois, peu attirante en dehors du groupe de ses électeurs constants.

Dans l'espace partisan, aucun des deux principaux partis n'a de grand avantage sur l'autre (±). Robert Bourassa est plus populaire qu'en 1985 et le Parti libéral est uni derrière lui, mais de l'avis général Jacques Parizeau fait une meilleure campagne électorale que Bourassa et le Parti québécois apparaît maintenant parfaitement uni derrière son chef.

C'est surtout dans l'espace intra-sociétal que la perception relative des deux principaux partis change. Le Parti libéral n'a plus l'avantage de s'attaquer à un gouvernement péquiste impopulaire. Jusqu'au début de la campagne électorale, le taux de satisfaction envers le gouvernement libéral est très élevé. Cependant, la difficulté qu'il a à maîtriser, en cours de campagne, les problèmes créés en matière d'environnement et de négociations dans le secteur public ne lui donnent finalement qu'un avantage mitigé (±) sur le Parti québécois, toujours handicapé par son séjour récent au gouvernement et en particulier par les coupures de salaire imposées en 1982 aux employés du secteur public.

La composition de l'électorat libéral

Il y a peu à dire de la composition de l'électorat libéral en 1989 par rapport à celui de 1985 sinon que beaucoup d'anglophones de l'île de Montréal l'abandonnent.

Pierre Drouilly, dans un article paru dans *Le Devoir* (4 octobre 1989), a estimé qu'environ sept anglophones sur dix de la région de Montréal, parmi ceux qui ont voté, ont appuyé le Parti Égalité. Cet appui aurait été très important également chez les électeurs juifs, mais il aurait été inférieur à 20 % chez les allophones, où le Parti libéral continue d'être très largement majoritaire. Quant au Parti Unité, qui a présenté ses 16 candidats en dehors de la grande région de Montréal, 60 % environ des votants anglophones l'auraient appuyé.

Robert Boily et ses collaborateurs ont montré pour leur part dans deux articles parus également dans *Le Devoir* (12 et 13 octobre 1989) qu'il y a eu quelques variations, par rapport à 1985, dans l'appui régional donné aux deux principaux partis. Cependant, ces variations sont, somme toute, faibles, surtout si on les compare aux variations qui se sont produites au cours des années 1970 et au début des années 1980. Dans la grande région de Montréal, même si on tient compte du vote donné aux partis anglophones, le Parti libéral perd un peu de terrain par rapport au Parti québécois. Il en est de même dans la région métropolitaine de Québec, dans l'Outaouais et dans le Nord-Ouest. Par contre, l'écart entre le Parti libéral et le Parti québécois s'accroît un peu dans les circonscriptions de la rive sud de Québec, y compris la Beauce, le Bas-Saint-Laurent et la Gaspésie et l'Estrie. Au Saguenay–Lac-Saint-Jean, le Parti libéral se rapproche un peu du Parti québécois.

Les sondages publiés au cours de la période électorale ont montré, généralement, que le Parti libéral avait un appui moins élevé chez les nouveaux électeurs (les 18-24 ans) en 1989 qu'en 1985. Cela peut s'expliquer par la tendance de ces électeurs à appuyer les partis d'opposition. Sans que nous disposions de données précises là-dessus, on peut présumer que le Parti vert a recueilli une bonne part de ses appuis dans cette classe d'âge.

DE L'ÉCHEC DE L'ACCORD DU LAC MEECH AU RÉFÉRENDUM DE 1992

Après l'échec de l'accord du lac Meech en juin 1990, le Parti libéral se retrouve sans programme constitutionnel. En vue d'élaborer de nouvelles positions, pour remplacer celles qui faisaient partie de l'accord, le parti crée un comité interne, présidé par un juriste, Jean Allaire. Un peu plus tard, à l'automne, le gouvernement met en place, avec l'accord du Parti québécois, une commission parlementaire élargie sur l'avenir politique et constitutionnel du Québec, présidée par deux anciens hauts fonctionnaires devenus ensuite dirigeants d'institutions financières importantes. Michel Bélanger a été chef de la direction de la Banque nationale du Canada et Jean Campeau a dirigé la Caisse de dépôt et placement du Québec. En plus de représentants des partis provinciaux et des deux principaux partis fédéraux, le Parti conservateur et le Parti libéral, la commission Bélanger-Campeau comprend des représentants du monde des affaires, du monde coopératif, du monde syndical, du monde municipal et du monde scolaire, ainsi que du monde artistique. Lucien Bouchard, le chef du Bloc québécois, est membre de la commission, à titre personnel. Il a quitté le gouvernement conservateur un peu avant l'échec définitif de l'accord du lac Meech. Une demi-douzaine d'anciens députés conservateurs ou même libéraux l'ont suivi un peu plus tard.

À partir du moment où l'échec de l'accord du lac Meech est confirmé, l'appui des Québécois à la souveraineté-association, à la souveraineté ou même à l'indépendance (les questions varient selon les enquêtes) progresse de façon considérable dans les sondages. Dans certains d'entre eux, sept personnes sur dix qui se prononcent appuient l'option souverainiste (Cloutier *et al.*, 1992).

C'est dans ce contexte que le comité Allaire et la commission Bélanger-Campeau poursuivent leurs travaux. La plupart des experts et des groupes qui se présentent devant la commission adoptent des positions souverainistes. À l'intérieur du comité Allaire, ces positions souverainistes sont elles aussi exprimées avec force de la part de libéraux profondément déçus que des sources de puissance extérieures au Québec, qui étaient considérées comme des alliées, aient traité le gouvernement libéral du Québec comme un rival en lui refusant les concessions « minimales » contenues dans l'accord du lac Meech.

Le rapport Allaire, publié à la fin de janvier 1991, propose un fédéralisme qu'on peut dire « minimal », où les compétences exclusives du gouvernement central sont réduites à la défense et à la sécurité du territoire, aux douanes et tarifs, à la monnaie et à la dette commune ainsi qu'à la péréquation. L'environnement, la recherche et le développement et bien d'autres secteurs où le gouvernement central est très présent devraient relever, selon le rapport, de la compétence exclusive du Québec, alors que la politique étrangère et huit autres domaines appartiendraient à la catégorie des compétences partagées.

Le congrès du Parti libéral, qui se déroule au début de mars 1991, adopte le rapport avec des modifications mineures, mais non sans que le chef du parti, Robert Bourassa, modère les ardeurs souverainistes de ses partisans.

À la fin de mars, la commission Bélanger-Campeau publie à son tour son rapport. Il y a quasi consensus des membres (trois seulement n'approuvent pas le rapport) sur la principale recommandation, à savoir l'adoption d'une loi établissant le processus de détermination de l'avenir politique et constitutionnel du Québec. Cette loi prévoit la tenue, en 1992, d'un référendum sur la souveraineté du Québec et la création d'une commission parlementaire spéciale sur l'étude des questions afférentes à l'accession du Québec à la souveraineté, mais aussi la création d'une autre commission ayant pour mandat d'apprécier toute offre de nouveau partenariat de nature constitutionnelle faite par le gouvernement du Canada, à condition qu'elle lie formellement ce gouvernement et les provinces.

Un projet de loi conforme à ces recommandations est en fait adopté par l'Assemblée nationale en juin 1991. Le Parti québécois vote contre l'adoption de la loi en prétendant que Robert Bourassa n'a pas l'intention de tenir un référendum.

Au cours de l'année qui suit, il y a de multiples tentatives de la part du gouvernement fédéral pour arriver à une entente constitutionnelle qui satisfasse les gouvernements provinciaux, en particulier celui du Québec. Les propositions fédérales sont reçues de façon négative au Québec où tous les experts et leaders d'opinion ou presque se déclarent insatisfaits. Robert Bourassa est plus modéré dans ses réactions, mais il adhère, comme beaucoup d'autres libéraux, à la stratégie du « couteau sur la gorge », formulée au moment de la commission Bélanger-Campeau. C'est en adoptant, croit-on, une attitude de confrontation avec le « reste du Canada », défini comme un rival, qu'on obtiendra davantage pour le Québec dans la réforme constitutionnelle. Cette stratégie est cependant sapée à la base, aux yeux des négociateurs du reste du Canada, par des sondages qui montrent que l'appui à la souveraineté tend à décroître au Québec au cours de l'année 1992.

Les premiers ministres autres que celui du Québec et les représentants des autochtones s'entendent, au début de juillet 1992, sur un projet de réforme qui, comme les autres, est mal reçu par ceux qui s'expriment au Québec, même si Robert Bourassa y voit des aspects positifs. Il accepte finalement de retourner à la table de négociation à Charlottetown, au mois d'août, et participe à l'accord constitutionnel auquel arrivent les premiers ministres et les représentants des autochtones.

Quelques jours plus tard, un congrès spécial du Parti libéral du Québec donne son aval, de façon très majoritaire, à l'entente de Charlottetown, même si elle est très loin du rapport Allaire au chapitre de la division des pouvoirs entre le gouvernement central et les gouvernements provinciaux. Jean Allaire et beaucoup de jeunes libéraux, derrière leur président Mario Dumont, refusent de se ranger. Cependant, tous les députés libéraux sauf un suivent leur chef.

Jean Allaire et Mario Dumont se retrouveront d'ailleurs dans le camp des libéraux pour le « non », après que la décision eut été prise par le gouvernement fédéral de demander aux Canadiens d'approuver par voie de référendum le renouvellement de la Constitution du Canada sur la base de l'entente de Charlottetown.

Les premiers sondages faits au Québec sur l'éventuel vote référendaire montrent qu'il y a de bonnes chances que l'entente soit approuvée. Surtout si l'on considère que la grande majorité de ceux qui n'expriment pas d'opinion penchent généralement vers le Parti libéral plutôt que vers le Parti québécois.

Deux phénomènes majeurs viendront cependant, très tôt dans la campagne référendaire, inverser cette tendance en annulant les deux principaux atouts dont croyaient disposer les stratèges du Parti libéral du Québec. D'abord, en acceptant de faire un référendum au Québec sur l'entente de Charlottetown, et non sur la souveraineté, le Parti libéral neutralisait une de ses armes principales qui était l'exploitation des craintes envers la souveraineté, présentes chez une majorité d'électeurs. Les leaders du Parti québécois et des autres tendances opposées à l'entente de Charlottetown avaient beau jeu de dire que le référendum portait non pas sur la souveraineté du Québec, ce sur quoi ils auraient voulu qu'il porte, mais sur l'entente constitutionnelle. Ensuite et surtout, la diffusion dans le public d'une conversation téléphonique privée entre deux des principaux conseillers constitutionnels de Robert Bourassa, Diane Wilhelmy et André Tremblay, allait semer des doutes, pour dire le moins, sur les capacités de négociateur de Robert Bourassa à Charlottetown. Un peu plus tard, des documents de travail en matière de négociation constitutionnelle, provenant de l'entourage administratif du premier ministre, étaient publiés dans le magazine *L'Actualité*. Ils accréditaient la thèse voulant que le gouvernement du Québec avait obtenu beaucoup moins, lors des négociations de Charlottetown, que ce que ses stratèges en matière de constitution avaient cherché à obtenir.

Le 26 octobre 1992, jour du référendum, 83 % des électeurs du Québec participent au scrutin. Parmi eux, 56,6 % répondent « non » à la question référendaire, alors que 43,4 % répondent « oui ». Il a été estimé par des sondages que de 15 % à 20 % des électeurs qui préfèrent le Parti libéral au Parti québécois ont voté « non ».

Au lendemain du référendum, le Parti libéral du Québec redevient un parti plus fédéraliste qu'il ne l'a été entre l'échec de l'accord du lac Meech, en juin 1990, et l'entente de Charlottetown, en août 1992.

Le Parti libéral demeure l'allié des milieux d'affaires qui ont évolué un peu comme lui de juin 1990 à octobre 1992. Alors que les déclarations de leaders et des mémoires présentés devant la commission Bélanger-Campeau avaient pu laisser croire que les gens d'affaires eux aussi étaient tentés par la souveraineté, ceux-ci se sont ensuite montrés plus discrets et parfois même opposés à la souveraineté. La récession économique n'est sans doute pas étrangère à cette évolution.

Par contre, les leaders des milieux syndicaux se sont engagés à promouvoir la souveraineté et sont en cela les alliés du Parti québécois. Le gouvernement libéral à Québec entretient cependant avec eux des liens plutôt coopératifs en matière de relations du travail, un peu comme s'il voulait neutraliser la rivalité sur le plan constitutionnel par une alliance sur le plan des autres préoccupations des syndiqués.

Enfin, des tensions continuent de se manifester à l'intérieur du Parti libéral, à la fois de la part des anglophones et des allophones qui le voudraient plus fédéraliste et des nationalistes qui le voudraient plus souverainiste. Il ne semble pas, toutefois, que les nouvelles positions constitutionnelles que le parti prendra d'ici quelque temps, entraînent des défections importantes. Du moins tant que Robert Bourassa demeurera le chef et qu'il cherchera à faire du parti l'instrument de la solution dont il rêve depuis les années 1970 : un fédéralisme décentralisé, sauf en matière de grands leviers économiques, et qui sauvegarde un parlement et un gouvernement canadiens dont il est bien utile de pouvoir faire, à l'occasion, un rival.

CONCLUSION

À bien des égards, l'élection de 1989 semble marquer la fin d'une époque et comme un retour aux élections des années 1960. C'est la première fois depuis les années 1910 que le taux de participation décroît pour une troisième fois de suite après le sommet atteint en 1976. C'est la première fois également, depuis 1966, qu'aucun des deux principaux partis ne fait de progrès, par rapport à l'élection précédente, chez les électeurs inscrits : le Parti québécois conserve 30 % des inscrits, alors que le Parti libéral passe de 43 à 37 %.

La polarisation quasi exclusive entre les deux principaux partis se relâche. Alors qu'en 1981 et en 1985 ils avaient obtenu ensemble l'appui de 95 % des votants, cet appui n'est plus que de 90 % en 1989. Cela est encore relativement élevé, mais laisse un peu de place à de nouveaux petits partis, soit les partis anglophones et le Parti vert.

Il n'y a guère de renouvellement du débat entre les deux principaux partis, dont les positions relatives dans les espaces extra-sociétal, partisan et intra-sociétal changent peu, du moins si on considère l'avantage dont dispose ou non un parti par rapport à l'autre. Cela explique que les résultats électoraux de 1989 sont peu différents de ceux de 1985, ce qui est un autre trait qui apparente l'élection de 1989 à celles des années 1950 et du début des années 1960.

L'échec de l'accord du lac Meech, au milieu de 1990, va cependant amener le Parti libéral à modifier ses positions dans l'espace extra-sociétal. Jamais il n'est allé aussi loin, au cours du vingtième siècle, sur la voie d'une autonomie politique plus grande pour le Québec, même si ses positions en la matière demeurent en retrait de celles du Parti québécois.

Le Parti libéral, qui avait remporté deux victoires électorales dans les années 1960 et deux également dans les années 1970, remporte, en 1989, sa deuxième victoire électorale des années 1980. Il a donc été le parti dominant du Québec au cours de sept décennies sur neuf, depuis 1897, les décennies de 1940 et de 1950 faisant exception. Il aura mieux réussi que les autres partis à établir avec les sources de puissance sociétales les relations d'alliance, de rivalité ou de neutralité aptes à lui assurer plus de victoires que de défaites électorales.

CHAPITRE 6

Le Parti libéral et ses caractéristiques dans le système des partis du Québec

Ce chapitre consiste en une synthèse centrée sur la position du Parti libéral dans le système partisan du Québec, telle qu'elle a été définie à travers le temps par les rapports que ce parti a établis, à l'intérieur et à l'extérieur de lui-même, avec des alliés, des rivaux et des neutres. Nous montrerons, en particulier, que ces rapports sont devenus de plus en plus complexes avec les années et que cette complexité grandissante explique que le parti et le système partisan aient été de moins en moins stables.

À cette fin, nous commencerons par étudier systématiquement les évaluations présumées que les électeurs auraient faites de la performance comparée du Parti libéral dans les espaces extra-sociétal, partisan et intra-sociétal à chacune des élections, de 1897 à 1989. Nous nous intéresserons à la valeur « postdictive » du modèle, aux transformations des signes d'une élection à l'autre et à leurs conséquences électorales, mais aussi aux relations qui existent entre les signes des différents espaces. Les constatations tirées de ces analyses seront utilisées dans l'étude que nous ferons ensuite des relations qui existent entre la complexité et la stabilité du système des partis.

Dans la dernière partie du chapitre, nous montrerons quelles sont les caractéristiques du Parti libéral dans le système des partis provinciaux du Québec, considéré dans ses différents espaces politiques. Certaines de ces caractéristiques ont varié d'une période à l'autre, mais d'autres ont été constantes au cours du vingtième siècle, comme l'a été la présence du parti dans le système.

L'ÉVOLUTION DU PARTI LIBÉRAL DE 1897 À 1989

Le tableau 21 met ensemble les évaluations présumées du Parti libéral faites par les électeurs, de 1897 à 1989. Ces évaluations se trouvaient d'abord aux tableaux 3, 6, 11, 14 et 19. Nous y avons ajouté ici le pourcentage des électeurs inscrits qui ont appuyé le Parti libéral à chacune des élections, le pourcentage des votants qui ont appuyé les principaux partis autres que le Parti libéral ainsi que le taux de participation d'une élection à l'autre.

Nous ferons un certain nombre de commentaires sur la relation entre les signes de la performance du parti dans les espaces et les résultats électoraux, sur la relation entre l'évolution des signes et l'évolution des résultats ainsi que sur la relation entre les signes d'un espace à l'autre. Cette démarche nous aidera à mieux définir les notions de complexité et de stabilité des systèmes partisans et à conclure sur la place du Parti libéral dans le système partisan du Québec.

Pour simplifier, nous donnons, tout au long du chapitre, un poids égal aux trois espaces politiques, l'espace extra-sociétal, l'espace partisan et l'espace intra-sociétal, même si nous indiquons parfois que l'un ou l'autre de ces espaces a, à un certain moment, plus de poids que les autres. Dans un raffinement des commentaires et explications qui sont proposés dans le chapitre, il faudrait évidemment tenir compte du poids variable qu'ont les espaces lors des différentes élections étudiées.

La performance dans les espaces et les résultats électoraux

La valeur présumée du Parti libéral dans chacun des espaces rend bien compte des cas extrêmes, ceux où le parti atteint son plafond ou son plancher en fait de votes des inscrits.

Le plafond est atteint en 1919 avec 54 % du vote des inscrits (70 % des votants). Les signes sont positifs dans chacun des espaces, ce qui est un cas unique de 1897 à 1989. Au cours de la période 1897-1936, un plancher de 32 % est atteint en 1936. Les signes sont alors tous négatifs, sauf dans l'espace extra-sociétal, qui n'a pas beaucoup de poids à cette élection où les deux autres espaces sont prépondérants. Après 1936, le plancher de 29 % est atteint en 1944, 1948 et 1976. Les signes sont tous négatifs en 1948 et en 1976, mais ce n'est pas le cas en 1944, alors que le Parti libéral est quand même celui qui obtient le plus de votes (29 % des inscrits contre 26 % à l'Union nationale et 18 % au Bloc populaire et aux autres partis).

Lorsqu'il y a plus de deux partis importants comme en 1944, notre modèle ne peut rendre compte de la répartition du vote entre les partis. Il faudrait pour cela donner un signe à chaque paire de partis dans chacun des espaces.

Entre les deux paliers extrêmes, on peut distinguer trois paliers intermédiaires du vote libéral. Il y a d'abord le palier « 33-35 % », qui est proche du palier inférieur. Ce palier est atteint en 1908, 1912, 1923, 1952, 1956 et 1966. Les trois premières de ces élections, qui appartiennent à notre première sous-période, se distinguent des trois autres en ce que le Parti libéral obtient la majorité du vote exprimé avec des taux de participation très bas (de 61 à 64 %). Tous les signes du parti sont alors mixtes, soit ±, ce qui peut expliquer que ces élections ont été peu stimulantes et que beaucoup d'électeurs se sont abstenus. En 1952, 1956 et 1966, au contraire, le Parti libéral n'obtient pas la majorité des suffrages exprimés et la participation est plus élevée (de 74 à 78 %). Dans l'ensemble, les signes sont plus négatifs que positifs, le cas de 1966 étant différent des deux autres en ce que le Parti libéral est quand même le parti qui obtient le plus de votes parmi ceux qui sont en lice.

TABLEAU 21

Évaluation comparée du Parti libéral par les électeurs non constants dans chacun des espaces, de 1897 à 1989

Année d'élection	Espace extra-sociétal	Espace partisan	Espace intra-sociétal	Vote libéral (inscrits) %	Vote libéral (votants) %	Vote conservateur puis unioniste (votants) %	Vote péquiste (votants) %	Vote créditiste (votants) %	Taux de participation %
1897	+	±	±	37	**54**	46			69
1900	+	+	±	43	**56**	44			77
1904	+	±	+	46	**68**	25			68
1908	±	±	±	35	**55**	40			64
1912	±	±	±	33	**54**	45			61
1916	±	+	+	47	**65**	35			73
1919	+	+	+	54	**70**	24			77
1923	±	±	±	35	**55**	44			64
1927	±	±	+	41	**63**	37			65
1931	+	+	±	43	**56**	44			77
1935	+	±	–	37	**50**	49			74
1936	±	–	–	32	42	**58**			76
1939	+	±	±	41	**54**	39			76
1944	–	±	±	29	40	**36**	(14)	1	73
1948	–	–	–	29	38	**51**		9	75
1952	–	–	±	35	46	**52**			76

Année d'élection	Espace extra-sociétal	Espace partisan	Espace intra-sociétal	Vote libéral (inscrits) %	Vote libéral (votants) %	Vote conservateur puis unioniste (votants) %	Vote péquiste (votants) %	Vote créditiste (votants) %	Taux de participation %
1956	–	–	±	35	45	**52**			78
1960	±	+	±	42	**51**	47			82
1962	+	+	±	45	**56**	42			80
1966	–	±	±	35	47	**41**	(5)	3	74
1970	±	±	±	38	**45**	20	23	11	84
1973	±	+	+	44	**55**	5	30	10	80
1976	–	–	–	29	34	18	**41**	5	85
1981	±	–	±	38	46	4	**49**		83
1985	+	±	+	43	**56**		39		76
1989	+	±	±	37	**50**	(4)	40		75

Note : Le pourcentage en gras est celui du parti qui a obtenu la majorité des sièges. Pour l'année 1944, le vote entre parenthèses est celui du Bloc populaire, pour 1966, c'est celui du RIN et pour 1989, celui du Parti Égalité.

Source : Bernier et Boily (1986).

Le palier suivant est celui du milieu. Le Parti libéral est appuyé par un pourcentage d'inscrits qui varie de 37 à 42 %. Cela arrive en 1897, 1927, 1935, 1939, 1960, 1970, 1981 et 1989. À toutes ces élections, sauf celle de 1981, le Parti libéral est celui qui obtient le plus de votes. Les signes positifs et les signes négatifs sont en nombre égal ou à peu près égal. Quand le positif l'emporte sur le négatif, le Parti libéral a une majorité des voix exprimées ; dans les autres cas, il est à peu près à égalité avec ses rivaux, comme en 1935 et en 1989, ou encore il a moins d'appuis qu'eux, comme en 1981. Le cas de 1970 est très spécial, puisque c'est la seule élection où quatre partis ont obtenu chacun au moins 10 % des suffrages exprimés. Il faudrait traiter cette élection un peu comme celle de 1944.

Quand le Parti libéral a l'appui de 43 à 47 % des électeurs inscrits, il gagne facilement les élections. Cela arrive en 1900, 1904, 1916, 1931, 1962, 1973 et 1985. Dans tous ces cas, il n'y a qu'un espace où le signe du parti n'est pas positif. Sauf en 1985, le taux de participation s'avère relativement élevé, du moins si on considère la souspériode où se déroule l'élection.

L'évolution des signes et les résultats électoraux

L'évolution des résultats du Parti libéral d'une élection à l'autre s'explique, en gros, par l'évolution des valeurs présumées dans les trois espaces. Quand les valeurs augmentent, le vote donné au parti augmente ; quand elles diminuent, le vote au parti décroît ; et quand elles demeurent les mêmes, le vote libéral n'évolue guère. Répétons que les élections de 1944 et de 1970 sont exceptionnelles à cet égard, étant donné la présence de tiers partis qui obtiennent une assez forte proportion des suffrages.

Il y a peu de cas où les signes changent radicalement, du + au − ou encore du − au +, d'une élection à l'autre. Cela n'arrive que deux fois dans l'espace extra-sociétal, soit de 1939 à 1944 et de 1962 à 1966, toujours aux dépens du Parti libéral. Dans l'espace partisan, un changement radical se produit de 1956 à 1960 et de 1973 à 1976, la première fois au profit du Parti libéral et la deuxième à ses dépens. Dans l'espace intra-sociétal, enfin, il n'y a qu'un changement radical, de 1973 à 1976, et c'est aux dépens du Parti libéral. Notons que tous ces changements radicaux surviennent depuis les années 1940, et que quatre sur cinq arrivent entre 1956 et 1976.

Les changements radicaux de signe se traduisent par des changements importants dans les résultats électoraux. De 1939 à 1944, avec un changement radical à la baisse dans l'espace extra-sociétal, le Parti libéral perd 12 % des électeurs inscrits. Il est à remarquer que les femmes votent pour la première fois en 1944, ce qui aurait eu pour effet de faire baisser quelque peu le taux de participation. De 1956 à 1960, le changement radical à la hausse dans l'espace partisan est concomitant d'une augmentation de 7 points de pourcentage du vote des inscrits en faveur du Parti libéral. De 1962 à 1966, le changement radical à la baisse dans l'espace extra-sociétal se traduit par une diminution de 10 points dans l'appui des inscrits au Parti libéral. De 1973 à 1976, il y a deux changements radicaux à la baisse, l'un dans l'espace partisan et l'autre dans l'espace intra-sociétal. Le Parti libéral subit une chute de 15 points, la plus grande après celle qui s'était produite de 1919 à 1923 dans des circonstances exceptionnelles (en 1919, la participation est très élevée et 70 % des suffrages exprimés sont accordés au Parti libéral).

Les relations entre les signes et le vote

Comme nous l'avons déjà signalé, un certain rapport existe entre le nombre de signes mixtes (±) et le taux de participation. Le taux moyen de participation est le suivant, selon qu'il n'y a aucun, un, deux ou trois signes mixtes au moment d'une élection :

- aucun : 79 %
- un : 76 %
- deux : 74 %
- trois : 68 %

La relation apparaît tout particulièrement évidente avec le signe dans l'espace partisan. Quand ce signe est mixte, la participation n'est que de 71 % en moyenne, alors qu'elle s'élève à 78 % en moyenne quand le signe est positif ou négatif. La plus grande visibilité des rapports entre les partis dans l'espace partisan explique sans doute cette relation. En effet, plus que dans les deux autres espaces les positions des partis sont incarnées dans la personne des chefs et des principaux leaders. Il est pour cela plus facile pour les électeurs non constants d'évaluer les positions et les performances des partis dans cet espace. On peut penser qu'ils seront d'autant plus stimulés à participer au vote que la situation sera claire, à l'avantage d'un des partis, plutôt que mitigée.

On remarquera à la lecture du tableau 21 que, d'une élection à l'autre, chaque fois qu'on passe d'un signe clair (+ ou −) à un signe mitigé (±) dans l'espace partisan, le taux de participation diminue ou encore n'augmente pas. Cela arrive dans les cas suivants : 1900-1904, 1919-1923, 1936-1939, 1962-1966 et 1981-1985. Le cas de 1936-1939 est le seul où la participation ne diminue pas : elle reste la même, à 76 %. À l'inverse, dans tous les cas sauf un, la participation augmente quand on passe d'un signe mitigé à un signe clair. Les cas où cela se produit sont : 1897-1900, 1912-1916, 1927-1931, 1935-1936 et 1944-1948. L'exception se produit de 1970 à 1973, ce qui peut être dû, encore une fois, au cas très particulier de l'élection de 1970, où le signe du Parti libéral dans l'espace partisan est une espèce d'agrégat de ses rapports avec trois partis.

Lorsque le signe demeure clair d'une élection à l'autre, ou qu'il demeure mitigé, les variations dans le taux de participation ne dépassent jamais 4 points de pourcentage, ce qui est une preuve supplémentaire de ce que nous avançons. Au contraire, quand on passe d'un signe clair à un signe mitigé, ou l'inverse, les variations atteignent jusqu'à 13 points (de 1919 à 1923). Encore de 1981 à 1985, elles sont de 7 points de pourcentage.

Le signe dans l'espace partisan serait donc associé à la proportion d'électeurs non constants qui s'abstiennent à l'occasion d'une élection, les signes dans l'espace extra-sociétal et dans l'espace intra-sociétal étant plutôt liés à la proportion des appuis reçus par le parti chez les électeurs non constants qui décident de ne pas s'abstenir. La situation la plus favorable est évidemment celle où les deux signes se révèlent positifs comme cela arrive en 1919 avec un taux de participation élevé qui tient au signe positif du parti dans l'espace partisan. Les situations les plus défavorables sont celles de 1948 et de 1976, qui sont l'inverse de la précédente. Entre ces deux situations extrêmes se trouvent plusieurs situations intermédiaires.

Avant le réalignement de 1935-1944, le Parti libéral est vainqueur à toutes les élections où ses signes dans les espaces extra-sociétal et intra-sociétal comportent au moins autant de positif que de négatif, ce qui s'explique par l'avantage dont il dispose au départ chez les électeurs constants. Après 1944, alors que cet avantage n'existe plus, il faut qu'il y ait plus de positif que de négatif dans ces deux espaces pour que le Parti libéral soit assuré de la victoire. Si on fait exception du cas spécial de 1970, il y a deux élections, en 1960 et en 1981, où on trouve autant de négatif que de positif dans les espaces. Le Parti libéral est vainqueur en 1960, mais il est perdant en 1981.

Les relations entre les espaces

Il n'y a pas pour l'ensemble des élections de relations évidentes entre le signe d'un espace et le signe d'un autre espace. Dans 15 cas sur 26, le signe est le même dans l'espace partisan et dans l'espace intra-sociétal. Il est 12 fois le même dans l'espace partisan et dans l'espace extra-sociétal, et 11 fois dans l'espace extra-sociétal et dans l'espace intra-sociétal. Au total, c'est l'espace partisan qui a le plus d'affinité avec les deux autres.

Les relations entre les signes des espaces sont plus significatives quand on distingue les sous-périodes les unes des autres. On note alors que:

1) la relation entre le signe de l'espace extra-sociétal et celui de l'espace partisan était assez étroite jusqu'au milieu des années 1930. De 1897 à 1931, les signes sont les mêmes 7 fois sur 10. Ils ne seront les mêmes que 5 fois ensuite, tous ces cas survenant de 1948 à 1970;

2) de même, la concordance des signes entre l'espace partisan et l'espace intra-sociétal est plus grande au début du siècle que par la suite. Il y a concordance 6 fois sur 8 de 1897 à 1923, et 9 fois sur 18 ensuite. Curieusement, 8 des 9 cas de concordance après 1923 viennent en deux blocs de quatre occurrences consécutives, de 1936 à 1948 d'une part et de 1966 à 1976 d'autre part, soit au moment des deux réalignements observés au cours du vingtième siècle, celui qui a produit la montée de

l'Union nationale et celui qui a produit celle du Parti québécois. Il y a de nouveau concordance en 1989. L'avenir dira si c'est le début d'une nouvelle série ;

3) les relations entre le signe de l'espace extra-sociétal et celui de l'espace intra-sociétal sont au contraire plus étroites en dehors des périodes de réalignement, du moins jusqu'aux années 1970. Les signes sont les mêmes en 1904, 1908 et 1912, puis en 1919, 1923, 1948 et 1960. Depuis 1970, la relation semble s'être resserrée, puisque les signes ont été les mêmes 4 fois sur 6 de 1970 à 1985, dont 2 fois sur 3 lors du réalignement qui s'est étalé de 1970 à 1976.

Ces observations et les autres que nous avons faites sur le tableau 21 permettent, en tenant compte également d'autres faits, de proposer une interprétation générale du système partisan du Québec et de la place du Parti libéral dans ce système.

LE SYSTÈME DES PARTIS PROVINCIAUX DU QUÉBEC

L'interprétation générale que nous allons proposer peut être formulée à partir des principales notions de la systémique, celles d'environnement, de finalité, d'activité, de structure et d'évolution (Le Moigne, 1984).

Les espaces extra-sociétal, intra-sociétal et partisan sont les lieux où les « défis » de l'environnement externe et interne sont traités par les partis. Ceux-ci ont pour finalité de faire la preuve auprès de l'électorat de leur supériorité dans ces espaces politiques. Ils ont à maîtriser les sources de puissance qui sont internes ou externes aux partis. Dans l'activité des partis, orientée par cette finalité, nous retenons surtout les relations d'alliance, de rivalité ou de neutralité qu'ils forment avec les sources, en postulant que ces relations importent autant aux yeux des électeurs que les moyens d'action qui viennent des sources. L'ensemble des relations a une structure, c'est-à-dire une forme plus ou moins stable. Cette structure évolue ou non en fonction de la façon dont les partis traitent des perturbations qui viennent de l'environnement, en agissant sur leurs relations avec les sources, en vue d'affirmer le mieux possible leur supériorité. L'évaluation des partis par les électeurs, d'une élection à l'autre, traduit le succès ou l'échec de ces partis à établir une structuration favorable des relations avec les sources de puissance.

Une typologie des systèmes de partis

Les systèmes de partis peuvent être caractérisés par un certain nombre de traits qui résultent des transformations qui se produisent de l'environnement aux espaces politiques, des espaces politiques à l'espace électoral et de l'espace électoral à l'espace qu'on pourrait appeler électif pour désigner les résultats en sièges obtenus par les partis et les rapports entre les partis que ces résultats définissent.

En nous inspirant d'un certain nombre d'auteurs, nous avons proposé il y a quelques années (Lemieux, 1985 : 37-56) une typologie que nous voudrions reprendre ici en nous appuyant sur un article de De Swaan (1975) qui propose une vue originale des systèmes de partis assez proche de la nôtre.

De Swaan définit les systèmes de partis selon des traits qui découlent de la théorie des coalitions. Ils proviennent plus précisément du courant à l'intérieur de cette théorie selon lequel les coalitions qui seront formées entre les partis seront celles qui regroupent des partis voisins les uns des autres en fait d'idéologie, et dont le nombre est minimal quant à la majorité des sièges à atteindre par la coalition. Par exemple, à supposer que les partis aient obtenu en 1970 un nombre de sièges proportionnel à leur pourcentage de votes et que le nombre total de sièges ait été de 100, les partis d'alors auraient disposé du nombre suivant de sièges :

Parti québécois	23
Parti libéral	46
Union nationale	20
Ralliement créditiste	11

À supposer que cet ordre des partis corresponde aux voisinages idéologiques entre eux, deux coalitions minimales de partis voisins auraient alors été possibles, celle du Parti québécois et du Parti libéral, qui aurait disposé de 69 sièges sur 100, et celle du Parti libéral et de l'Union nationale, qui aurait disposé de 66 sièges sur

100. Dans les termes de De Swaan, le système aurait été « dilemmatique », plutôt que « monolemmatique » ou « polylemmatique », en ce sens que deux coalitions auraient été possibles (d'où le dilemme) plutôt qu'une seule ou plus de deux. Il est à noter que les systèmes où un seul parti dispose de la majorité ou de la totalité des sièges sont considérés comme monolemmatiques, en ce qu'il y a alors une seule majorité possible.

La typologie de De Swaan ne permet pas de distinguer entre les systèmes où c'est toujours le même parti ou la même coalition qui dispose de la majorité durant une longue période de temps et ceux où il y a alternance fréquente dans la direction du gouvernement. Nous estimons, avec beaucoup d'autres auteurs, qu'il y a lieu de poser à cet égard une distinction entre les systèmes monopolistes et les systèmes compétitifs.

La distinction de De Swaan entre ce qui est monolemmatique et ce qui ne l'est pas s'avère proche de celle que nous faisions dans notre ouvrage de 1985 entre les systèmes où des partis sont liés dans des coalitions gouvernementales et les systèmes qui sont morcelés. Aux fins du présent ouvrage, il n'y a pas intérêt à distinguer dans l'espace électif les situations où un seul groupe peut diriger le gouvernement de celles où plus d'un groupe peut le faire. De 1897 à 1989, en effet, il y a toujours un parti qui a obtenu la majorité absolue des sièges. Nous maintenons quand même ici cette distinction pour bien marquer que si le système des partis du Québec demeure structurellement morcelé au cours de toutes ces années, il en aurait été autrement avec un autre système électoral à partir des années 1940. Nous disons que le système est non équivoque quand un parti a la majorité dans l'espace électoral et dans l'espace électif. Il est équivoque lorsqu'une pluralité seulement des voix dans l'espace électoral donne la majorité dans l'espace électif, et doublement équivoque quand un parti qui a moins de voix qu'un autre dans l'espace électoral obtient quand même plus de sièges dans l'espace électif.

De Swaan distingue un autre trait des systèmes de partis qui vient de la différence entre les systèmes où aucun parti n'est exclu, en principe, du groupe majoritaire et ceux où un ou plusieurs partis en sont exclus. Nous considérons, aux fins du présent ouvrage, cette caractéristique dans l'espace électoral général et nous mesurons le caractère exclusif du système par le pourcentage des voix exprimées obtenues par les partis exclus du gouvernement dans l'espace électif. En 1970, par exemple, comme d'ailleurs en 1966, il y avait plus d'exclus que d'inclus, si bien qu'on peut dire que le système était plus exclusif qu'inclusif. À l'inverse, le système se révèle plus inclusif qu'exclusif en 1962 et en 1973.

Ajoutons que l'exclusivité peut aussi se dire des partis. Un parti est exclu lorsque, même s'il est « concurrentiel », ayant obtenu un pourcentage de votes qui lui permettrait d'obtenir au moins un siège en proportionnelle pure, il n'en obtient pas dans le système électoral en place. C'est par exemple le cas de l'Union nationale en 1973. Elle n'obtient pas de sièges à cette élection, alors qu'elle en aurait eu 5 ou 6 en proportionnelle pure.

Nous allons donc caractériser le système des partis provinciaux du Québec par les distinctions monopoliste/compétitif, lié/morcelé et inclusif/exclusif (en fait d'électeurs). Nous chercherons aussi à expliquer la stabilité ou l'instabilité de ces traits structurels par les performances des partis, et en particulier par celle du Parti libéral dans les espaces extra-sociétal, partisan et intra-sociétal. Cela nous amènera dans la dernière section à établir ce qui a été variable et ce qui a été constant dans l'action du Parti libéral au vingtième siècle.

Le système des partis de 1897 à 1935

Le tableau 21 présente les différentes données dont nous nous servirons pour caractériser le système des partis et pour définir la place qu'y a tenue le Parti libéral. Les faits qui nous ont amené à lui donner tel ou tel signe dans les trois espaces politiques seront aussi rappelés dans l'explication des états du système et de leur transformation.

Il y a une grande stabilité du système des partis de 1897 à 1935. Il est monopoliste en ce qu'un même parti, le Parti libéral, se retrouve toujours à la direction du gouvernement. Il est morcelé en ce que ce parti n'a pas à se lier avec un ou d'autres partis pour former le groupe majoritaire dans l'espace électif. Enfin, il est relativement peu exclusif dans l'espace électoral, son taux d'exclusivité variant de 46% en 1897 à 30% en 1919. Il n'arrive qu'une fois, en 1908, qu'un parti concurrentiel est exclu. La Ligue nationale obtient 3% des votes exprimés cette année-là.

La stabilité du système tient à la domination du Parti libéral sur le Parti conservateur. Nous avons estimé que, parmi les électeurs inscrits, 32% environ votaient de façon constante pour le Parti libéral durant cette sous-période contre 22% seulement pour le Parti conservateur, alors que 23% environ des électeurs s'abstenaient de façon constante. Cela donnait au départ un avantage important au Parti libéral. Le Parti conservateur n'aurait pu le devancer qu'en obtenant l'appui d'une forte majorité du pourcentage des électeurs non constants (23%) qui, d'une élection à l'autre, ont choisi de s'abstenir ou de voter pour l'un ou l'autre parti. Cela n'est pas arrivé avant le milieu des années 1930.

De 1897 à 1931, la performance du Parti libéral dans l'un ou l'autre des espaces n'est jamais négative. Elle est positive ou mitigée. Quand la performance a un signe positif dans l'espace partisan, la participation électorale est généralement élevée, là où le candidat libéral n'est pas élu par acclamation, et le parti attire à lui au moins la moitié des électeurs non constants, ce qui lui suffit largement pour vaincre le parti rival. Quand la performance est mitigée, la participation électorale se révèle généralement moins élevée. Même si le Parti conservateur a l'avantage chez les électeurs non constants qui votent, cela ne lui permet pas de dépasser le Parti libéral.

Les chefs du Parti libéral, Gouin et Taschereau en particulier, apparaissent supérieurs à ceux du Parti conservateur. Quand la performance du Parti libéral est mitigée dans l'espace partisan, c'est bien plus souvent à cause de la concurrence des leaders nationalistes que de celle des chefs du Parti conservateur.

L'alliance du parti provincial avec le Parti libéral fédéral paraît positive ou tout au moins mixte aux yeux des électeurs durant toute la période. Elle est positive tant que dure l'ascendant de Laurier ou encore quand le Parti conservateur perd de sa popularité au Québec. Elle est mixte quand décroît l'ascendant de Laurier ou encore sous le gouvernement de King, qui souffre de la comparaison avec son prédécesseur à la tête du parti fédéral. Il faut se rappeler pour comprendre la situation favorable du Parti libéral dans l'espace extra-sociétal que le gouvernement d'Ottawa, à cette époque, a beaucoup plus d'importance que le gouvernement provincial. De plus, ce gouvernement d'Ottawa ne paraît guère menaçant pour le gouvernement provincial, même si celui-ci réclame plus d'autonomie, surtout dans les années 1920. Le Parti conservateur fédéral semble négatif et par là moins attirant aux yeux des Canadiens français par ses politiques et en particulier par l'imposition de la conscription au cours de la Première Guerre mondiale. En 1919, le Parti libéral obtient 70 % du vote exprimé et 54 % du vote des inscrits, des sommets qui n'ont jamais été approchés par la suite.

Les quatre élections de la sous-période où le Parti libéral obtient ses meilleurs résultats en suffrages exprimés sont celles où sa performance s'avère positive dans l'espace intra-sociétal. Le parti n'a pas d'adversaire constant qui puisse contester sa performance dans l'espace intra-sociétal. Il y a bien l'Église au début de la sous-période et les milieux nationalistes à l'occasion, mais leur opposition n'est pas constante. La grande entreprise se montre plutôt l'alliée du gouvernement et du Parti libéral, plus sensibles que leurs rivaux conservateurs aux nouveaux besoins exprimés dans la société par des groupes marginaux quant à la culture catholique, rurale et familière que cherchent à perpétuer les élites traditionnelles. Le gouvernement intervient peu dans la société et quand la conjoncture économique est favorable, toutes les conditions sont remplies, comme c'est le cas en 1904, 1916, 1919 et 1927 (voir les tableaux 2 et 3), pour qu'un signe positif dans l'espace intra-sociétal entraîne vers le parti une majorité des électeurs non constants qui votent conjoncturellement pour l'un ou l'autre parti.

Le réalignement de 1935 à 1944

Il y a changement de gouvernement à chacune des élections de 1936, 1939 et 1944. Le Parti libéral dont aucun signe n'avait été négatif lors des élections de 1897 à 1931 a des signes négatifs dans l'espace intra-sociétal en 1935 et en 1936 dans une conjoncture économique de crise. Il a un signe négatif dans l'espace partisan en 1936 et un signe négatif dans l'espace extra-sociétal en 1944. Le réalignement est déclenché dans l'espace intra-sociétal et il s'achève dans l'espace extra-sociétal par des changements radicaux de signe par rapport aux signes des années précédentes.

Le réalignement de 1935-1944 est en cela différent de celui, plus limité, de 1886-1897, où le changement radical s'était surtout produit dans l'espace extra-sociétal. Cela peut expliquer que ce réalignement de la fin du siècle dernier ne se soit traduit que par un renversement de domination entre les deux mêmes partis, alors que celui de 1935-1944 s'est traduit par la création d'un nouveau parti, l'Union nationale, qui a dédouané une de ses composantes, le Parti conservateur, de son signe plus négatif que positif dans l'espace extra-sociétal. Dans l'espace intra-sociétal cependant, l'Union nationale a davantage prolongé que renouvelé les positions du Parti conservateur après que la composante Action libérale nationale eut été dominée par la composante conservatrice.

Le système des partis de 1935 à 1970

Même si on fait abstraction du réalignement de 1935-1944, le système des partis est plus compétitif de 1935 à 1970 que de 1897 à 1931. L'Union nationale domine dans l'espace électif de 1944 à 1960, mais le Parti libéral la surpasse de 1960 à 1966, avant d'être dominé à nouveau par l'Union nationale de 1966 à 1970.

Le système continue d'être morcelé dans l'espace électif, mais ce morcellement est doublement équivoque à deux occasions, soit en 1944 et en 1966. Le morcellement est non équivoque de 1935 à 1939, si on considère que le Parti libéral a obtenu 50,2 % des votes exprimés en 1935, mais il est doublement équivoque en 1944, alors que le parti majoritaire dans l'espace électif, l'Union nationale, n'a que 36 % des appuis dans l'espace électoral contre 40 % pour le Parti libéral. Le morcellement sera à nouveau doublement équivoque en 1966 avec une Union nationale majoritaire dans l'espace électif bien qu'elle n'ait que 40 % des votes exprimés dans l'espace électoral, soit 7 % de moins que le Parti libéral.

Enfin, le système, qui n'avait été exclusif d'aucun parti concurrentiel (sauf en 1908) et d'un maximum de 46 % des votants de 1897 à 1935, est exclusif, en 1944, de deux partis concurrentiels, soit le Bloc populaire et la Cooperative Commonwealth Federation (CCF) qui avec 2,9 % des voix aurait obtenu au moins un siège si l'espace électif avait reproduit l'espace électoral. Il est aussi exclusif d'un parti concurrentiel en 1948 et de deux en 1966. En pourcentage de votants, alors que le taux d'exclusivité avait varié de 30 à 46 % de 1897 à 1931, il passe de 44 à 64 % de 1935 à 1966, ce qui est beaucoup plus élevé.

Le caractère plus compétitif du système des partis tient sans doute à ce que les électeurs qui sont des alliés constants des deux principaux partis sont répartis plus également que de 1897 à 1935. Durant cette première sous-période, le Parti libéral avait un avantage marqué sur le Parti conservateur. Nous avons estimé que 32 % environ des électeurs inscrits lui étaient acquis contre 22 % environ au Parti conservateur. De 1935 à 1966, l'Union nationale compte environ 30 % des électeurs qui sont ses alliés constants contre 29 % environ pour le Parti libéral.

La sous-période 1935-1970 se divise assez nettement en trois moments pour ce qui est des caractéristiques du système des partis. Il y a d'abord le moment du réalignement dont nous avons déjà traité, qui est marqué par une grande instabilité : il y a changement de gouvernement en 1936, 1939 et 1944, et, de plus, 64 % des votants sont exclus, en 1944, du groupe majoritaire dans l'espace électif, alors que seulement 46 % l'avaient été en 1939.

Vient ensuite la période de 1948 à 1956. Duplessis éclipse les chefs libéraux, Godbout et Lapalme, dans l'espace partisan et exploite habilement contre eux et leur parti l'alliance avec les libéraux fédéraux. À chacune des trois élections de cette période, le signe du Parti libéral est toujours négatif et dans l'espace extra-sociétal et dans l'espace partisan. La situation est un peu meilleure dans l'espace intra-sociétal où le Parti libéral conserve des alliés dans les milieux anglophones, intellectuels et syndicaux, ceux où se trouvent les sources de puissance contraires à celles, plus traditionnelles (l'Église, les milieux nationalistes, les élites locales), qui sont les alliées de l'Union nationale.

Enfin, de 1960 à 1966, le Parti libéral a plus d'appuis que l'Union nationale dans l'espace électoral, bien qu'en 1966 celle-ci soit majoritaire dans l'espace électif. Les trois partis concurrentiels et les électeurs exclus du groupe majoritaire à cette élection (59 %) créent une situation instable qui durera jusqu'en 1976. Dans l'espace intra-sociétal, les divisions des années 1950 se perpétuent et le signe du Parti libéral est pour cela toujours mixte. Dans l'espace partisan, Jean Lesage et son équipe dominent nettement en 1960 et en 1962, mais la performance du parti est plus mitigée en 1966, devant une Union nationale qui donne l'impression d'un certain renouvellement. Dans l'espace extra-sociétal, la performance du Parti libéral est changeante, et c'est elle qui explique en bonne partie les variations dans les appuis électoraux au parti. La performance est mixte en 1960, grâce à la présence d'un gouvernement conservateur à Ottawa. C'est un progrès par rapport à un signe toujours négatif pour les quatre élections précédentes. En 1962, avec le thème de la nationalisation de l'électricité et l'affirmation de l'État du Québec, le signe est positif. Il devient négatif en 1966 à la suite de l'échec de la formule Fulton-Favreau et au retour d'un gouvernement libéral à Ottawa, ce qui rend le Parti libéral vulnérable aux attaques de l'Union nationale et du RIN.

La signification de l'espace extra-sociétal n'est plus la même depuis la période de guerre où le gouvernement d'Ottawa a centralisé des ressources et des pouvoirs aux dépens des provinces, ce qui est tout particulièrement ressenti au Québec. C'est depuis cette époque que les partis de gouvernement, à Québec, ont généralement évité de se présenter comme des alliés du gouvernement central pour chercher plutôt à se définir comme des rivaux ou des alliés-rivaux. D'autant plus que le parti fédéral le plus favorable au Québec, le Parti libéral, a été celui, durant la guerre et après, qui a été tenu responsable de la centralisation des pouvoirs et des ressources. Il n'était plus rentable électoralement d'apparaître comme son allié, alors que cela était rentable quand il était le parti des Canadiens français contre un Parti conservateur qui avait imposé la conscription au cours de la Première Guerre mondiale et fait adopter plusieurs mesures jugées contraires aux intérêts des Canadiens français.

Après la Seconde Guerre la perception du Parti libéral fédéral devient ambivalente. C'est toujours, malgré tout, le parti des Canadiens français en politique fédérale et ceux-ci, qui voient en lui une source de puissance contre les menaces de l'extérieur, continuent de l'appuyer majoritairement jusqu'au début des années 1980, mais c'est aussi le parti et le gouvernement de la centralisation, avec lequel il faut garder ses distances dans l'espace extra-sociétal. Les électeurs du Québec appuient très majoritairement le Parti libéral aux élections fédérales, surtout quand il est dirigé par un Canadien français, mais ils appuient le plus souvent un parti provincial, opposé à la centralisation fédérale, qui réclame ou bien la sauvegarde de l'autonomie provinciale ou bien plus de ressources ou de pouvoirs pour le gouvernement du Québec.

D'un autre point de vue, plus le gouvernement du Québec se développe et devient une source importante de puissance pour la plupart des individus, des groupes ou des organisations, plus les électeurs tendent majoritairement à ne pas en confier la direction à un parti allié du parti de gouvernement à Ottawa de façon à éviter une trop grande domination de ces partis alliés. Ce « calcul » n'avait guère de sens avant les années 1940, alors que le gouvernement d'Ottawa était moins centralisateur et le gouvernement du Québec moins puissant.

Le réalignement de 1970 à 1976

Le réalignement de la fin du dix-neuvième siècle avait laissé les deux principaux partis en place, tout en renversant la domination de l'un sur l'autre. Le réalignement de 1935-1944 a été rendu possible par l'alliance puis la fusion du Parti conservateur avec l'Action libérale nationale, une aile dissidente du Parti libéral. De 1970 à 1976, le réalignement a été encore plus radical puisqu'il a entraîné la disparition d'un des deux partis principaux de la sous-période précédente, l'Union nationale. Elle a été remplacée par le Parti québécois, lui-même apparu après une scission dans le Parti libéral. Un quatrième parti concurrentiel, le Ralliement créditiste, a contribué lui aussi à l'effacement de l'Union nationale. Déjà en 1966, puis en 1970, 1973 et 1976, quatre partis obtiennent suffisamment d'appuis dans l'espace électoral pour gagner des sièges dans l'espace électif, ou encore pour en obtenir si cet espace électif avait reproduit fidèlement les résultats dans l'espace électoral.

Les données du tableau 21 ne permettent pas de donner une très bonne explication du réalignement, qui se joue surtout entre les autres partis que le Parti libéral. Tous les signes de l'Union nationale se dégradent de 1966 à 1970 par rapport à l'un ou l'autre des partis rivaux. Dans l'espace extra-sociétal, après le décès de Daniel Johnson et le projet de loi 63 sur la langue, le signe de l'Union nationale est négatif par rapport au Parti québécois. Dans l'espace partisan, le chef Jean-Jacques Bertrand n'a pas la popularité de Daniel Johnson et il souffre de la comparaison avec René Lévesque et Robert Bourassa. Dans l'espace intra-sociétal, la présence d'un parti créditiste vient concurrencer l'Union nationale auprès de ses alliés traditionnels. La situation ne s'améliorera dans aucun des espaces en 1973, mais en 1976 le nouveau chef, Rodrigue Biron, a un peu plus de panache et des non-francophones qui évaluent négativement et le Parti québécois et le Parti libéral (après l'adoption de la loi 22 qui consacre la primauté du français) dans les espaces extra-sociétal et intra-sociétal se tournent conjoncturellement vers l'Union nationale. La polarisation intense de l'époque référendaire fera éclater ce parti, qui s'éteindra pour de bon aux élections de 1985, tout comme le parti créditiste, victime lui aussi de la polarisation référendaire ainsi que de la disparition du parti créditiste sur la scène fédérale.

Le système des partis de 1970 à 1989

Dans les années 1970 et 1980, le système des partis est encore plus compétitif que de 1935 à 1966, toutes proportions gardées. Aucun parti n'obtient la pluralité des voix plus de deux fois de suite dans l'espace électoral. Le Parti libéral l'obtient en 1970 et en 1973, le Parti québécois en 1976 et en 1981, puis le Parti libéral à nouveau en 1985 et en 1989. Il en va de même dans l'espace électif.

Le morcellement du système est équivoque en 1970, en 1976 et encore en 1981. Des gouvernements de coalition auraient été nécessaires si la répartition des sièges dans l'espace électif avait reproduit fidèlement la répartition des appuis dans l'espace électoral.

Le caractère exclusif du système est grand de 1970 à 1976, durant la période de réalignement, mais il diminue ensuite après le référendum de 1980. Dans les années 1970, le taux d'exclusion en pourcentage de votes varie de 35 à 66%. Le taux de 1976 (66%) est le plus élevé de toute la période. L'Union nationale, même si elle demeure concurrentielle est exclue de l'espace électif en 1973 et en 1981. Il en est de même du Nouveau Parti démocratique quand il obtient 2,4% des suffrages en 1985 et de trois partis en 1989 (le Parti vert, le NPD et le Parti Unité) qui obtiennent au moins 1% des voix. Le taux d'exclusion en votes exprimés passe de 44 à 59%.

Le changement dans les allégeances des électeurs qui sont des alliés constants des partis autres que le Parti libéral explique sans doute l'instabilité des années 1970. Nous avons estimé que le Parti libéral avait continué d'être appuyé de façon constante par approximativement 29% des électeurs, alors que 27% d'électeurs constants se répartissaient entre ses rivaux. Ils ont fini par se tourner à peu près tous vers le Parti québécois en 1976. En 1970, le Parti libéral a profité de leur division entre trois partis, car sa performance n'était que mitigée dans chacun des trois espaces politiques.

En 1973, l'effacement de l'Union nationale et la stagnation du Parti créditiste laissent le Parti libéral à peu près seul avec le Parti québécois qu'il domine nettement dans l'espace intra-sociétal et dans l'espace partisan, même si la montée du Parti québécois se poursuit. En 1976, le Parti libéral ne garde que ses appuis électoraux constants, ses signes étant négatifs dans chacun des trois espaces politiques.

Les réalignements de la fin du dix-neuvième siècle et des années 1930-1940 avaient été suivis de plusieurs élections dont les résultats avaient été stables dans l'espace électif comme dans l'espace électoral. Ce ne fut pas le cas après 1976. Le Parti québécois a bien remporté une autre victoire en 1981, mais dans l'espace électoral, tout au moins, ce fut la seule, depuis 1935, où les principaux partis se sont partagé le vote d'une façon à peu près égale. Dès 1985, le Parti québécois, grand vainqueur du réalignement, était vaincu 9 ans après 1976, alors qu'un tel événement n'était survenu que 39 ans après la fin du réalignement de 1886-1897 et 16 ans après la fin du réalignement de 1935-1944.

La plus grande complexité des acteurs et des relations dans les espaces politiques, entraînant elle-même une augmentation de la complexité des alliances, des rivalités et des neutralités formées par les partis, explique cette plus grande instabilité, comme nous allons le montrer dans l'appendice. Avant d'en faire l'analyse structurale, nous allons conclure le présent chapitre par une synthèse des traits constants et des traits variables du Parti libéral au vingtième siècle.

LES CARACTÉRISTIQUES DU PARTI LIBÉRAL AU VINGTIÈME SIÈCLE

Par rapport aux autres partis qu'il a affrontés dans l'espace partisan, mais aussi dans l'espace extra-sociétal et dans l'espace intrasociétal, le Parti libéral affiche des caractéristiques constantes. Elles se distinguent de celles des autres partis, même si elles évoluent dans le temps et n'ont pas toujours la même netteté d'une souspériode à l'autre.

L'espace extra-sociétal

Dans l'espace extra-sociétal, le Parti libéral a toujours été celui des deux principaux partis qui a été le plus ouvert à des alliances avec le gouvernement ou les partis fédéraux. Cela était déjà vrai quand le principal rival du Parti libéral était le Parti conservateur dans le premier tiers du siècle, même si la différence entre les deux partis à cet égard était moins sensible. Le fait que le Parti libéral dirigeait constamment le gouvernement à Québec rendait cependant son alliance avec le parti fédéral plus visible que celle qui pouvait exister entre les deux partis conservateurs. Le Parti conservateur à Québec avait d'ailleurs tout intérêt à ne pas trop s'identifier à un Parti conservateur canadien très impopulaire au Québec, même si les électeurs savaient bien que les deux partis étaient alliés, ne serait-ce que par les recoupements entre le personnel politique et entre les organisateurs sur le terrain.

La création de l'Union nationale, et le caractère de plus en plus autonomiste qu'elle prend après 1944, rend encore plus manifeste que le Parti libéral est celui des deux qui demeure le plus ouvert à l'alliance avec un parti fédéral, en l'occurrence le Parti libéral du Canada. Cette alliance coûte cher au Parti libéral du Québec dans les années 1940 et 1950, mais la source de puissance qu'est le parti fédéral sert au moins à lui fournir un certain soutien, limité par des pactes de neutralité avec l'Union nationale, au moment des élections.

Après 1960, l'alliance entre les deux partis libéraux se relâchera. Le Parti libéral provincial deviendra d'ailleurs, en 1964, autonome par rapport à l'autre. Les liens demeureront cependant plus évidents que ceux qui existent entre l'Union nationale puis le Parti québécois et les partis fédéraux. Au moment de la victoire conservatrice de 1984 et après, le Parti québécois est tenté d'établir une alliance conjoncturelle avec le gouvernement conservateur, mais c'est plutôt le gouvernement libéral de Robert Bourassa qui réussit cette alliance, ce qui confirme que l'ouverture des libéraux provinciaux aux partis et aux gouvernements fédéraux demeure plus grande que celle de leurs rivaux dans l'espace extra-sociétal. Même après l'échec de l'accord du lac Meech, alors que les positions du Parti libéral se durcissent, l'ouverture du parti au gouvernement fédéral demeure plus grande que celle du Parti québécois.

Cette caractéristique tient évidemment à ce que le Parti libéral provincial a toujours été jusqu'à maintenant un parti fédéraliste, et certainement le plus fédéraliste des deux depuis la création de l'Union nationale, même s'il s'est montré à l'occasion très autonomiste (dans les années 1960 et après l'échec de l'accord du lac Meech, en particulier). La plus grande ouverture dans l'espace extra-sociétal renvoie cependant à un trait plus général, dont on retrouve aussi la manifestation dans l'espace intra-sociétal.

L'espace intra-sociétal

L'ouverture aux partis et aux gouvernements fédéraux dans l'espace extra-sociétal représente, dans une certaine mesure, une ouverture à ce qui est étranger par rapport au système politique québécois. Elle témoigne du caractère extroverti du Parti libéral du Québec par rapport à un Parti conservateur qui n'avait pas avantage à manifester son extroversion et par rapport à une Union nationale et à un Parti québécois qui la refusaient tout simplement, sauf en de très rares moments (1958, 1984) où l'ouverture au Parti conservateur canadien a surtout servi à s'opposer au grand ennemi, le Parti libéral canadien.

On retrouve un peu le même phénomène dans l'espace intra-sociétal. Il y a dans cet espace des sources de puissance « familières » qui cherchent à assurer la survie ou le développement de la société canadienne-française au Québec. C'est pendant longtemps l'Église, depuis toujours les milieux nationalistes et plus récemment les milieux syndicaux du secteur public, dans la mesure où ils prétendent que l'État doit leur assurer des conditions qui leur permettent de bien servir la société québécoise, spécialement francophone. Le Parti libéral provincial au vingtième siècle n'a jamais été, sauf en de brefs moments, le principal parti allié de ces sources de puissance. Il n'a jamais été vraiment l'allié de l'Église, avec laquelle il a plutôt cherché la neutralité. Il a été l'allié par défaut des milieux nationalistes dans les années 1920, alors que le Parti conservateur provincial était déconsidéré par eux. Il l'a été de façon plus nette au début des années 1960, surtout au moment de la nationalisation des compagnies d'électricité, mais déjà au milieu des années 1960 et après, il est en relation de rivalité avec les milieux nationalistes qui lui préfèrent l'Union nationale de Daniel Johnson puis le Parti québécois. Avec les milieux syndicaux, les relations ont été plus évolutives. Tant que ces milieux étaient étrangers aux sources de puissance dominantes dans la société, le Parti libéral a été leur allié. C'est d'ailleurs le gouvernement libéral du début des années 1960 qui leur a donné les moyens de renverser en bonne partie cette domination et de devenir, dans le secteur public tout au moins, de redoutables sources de puissance capables de s'imposer aux gouvernements successifs des années 1960 et 1970. Dès l'apparition du Parti québécois, en 1968, le Parti libéral allait cependant se trouver en situation de rivalité ou tout au mieux de neutralité avec les milieux syndicaux.

L'extroversion du Parti libéral par rapport aux sources de puissance de la société familière, celle de la solidarité ethnique entre les nationaux, se manifeste constamment au vingtième siècle par l'absence de rivalité avec les milieux d'affaires considérés jusqu'aux années 1980 comme étrangers par rapport à la « grande famille » des Canadiens français du Québec. L'épisode de la nationalisation de l'électricité, au début des années 1960, est une brève exception à cette constante, et encore ne porte-t-elle que sur un secteur bien circonscrit de l'activité économique. La création de nombreuses sociétés d'État peut sembler aller dans le même sens, mais sa signification s'avère pour le moins ambivalente. On veut peut-être entrer en compétition avec les milieux d'affaires du secteur privé, mais, ce faisant, on cherche aussi à devenir un peu semblables à eux. Quoi qu'il en soit, aucun autre parti d'importance en politique québécoise n'a été, comme le Parti libéral, un allié aussi constant des milieux d'affaires.

L'espace partisan

Dans nos recherches sur l'île d'Orléans au début des années 1960 (Lemieux, 1971a), puis dans des recherches sur l'organisation des partis dans la région de Québec à la fin des années 1960 (Lemieux et Renaud, 1982), des personnes interviewées ont mentionné que les organisateurs libéraux étaient plus compétitifs que les autres, plus « durs » dans leurs relations avec les électeurs et les organisateurs des autres partis.

Un organisateur conservateur et unioniste de l'île d'Orléans exprimait bien cette caractéristique des libéraux, qu'il reliait d'ailleurs à leur statut d'« étrangers » par rapport aux solidarités de la société familière tournée sur elle-même (Lemieux, 1971a: 187):

> Les libéraux sont ambitieux, durs à l'ouvrage en temps d'élection. Ils sont épouvantables : ils foncent, ils sont agressifs. Ici dans la paroisse, ce sont des gens qui ne sortent pas en temps normal, qui ne participent pas aux activités de la paroisse, alors que moi, même si la politique occupe pas mal de mon temps, je suis président du comité paroissial et directeur de la Société Saint-Jean-Baptiste.

Ainsi, le caractère plus compétitif des libéraux tient sans doute à leur statut d'étrangers dans la société familière, à leur extroversion par rapport aux sources dominantes de puissance dans la société nationale. Cette compétition plus valorisée par eux que par les partisans de l'Union nationale ou du Parti québécois révèle en effet une espèce de distance prise par rapport aux valeurs dominantes dans la grande famille. À cause de cela, les libéraux doivent compter davantage sur la compétition partisane pour tenter d'imposer des positions qui ne sont pas celles du discours dominant chez les élites de la société familière.

Cette distance prise par le parti ne va pas sans problèmes à l'intérieur de lui-même. Les rivalités entre les nationalistes et les cosmopolitains ne trouvent guère à s'exprimer tant que le parti domine le système partisan devant un Parti conservateur qui n'arrive pas, sans le secours conjoncturel des nationalistes, à apparaître comme l'allié principal des sources de puissance de la société familière. Toutefois, à partir des années 1930, les tensions internes dans le Parti libéral deviennent plus vives. Au milieu des années 1930 puis à la fin des années 1960, c'est l'aile nationaliste qui fera défection, alors qu'à la fin des années 1980 l'aile anglophone cosmopolitaine se détachera d'un parti qui prend des positions nationalistes sur la langue d'affichage.

Les autres partis ont connu eux aussi ces tensions, entre des partisans plus nationalistes et d'autres qui l'étaient moins, mais celles du Parti libéral ont cela de propre qu'elles ont mené à la création de partis concurrents : l'Action libérale nationale, le Parti québécois et les Partis Égalité et Unité. Dans les deux premiers cas, ces créations ont entraîné à courte ou à moyenne échéance des défaites électorales pour le Parti libéral, mais à plus longue échéance elles lui ont peut-être permis de demeurer de façon constante l'un des deux principaux partis dans l'espace électoral.

L'espace électoral

Depuis qu'il a cessé, au milieu des années 1930, d'être un parti prédominant dans le système partisan, le Parti libéral est devenu une espèce de parti non générationnel qui a pour lui, de façon constante, près de 30 % des électeurs inscrits, mais qui est soumis au cycle de vie de son principal rival, le parti générationnel. Ce fut d'abord l'Union nationale, créée en 1935, et qui atteindra son apogée de 1944 à 1956, après le réalignement de 1935-1944, pour ensuite décliner irrémédiablement à partir de 1960, non sans qu'elle ait connu une rémission presque accidentelle en 1976. Ce fut ensuite le Parti québécois, dont l'apogée a été plus courte, soit de 1976 à 1981, après le réalignement des années 1970-1976. Ce parti a décliné en 1985, puis s'est maintenu en 1989. L'avenir dira si, dans les années 1990, il périclitera comme cela arrive généralement aux partis générationnels ou s'il connaîtra une nouvelle apogée dans un Québec où l'existence de partis générationnels n'aura plus de sens.

Quoi qu'il en soit, jusqu'à maintenant, soit à l'aube des années 1990, le Parti libéral a été l'élément constant du système des partis, le seul à se maintenir depuis le début du siècle, en obtenant toujours l'appui d'au moins 29 % des électeurs inscrits. C'est aussi le seul parti depuis 1960 à qui il est arrivé de recevoir l'appui de plus de la moitié des votants, ce qui s'est produit quatre fois (en 1960, 1962, 1973 et 1985). L'ouverture à l'alliance avec un parti fédéral, la neutralité sinon la rivalité par rapport aux sources de puissance de la société familière et la « dureté » de la compétition avec les partis rivaux n'ont pas donné une formule victorieuse au moment de l'apogée des partis générationnels, mais cela est arrivé quand la formule de ces partis, opposée à celle des libéraux, a perdu de son attrait.

À cet égard, le Parti libéral peut être considéré comme le parti *autre* du Québec, dans les deux sens du terme. C'est l'autre grand parti que le parti générationnel et si ses succès dépendent des échecs de son rival, ils tiennent aussi au caractère compétitif des libéraux et à leur capacité de se renouveler. Cette capacité, par rapport à des partis plus refermés sur le Québec et sur ses sources de puissance à vocation nationaliste, fait aussi du Parti libéral un parti autre pour ne pas dire étranger aux yeux des maîtres de la parole, qui célèbrent cette vocation, et aux yeux de ceux qui se laissent convaincre par cette parole.

Nous retrouvons là nos propos de l'introduction sur la maîtrise du rituel politique. Il y a les officiants qui cherchent à exprimer leur supériorité en protégeant la vie contre les sources extérieures qui la menacent. Et il y a des officiants qui, au contraire, voient dans ces sources extérieures un apport à une vie qui est menacée lorsqu'elle n'est alimentée que par les sources intérieures.

APPENDICE

VERS UNE THÉORIE DE L'ALLIANCE, DE LA RIVALITÉ ET DE LA NEUTRALITÉ

Tout au long de l'ouvrage, les notions d'alliance, de rivalité et de neutralité ont été employées librement pour traiter du Parti libéral et de sa place dans le système politique du Québec. Dans l'appendice, nous donnerons un sens plus précis à ces notions en les resituant d'abord dans la théorie des coalitions, et nous montrerons ensuite comment on peut les enrichir dans le cadre d'une théorie structurale de la connexité et de la cohésion politique.

Dans cette optique, les relations d'alliance, de rivalité et de neutralité d'un parti politique sont orientées vers l'établissement de positions avantageuses dans les structurations du pouvoir, mais elles obéissent aussi à des lois de cohésion qui font que toutes les configurations de relations ne sont pas stables. Quand des configurations instables se produisent, des tensions se développent. Elles conduisent généralement à des transformations dans une ou plusieurs relations, qui demeurent orientées cependant vers la recherche de positions de pouvoir satisfaisantes.

Nous appliquerons cette démarche structurale au Parti libéral en découpant des sous-périodes qui ne correspondent pas toujours à celles qui ont été distinguées jusqu'ici dans l'ouvrage. De ces applications, nous tirerons des conclusions générales sur la démarche structurale utilisée en vue de la construction d'une théorie de l'alliance, de la rivalité et de la neutralité entre les acteurs politiques.

LES COALITIONS ET LES ALLIANCES

Résumant les principaux points de la théorie des coalitions, Browne (1973 : 35) note les quatre éléments suivants :

1) Le *nombre* des acteurs : pour qu'il y ait coalition, il faut qu'au moins trois acteurs soient en relation entre eux. S'il n'y a que deux acteurs, il n'est pas question de coalition, à moins qu'on donne à ce terme une extension excessivement large qui comprenne les relations de coopération entre deux acteurs en l'absence d'autres acteurs ;

2) Les *enjeux* des relations entre acteurs : si deux acteurs ou plus établissent une coalition entre eux, c'est pour obtenir ainsi un « règlement » (*payoff*) supérieur pour chacun d'entre eux à ce qu'ils auraient obtenu s'ils ne s'étaient pas coalisés mais avaient agi de façon individuelle ;

3) Les *atouts* des acteurs : il y a une certaine distribution des atouts entre les acteurs qui se coalisent ou cherchent à le faire. Cette distribution détermine, selon Gamson (1961), la distribution des enjeux entre les participants à la coalition ;

4) Les *seuils de décision* : une coalition n'est efficace que si elle permet, par le nombre de ses membres et leurs atouts, de franchir le seuil de décision qui l'assure d'être victorieuse et d'obtenir ainsi les enjeux recherchés. Par exemple, dans un comité de dix personnes où les décisions sont adoptées à la majorité des voix, la coalition victorieuse doit compter au moins six personnes.

Il faut ajouter un cinquième élément aux quatre de Browne pour pouvoir intégrer un aspect très important, on le verra, de la théorie des coalitions :

5) Les *relations* entre les acteurs : comme l'ont montré Axelrod (1970) et De Swaan (1973) de même que Gamson (1961), et bien d'autres après eux, toutes les coalitions possibles entre un nombre donné d'acteurs ne sont pas susceptibles de se réaliser.

Cela ne dépend pas uniquement des atouts des acteurs. Les phénomènes de proximité et d'éloignement idéologiques ou encore affectifs entre les acteurs font que certaines coalitions sont possibles et d'autres non.

Les trois principaux problèmes qui ont été traités dans le cadre de la théorie des coalitions sont les suivants :

1) La *formation* des coalitions : les principaux débats ont porté sur l'idée de coalition minimale, proposée par Riker (1962) et ensuite mitigée par la prise en considération des liens entre les acteurs. Dans l'étude de la formation des coalitions gouvernementales, la thèse la plus couramment admise aujourd'hui est celle de coalition minimale entre des partis voisins l'un de l'autre sur le plan de leurs positions idéologiques ou autres (voir cependant Strom (1990), pour une remise en question de la notion de coalition minimale) ;
2) Le *partage des enjeux* à l'intérieur des coalitions : à partir de la prédiction de Gamson (1961) voulant que les enjeux obtenus par une des parties à la coalition soient proportionnels aux atouts apportés par cette partie, quelques travaux ont été faits (voir en particulier Browne et Rice (1979)) sur le partage effectif des enjeux dans les coalitions gouvernementales. Les postes de ministres ont été les principaux enjeux étudiés ;
3) La *durée* des coalitions : quelques rares auteurs, dont Warwick (1979), ont cherché à mettre en évidence les facteurs qui expliquent la durée plus ou moins longue des coalitions gouvernementales. Les liens entre les partis et plus précisément les clivages idéologiques entre eux sont le principal facteur explicatif, selon Warwick. Plus récemment, Browne et ses collaborateurs (1984) ont tenté d'élargir les facteurs explicatifs à d'autres aspects plus événementiels de la durée des coalitions.

De la théorie des coalitions à celle des alliances

Nous avons employé dans le présent ouvrage le terme « alliance » plutôt que « coalition ». Cela indique déjà que nous nous inscrivons dans un courant théorique différent (sur ce courant, voir Lemieux (1989)), bien qu'il soit voisin, de celui de la théorie des coalitions. Si nous reprenons les cinq éléments de la théorie et les trois principaux problèmes qu'elle a traités, les ressemblances et différences entre cette théorie et une théorie plus structurale sont les suivantes :

1) Comme dans la théorie des coalitions, les phénomènes d'alliance se produisent dans des ensembles où il y a au moins trois acteurs. Les triades sont les ensembles élémentaires dans l'optique d'une théorie structurale de l'alliance ;

2) Les alliances comme les coalitions sont orientées vers l'imposition de « règlements » plus satisfaisants pour chacun des alliés que ce qu'il obtiendrait s'il n'y avait pas d'alliance. Cependant, dans la théorie structurale des alliances, l'alliance n'est pas toujours négociée explicitement. Elle peut se former par entente tacite. De plus, la rivalité ou la neutralité, auxquelles la théorie des coalitions ne s'intéresse guère, sont des liens qui peuvent permettre d'arriver à des résultats plus satisfaisants que l'alliance, entendue au sens strict, étant donné que la relation importe autant sinon plus que la quantité des moyens d'action dont les acteurs peuvent diriger l'attribution ;

3) Comme dans la théorie des coalitions, les atouts des acteurs consistent dans les « voix » dont ils disposent pour la prise de décision collective ;

4) Les seuils de décision n'ont pas toujours un caractère majoritaire, comme cela est généralement postulé dans la théorie des coalitions. Il y a, par exemple, des décisions dictatoriales qui rendent inutile toute alliance entre ceux qui y sont soumis. Il y a aussi des alliances qui en dominent d'autres même si leurs membres sont moins nombreux. C'est le cas, par exemple, d'un groupe bien organisé qui impose sa décision devant une majorité silencieuse ;

5) Les relations entre les acteurs et plus généralement la structuration des relations sont l'objet principal de la théorie structurale

des alliances, alors qu'elles ont un caractère secondaire dans la théorie numérique des coalitions. Il y a d'ailleurs deux dimensions dans la relation : une dimension instrumentale qui renvoie à un *rapport* de dominance ou non des acteurs l'un envers l'autre et une dimension expressive qui renvoie au *lien* positif ou négatif entre les acteurs, selon qu'ils sont alliés ou rivaux, avec, en plus, la possibilité d'un lien de neutralité de valeur zéro.

Un exemple simple permettra de donner un sens plus concret à ces notions abstraites.

Un exemple de liens entre acteurs

Soit les relations des deux grands partis provinciaux avec le gouvernement central dans l'espace extra-sociétal à la fin des années 1920, puis à la fin des années 1940. Les liens expressifs entre les acteurs et les rapports instrumentaux de dominance entre eux sont représentés dans le graphique 1.

GRAPHIQUE 1

Relations entre le gouvernement central
et les deux principaux partis provinciaux du Québec,
à la fin des années 1920 et à la fin des années 1940

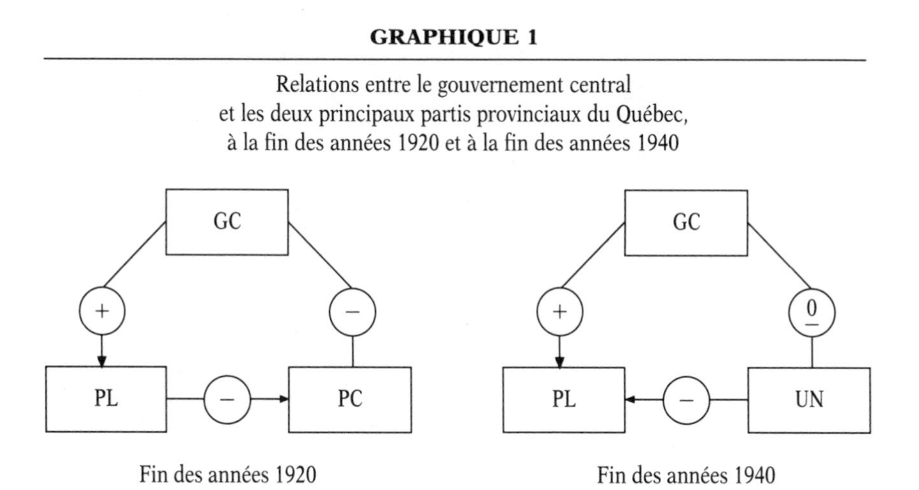

Dans ce graphique comme dans ceux qui suivront, les symboles ont la signification suivante :

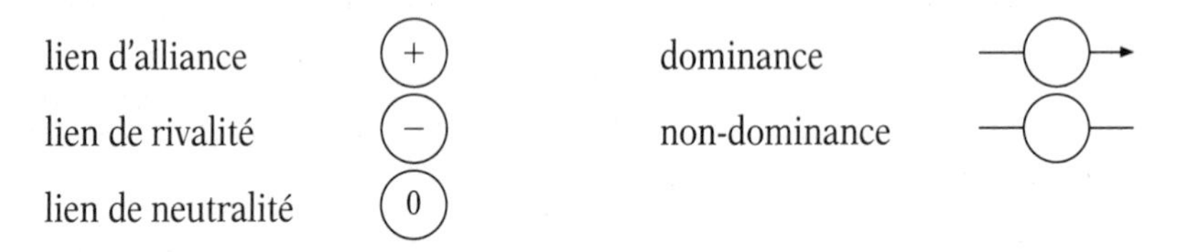

Ainsi, à la fin des années 1920, le gouvernement central (GC) à Ottawa est libéral. Il est allié avec le Parti libéral provincial (PL) et rival du Parti conservateur provincial (PC), qui ne se distingue guère du Parti conservateur fédéral. Le Parti libéral et le Parti conservateur sont évidemment rivaux entre eux.

La dominance renvoie au contrôle par un des acteurs des décisions entendues au sens large qui concernent les moyens d'action ou, mieux, de puissance auxquels les électeurs sont sensibles. À la fin des années 1920, même si le gouvernement du Parti libéral à Québec domine à l'occasion le gouvernement central dans sa défense de l'autonomie provinciale (comme nous l'avons signalé au chapitre 1), GC est dominant par rapport à PL. Celui-ci, qui dirige le gouvernement provincial, domine PC, qui forme l'opposition officielle. GC et PC ne sont pas engagés dans des décisions communes, c'est pourquoi nous posons un rapport de non-dominance entre eux. La non-dominance peut aussi signifier que deux acteurs participent à des décisions communes, mais qu'aucun des deux ne les domine de façon évidente.

À la fin des années 1940, le gouvernement central (GC) à Ottawa est encore une fois libéral, et il domine son allié, le Parti libéral provincial (PL), en particulier dans la sélection du chef du parti provincial et dans ses orientations fédéralistes. L'Union nationale (UN), qui dirige le gouvernement à Québec et domine ainsi le Parti libéral, a, contrairement à l'ancien Parti conservateur, un lien complexe avec le gouvernement libéral d'Ottawa fait de rivalité mais aussi de neutralité. L'Union nationale est officiellement un parti strictement provincial et n'appuie pas à ce moment-là le Parti conservateur canadien. Sur le plan local, il y a même des pactes de neutralité entre unionistes et libéraux fédéraux, comme nous l'avons mentionné au chapitre 2. Entre GC et UN, on peut parler de non-dominance dans les décisions communes, l'Union nationale s'opposant avec succès à certaines visées centralisatrices d'Ottawa.

Cet exemple illustre les cinq points caractéristiques d'une théorie structurale des alliances en tant que proche parente de la théorie des coalitions :

1) Dans notre exemple, comme dans les analyses qui suivront, il y a au moins trois acteurs, la triade étant l'entité élémentaire d'une théorie de l'alliance ;

2) Comme dans la théorie des coalitions, les acteurs s'allient entre eux afin d'obtenir ou de conserver des moyens d'action satisfaisants. C'est le calcul fait par le Parti libéral à la fin des années 1920, et encore à la fin des années 1940 où il est tellement démuni qu'il ne peut pas se passer du soutien du parti fédéral. Il faut ajouter que la rivalité et la neutralité obéissent elles aussi à ce calcul, comme le montrent bien les positions prises par l'Union nationale devant le gouvernement libéral d'Ottawa à la fin des années 1940 ;

3) Les atouts des acteurs consistent dans les voix dont ils disposent pour la prise de décision. La notion de voix dominante a été et sera utilisée de façon plutôt impressionniste pour marquer que les acteurs se dominent ou non entre eux dans la prise de décision. Ce qui nous intéresse ici n'est pas tant l'étude du pouvoir dans la prise de décision que les conséquences de la dominance ou de son absence sur le maintien ou non des relations entre les acteurs, et en particulier sur l'évaluation qui est faite des partis par les électeurs dans l'espace électoral ;

4) Les voix dominantes ne le sont pas dans l'absolu, mais dépendent des seuils de décision. Dans les relations entre deux acteurs, à supposer qu'ils aient une voix égale ou un nombre égal de voix, il n'y a qu'un seuil de décision, celui de l'unanimité. Dans les situations que nous étudions, la non-dominance entre les alliés correspond parfois à l'unanimité, mais quand il y a rivalité ou neutralité, la non-dominance correspond plutôt à la dominance alternée de l'un sur l'autre, le vainqueur disposant d'une

espèce de voix prépondérante qui lui permet de franchir le seuil de la majorité et d'imposer ainsi sa décision;

5) Le propre de la théorie structurale de l'alliance est de poser que la structuration des relations entre les acteurs obéit à certaines exigences. Lorsqu'elles ne sont pas remplies, il y a des tensions dans les relations qui évoluent alors vers de nouvelles structurations.

Nous allons maintenant formuler ces exigences pour voir ensuite si les quelques propositions qui en découlent sont confirmées ou infirmées par leur application aux faits établis dans les chapitres précédents.

UNE THÉORIE STRUCTURALE DE L'ALLIANCE

Rappelons d'abord quelques postulats que nous avons faits dans l'introduction:

1) Le Parti libéral, comme tous les grands partis dans les systèmes politiques, cherche à dominer le ou les partis rivaux dans l'espace électif afin de diriger le gouvernement;

2) Cette domination dépend du vote des électeurs dans l'espace électoral et du système électoral qui transforme les répartitions de votes en répartition des sièges dans l'espace électif;

3) Le vote des électeurs, et tout particulièrement celui des électeurs non constants, dépend de leur évaluation des partis dans trois espaces politiques: l'espace extra-sociétal, l'espace partisan et l'espace intra-sociétal;

4) Les électeurs évaluent de façon positive, négative ou mixte dans ces espaces les relations d'alliance, de rivalité ou de neutralité des partis avec les sources de puissance.

La théorie structurale de l'alliance, de la rivalité et de la neutralité – que nous appelons théorie de l'alliance, pour abréger – prédit que ces relations dans les triades d'acteurs et par là dans les configurations plus vastes obéissent à une exigence de cohésion telle que *les acteurs peuvent être rassemblés dans des pôles à l'intérieur desquels les relations sont positives et entre lesquels les relations sont négatives.*

Dans une triade faite de trois acteurs et de relations entre eux qui sont ou bien d'alliance (+) ou bien de rivalité (−), quatre configurations sont possibles (graphique 2). Notons que les rapports de dominance ne sont pas pris en considération ici.

GRAPHIQUE 2

Quatre configurations possibles entre trois acteurs liés par des relations d'alliance (+) ou de rivalité (−)

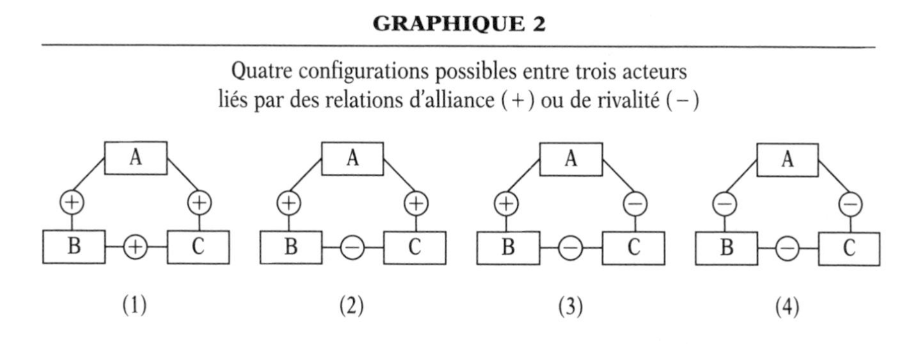

Dans le graphe 1, les trois acteurs sont alliés entre eux et forment un seul pôle, dont on peut supposer que les relations qui lui sont externes sont négatives. Cette structuration est cohésive. Ce n'est pas le cas du graphe 2 où B et C sont rivaux l'un de l'autre, même s'ils sont tous deux alliés de A. Le graphe n'obéit pas à la définition précédente et n'est donc pas cohésif.

La cohésion peut être rétablie par un passage à la structuration du graphe 1 ou encore par un passage à celle du graphe 3, où A et B alliés entre eux forment un pôle et C un autre pôle. Entre les deux pôles, les relations sont de rivalité. Il y a donc cohésion. Il y a cohésion également dans le graphe 4 où chaque acteur forme un pôle, les relations étant toutes de rivalité.

Comme Cartwright et Harary (1979) l'ont montré, les relations de neutralité et d'ambivalence (alliance-rivalité) permettent d'élargir la théorie de la cohésion. Nous en avons d'ailleurs fait un usage fréquent, au même titre que les relations d'alliance et de rivalité, dans les chapitres précédents.

La neutralité peut être conçue comme une relation de retrait qui permet d'éviter un lien commandé par l'exigence de cohésion, mais qui est jugé indésirable. Soit la relation entre A et C. Si notre proposition est fondée, il y aura neutralité :

- en 1, si A et C refusent de s'allier entre eux, étant plutôt portés vers la rivalité ;
- en 2, si au contraire A et C sont portés vers l'alliance, contre-indiquée par l'existence des deux autres relations de la triade ;
- en 3, si là encore A et C sont portés vers l'alliance et refusent d'être rivaux ;
- en 4, si A et C n'arrivent pas à choisir entre l'alliance et la rivalité, toutes deux permises par les deux autres relations de la triade.

L'ambivalence, faite d'alliance et de rivalité à la fois, est au contraire une relation de non-retrait, ou d'engagement, où deux acteurs affichent une relation double, dont les deux composantes sont permises dans la triade. D'après cette proposition théorique, seules la relation entre A et B dans le graphe 3 et les trois relations du graphe 4 peuvent donner lieu à de l'alliance-rivalité.

Ces « lois » simples doivent cependant être complexifiées de deux façons. Premièrement, l'alliance-rivalité peut avoir pour fin d'introduire de la non-cohésion dans une structuration cohésive qui dessert le pouvoir des deux acteurs de cette relation. On peut d'ailleurs dire la même chose des relations simples d'alliance ou de rivalité. Ainsi, dans le graphe 3, à supposer que B domine la coalition qu'il forme avec A, l'alliance-rivalité entre A et C peut servir à introduire un élément de non-cohésion dans une structuration qui défavorise A et surtout C. La non-cohésion peut faire évoluer la structuration des relations vers une situation où l'alliance de A et C contre B remplace la situation antérieure.

Deuxièmement, il arrive souvent, également, que la neutralité ou encore l'alliance-rivalité soient commandées par la nécessité de concilier les exigences de deux triades différentes où se trouvent pris les neutres ou les alliés-rivaux. À supposer par exemple que A et C fassent partie du graphe 3, mais aussi d'un autre graphe où ils auraient tous deux des relations d'alliance avec D, la neutralité ou encore l'alliance-rivalité serait une façon, passive ou active selon le cas, de concilier les exigences du graphe ABC et celles du graphe ACD.

Notons enfin que les acteurs ont parfois des relations alternées entre eux, qui sont faites de neutralité, d'une part, et de rivalité ou encore d'alliance, d'autre part. C'est le cas de la relation entre l'Union nationale et le gouvernement central dans le graphe 2 du graphique 2. Ce type de relation consiste en une alternance de retrait et d'engagement, qui obéit aux exigences de cohésion. L'Union nationale a parfois intérêt à s'opposer au gouvernement central, allié du Parti libéral provincial, et parfois intérêt à se retirer dans la neutralité pour affirmer qu'elle est un parti strictement provincial, contrairement au Parti conservateur qui l'a précédée.

LES ANNÉES 1897-1935

Pour ne pas trop compliquer les graphes qui représenteront l'état des alliances, des rivalités ou des neutralités aux différentes sous-périodes étudiées, nous limiterons le nombre des acteurs principaux, dans les différents espaces, à dix ou moins.

Parmi les partis fédéraux, seuls le Parti libéral et le Parti conservateur seront pris en considération. À la fin de l'appendice, nous ferons cependant quelques remarques sur la situation du Crédit social dans les années 1960 et 1970.

Les principaux acteurs dans l'espace intra-sociétal seront réduits à deux ou trois : l'Église et les milieux nationalistes ainsi que la grande entreprise dans les premières sous-périodes, puis les syndicats et les intellectuels, de même que la petite et moyenne entreprise dans la suite.

Dans l'espace partisan, nous nous limiterons à inclure le Parti libéral et son principal adversaire, sauf dans les années 1970 où l'Union nationale se retrouvera à côté du Parti québécois.

Dans l'espace partisan interne au Parti libéral, nous poserons, de façon un peu artificielle, trois groupes entre lesquels les relations varieront d'une période à l'autre de l'alliance complète à l'alliance mêlée d'alliance-rivalité.

Enfin, les électeurs du Québec dans l'espace électoral seront réduits à une seule position, mais nous montrerons à la fin comment l'analyse pourrait être rendue plus complexe, ce qui servirait à mieux expliquer l'évaluation des électeurs.

Le graphique 3 présente les relations caractéristiques de la période 1897-1935 où le Parti libéral dirige le gouvernement du Québec sans interruption pendant 39 ans.

GRAPHIQUE 3

Relations les plus courantes entre les principaux acteurs politiques au Québec, de 1897 à 1935

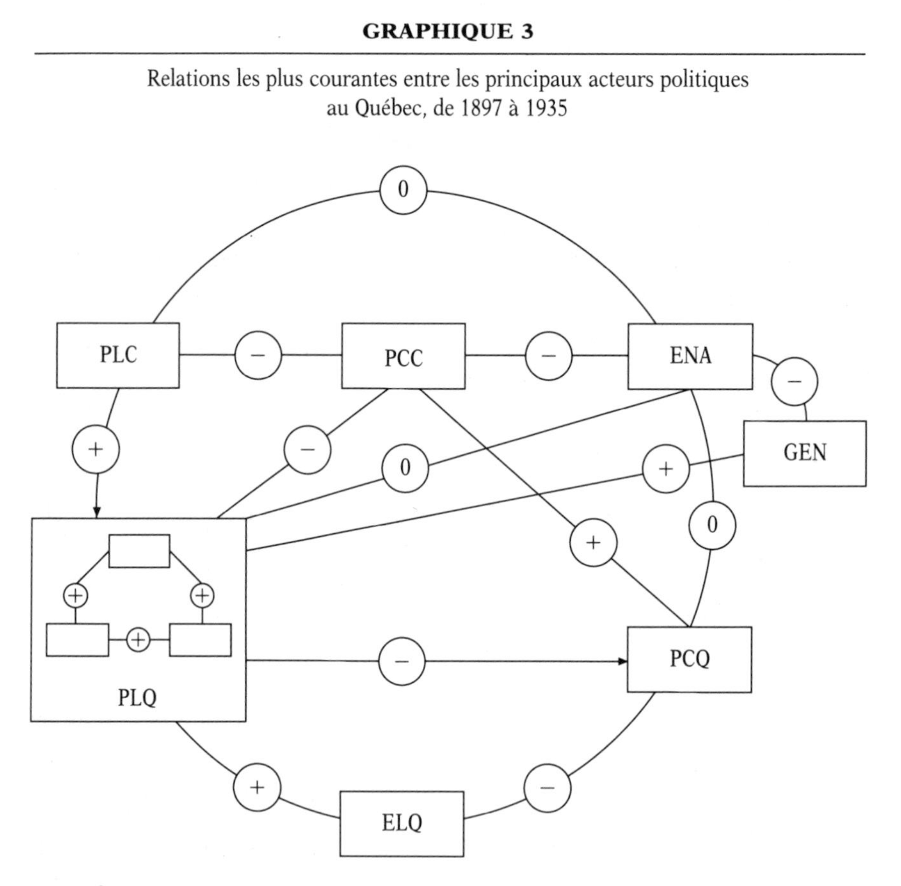

ELQ : électeurs provinciaux du Québec
ENA : Église et milieux nationalistes
GEN : grande entreprise
PCC : Parti conservateur du Canada
PCQ : Parti conservateur du Québec
PLC : Parti libéral du Canada
PLQ : Parti libéral du Québec

Les relations et leurs modifications durant la sous-période

Si on passe en revue chacune des relations du graphique 3, on peut résumer ainsi la forme générale qu'elles prennent et les modifications qu'elles subissent durant la sous-période :

1) Les partis libéraux de même que les partis conservateurs sont des alliés constants l'un de l'autre dans l'espace extra-sociétal, le parti fédéral dominant généralement le parti provincial, comme l'indiquent les relations dans le graphique entre PLC et PLQ, d'une part, et entre PCC et PCQ, d'autre part. La dominance du parti fédéral est habituellement plus grande quand il dirige le gouvernement, bien que dans les années 1920 les revendications autonomistes de Taschereau, dont l'accession à la tête de son parti n'était pas due à l'intervention des fédéraux, aient coloré d'un peu de rivalité l'alliance entre les deux partis libéraux. Ils n'en faisaient qu'un dans la perception de bien des électeurs du Québec, surtout ceux qui s'identifiaient de façon constante au parti, sur la scène fédérale comme sur la scène provinciale ;

2) Dans l'espace intra-sociétal, nous avons limité les sources non partisanes de puissance à l'Église et aux milieux nationalistes ainsi qu'à la grande entreprise. C'est évidemment une simplification commode pour ne pas trop surcharger le graphique, mais il demeure que ces deux grands acteurs, pas toujours unifiés à l'intérieur d'eux-mêmes, ont été les deux principales sources de puissance non partisane de l'époque. La première dispensait des moyens immatériels, la seconde, des moyens matériels. Les deux étaient d'ailleurs rivales entre elles. Les relations du Parti libéral avec la grande entreprise, exploitant les richesses naturelles du Québec, ont été généralement positives tout au long de la période, chacun des acteurs contrôlant des moyens de puissance utiles à l'autre. Le Parti conservateur, quant à lui, se définissait parfois comme rival de la grande entreprise, en tant que parti d'opposition qui s'en prenait au gouvernement libéral, mais la provenance sociale des dirigeants conservateurs et leurs attaches avec le parti fédéral les inclinaient plutôt à la neutralité. Les relations avec l'Église et les milieux

nationalistes étaient plutôt neutres, et ce de la part des deux partis provinciaux. L'arrivée de Laurier à la tête du Parti libéral canadien a neutralisé, comme nous l'avons montré au chapitre 1, les relations avec les ecclésiastiques et les milieux nationalistes, qui n'en furent pas moins négatives, à l'occasion, au cours de la période ;

3) Même si elles ont parfois été marquées de neutralité, les relations de l'Église et des milieux nationalistes avec le Parti conservateur fédéral ont été le plus souvent négatives. Avec le Parti libéral, la neutralité a été plus constante, non sans qu'il y ait rivalité ouverte à l'occasion des élections fédérales de 1911, où Laurier fut défait et ses appuis au Québec fortement ébranlés ;

4) À l'intérieur du Parti libéral (dans l'espace partisan dit interne), l'alliance entre les différentes tendances a été constante durant toute la période, sauf au début du siècle quand le chef Parent a été l'objet d'une contestation interne et au début des années 1930 quand de jeunes libéraux plus nationalistes et d'une moralité politique plus stricte que leurs aînés se sont rebellés et ont finalement quitté le parti pour former l'Action libérale nationale. Cette aile dissidente se distinguait des dirigeants du parti par des relations négatives avec la grande entreprise et des relations plutôt positives avec les milieux nationalistes, ce qui illustre que les dissensions internes sont généralement nourries par des relations différentes qu'ont les parties en cause avec des sources de puissance extérieures aux partis ;

5) Dans l'espace partisan externe, le Parti libéral du Québec a dominé son rival, le Parti conservateur, durant toute la période, parce qu'il a toujours obtenu plus de votes que lui dans l'espace électoral et plus de sièges dans l'espace électif. Nous avons marqué cela dans le graphique 3 en indiquant de façon un peu simpliste que les électeurs (majoritairement) se sont considérés comme les alliés du Parti libéral et comme les rivaux du Parti conservateur. Les répartitions des électeurs constants et des électeurs non constants que nous avons établies dans les chapitres précédents donnent une image statistiquement plus précise de ces liens d'alliance et de rivalité.

La majorité des électeurs évaluent plus favorablement les partis libéraux et leurs alliés que les partis conservateurs et leurs alliés. Cette majorité forme avec les deux partis libéraux et la grande entreprise un pôle qui est prédominant jusqu'au début des années 1930. Le Parti libéral fédéral est l'acteur dominant de ce pôle. À ce pôle s'oppose celui qui est formé des deux partis conservateurs et d'une minorité d'électeurs. L'Église et les milieux nationalistes constituent un troisième pôle nettement opposé à la grande entreprise et opposé le plus souvent au Parti conservateur du Canada, tenu responsable de la conscription et de gestes hostiles envers les minorités francophones hors du Québec.

Les relations de neutralité et d'ambivalence

Les trois relations de neutralité dans le graphique concernent l'Église et les milieux nationalistes, les autres acteurs intéressés étant respectivement le Parti libéral du Canada, le Parti libéral du Québec et le Parti conservateur du Québec. Ces relations de neutralité, avons-nous dit plus haut, sont significatives en ce qu'elles permettent d'éviter une relation d'alliance ou de rivalité non désirée qui est en quelque sorte commandée par les deux autres relations qui existent dans une triade :

1) La neutralité de l'Église et des milieux nationalistes envers le Parti libéral du Canada permet d'éviter l'alliance avec lui dans la triade formée de ENA, PCC et PLC. Cette alliance avec les « rouges » est indésirable dans une perspective historique ;

2) Il en est un peu de même de la neutralité envers le Parti libéral du Québec, qui permet d'éviter l'alliance avec eux contre le Parti conservateur du Canada. D'autant plus que les libéraux de Québec sont alliés avec la grande entreprise, rivale de l'Église et des milieux nationalistes. Il y aurait incohérence à s'allier avec des alliés de ses rivaux ;

3) La neutralité habituelle envers le Parti conservateur du Québec permet d'éviter la rivalité avec eux, commandée par les relations avec le Parti conservateur du Canada. Cette rivalité diminuerait encore les chances du Parti conservateur en politique provinciale (l'Église et les milieux nationalistes étant

neutres, donc plus favorables, envers les libéraux), ce qui est indésirable pour ENA.

Il résulte de tout cela que le Parti conservateur du Québec a pour seul allié le parti fédéral, déconsidéré au Québec, alors que le Parti libéral a pour allié un parti fédéral beaucoup mieux considéré et est le plus souvent en situation de neutralité avec l'Église et les milieux nationalistes, ses rivaux potentiels les plus puissants.

La création de l'Union nationale et le réalignement des années 1935-1944 transforment plusieurs des relations et produisent une nouvelle configuration structurale qui va assurer la dominance du nouveau parti sur le Parti libéral durant presque toute la période 1935-1960.

DE 1944 À LA FIN DES ANNÉES 1950

La fusion dans l'Union nationale du Parti conservateur provincial, allié au Parti conservateur fédéral constamment rejeté par les électeurs du Québec, a sans doute été la transformation principale qui a entraîné les autres. Comme le montre le graphique 4, ces transformations sont favorables à l'Union nationale et expliquent qu'elle domine le Parti libéral durant la majeure partie de la période, sauf de 1939 à 1944 (rappelons cependant que le Parti libéral a plus d'appuis que l'Union nationale dans l'espace électoral en 1944).

Les relations et leurs modifications durant la sous-période

Au moment des élections de 1939, la relation entre le gouvernement libéral d'Ottawa et l'Union nationale qui gouverne à Québec est négative plutôt que neutre. Les électeurs préfèrent majoritairement, dans cette conjoncture très particulière, l'alliance libérale en qui ils voient une protection contre le Parti conservateur fédéral, responsable de la conscription de 1917, et l'Union nationale qui apparaît encore quelque peu comme son alliée.

Les signes des relations dans le graphique 4 représentent donc plutôt les situations qui existent dans les années 1940 et 1950, et plus

GRAPHIQUE 4

Relations les plus courantes entre les principaux acteurs politiques au Québec, de 1944 à 1957

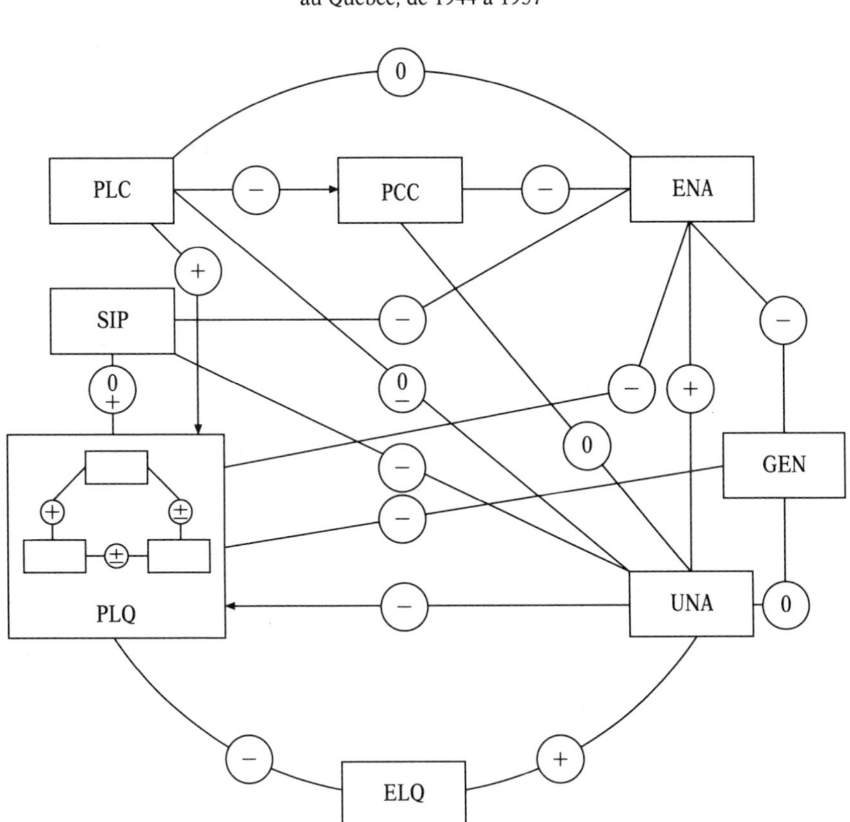

ELQ : électeurs provinciaux du Québec
ENA : Église et milieux nationalistes
GEN : grande entreprise
PCC : Parti conservateur du Canada
PLC : Parti libéral du Canada
PLQ : Parti libéral du Québec
SIP : syndicats et intellectuels
UNA : Union nationale

particulièrement à compter des élections de 1944, alors que se termine le réalignement commencé en 1935 :

1) Les deux partis libéraux continuent d'être alliés l'un de l'autre durant toute la période, même si quelques tensions se manifestent au cours des années 1950. L'accession de Jean Lesage à la direction du parti provincial annule ces tensions et démontre d'ailleurs que le parti fédéral continue de dominer le parti provincial ;

2) Par contre, l'Union nationale prend ses distances envers le Parti conservateur fédéral et maintient une relation de neutralité avec lui jusqu'à la fin des années 1950. Elle s'alliera cependant ouvertement avec le parti fédéral à l'occasion des élections fédérales de 1958, ce qui contribuera à la victoire des conservateurs au Québec, mais enlèvera à l'Union nationale une arme importante, sa neutralité envers les partis fédéraux ;

3) Durant toute la période, en effet, l'Union nationale se définit comme un parti strictement provincial. Cela permet de garder une attitude de neutralité envers le Parti conservateur d'Ottawa, ce qui est d'autant plus facile que ce parti est toujours dans l'opposition, du moins jusqu'en 1957. La neutralité est plus difficile à maintenir avec le Parti libéral fédéral, qui dirige le gouvernement central. Elle est souvent remplacée par de la rivalité à l'occasion des conflits entre les deux paliers de gouvernement. C'est pourquoi nous avons inscrit dans le graphique les deux signes de la neutralité et de la rivalité pour marquer l'alternance entre les deux relations. Cette alternance stratégique sert bien l'Union nationale. Elle ne peut s'opposer constamment à un gouvernement central libéral, très populaire chez les électeurs du Québec et qui est dirigé par un Canadien français, Louis Saint-Laurent, de 1948 à 1957. La neutralité est manifeste au moment des élections, alors que dans plusieurs circonscriptions il existe des pactes de neutralité entre les deux partis. Elle est manifeste également dans l'absence d'animosité personnelle entre Duplessis et Saint-Laurent ;

4) L'Union nationale s'en prend surtout au Parti libéral provincial qu'elle accuse d'être à la solde du parti fédéral. Le choix de

Georges-Émile Lapalme, ancien député fédéral, comme chef du parti provincial, alimente on ne peut mieux ces accusations. Les échecs du parti provincial le rendent d'ailleurs dépendant d'un parti fédéral aux succès répétés ;

5) Cette dépendance est un des éléments de contestation de la part des jeunes libéraux et des moins jeunes qui forment la Fédération libérale. Lapalme lui-même adopte de plus en plus cette attitude. Plus généralement, le Parti libéral est le siège de tensions, surtout au cours des années 1950, entre une aile plus progressiste, alliée de Lapalme et active dans la Fédération libérale, et une aile plus conservatrice, ambivalente envers l'autre tendance. Nous avons marqué cela dans le graphique par des relations d'alliance-rivalité à l'intérieur du parti ;

6) Dans l'espace intra-sociétal, l'Union nationale, parti autonomiste et strictement provincial, est l'alliée de l'Église et des milieux nationalistes qui, de façon concomitante, deviennent des adversaires du Parti libéral provincial. L'Union nationale a avec la grande entreprise des relations plus distantes que le Parti libéral avant elle. Nous les avons marquées de neutralité, même si Duplessis et son entourage s'entendaient assez bien, en privé, avec les milieux d'affaires. Les milieux syndicaux et les intellectuels progressistes deviennent au cours des années un acteur important, rival de l'Union nationale et plutôt allié du Parti libéral, mais non sans que cette alliance soit tempérée de neutralité ;

7) L'Union nationale se trouve donc en meilleure position que le Parti conservateur de la période précédente dans l'espace extra-sociétal et dans l'espace intra-sociétal, et inversement le Parti libéral du Québec se trouve en moins bonne position. Il subit d'ailleurs des tensions dans son espace partisan interne. Les électeurs constants se divisent à peu près également entre les deux principaux partis, mais les électeurs non constants sont davantage attirés par l'Union nationale, dont le réseau de relations est supérieur à celui du Parti libéral.

Les relations de neutralité, d'ambivalence ou d'alternance

Le graphique 4 contient trois relations de neutralité, quelques relations ambivalentes d'alliance-rivalité (à l'intérieur du Parti libéral) et deux relations avec alternance, l'une de neutralité/rivalité et une de neutralité/alliance. Nous traiterons successivement de ces trois types de relations :

1) La relation de neutralité de l'Union nationale avec le Parti conservateur fédéral permet surtout d'éviter l'alliance avec ce parti quand la relation de l'Union nationale avec le gouvernement libéral d'Ottawa devient négative ;

2) L'Église et les milieux nationalistes continuent d'entretenir une relation de neutralité avec le gouvernement libéral à Ottawa, ce qui évite de former avec lui une relation d'alliance dans la triade incluant aussi le Parti conservateur fédéral ;

3) La neutralité affichée de l'Union nationale envers la grande entreprise, qui exploite les richesses naturelles du Québec, permet d'esquisser à la fois les accusations d'alliance venant du Parti libéral du Québec, en opposition circonstancielle avec la grande entreprise, et la rivalité à laquelle s'attendent l'Église et les milieux nationalistes, qui demeurent opposés à la grande entreprise ;

4) Les relations ambivalentes d'alliance-rivalité à l'intérieur du Parti libéral permettent à l'aile progressiste et à la direction du parti, qui est plutôt son alliée sous Lapalme, de ne pas rompre avec l'aile plus traditionnelle avec laquelle elle est en situation de conflit ou de coopération, selon les cas. Le désaccord sur les relations avec le parti fédéral, la grande entreprise, les syndicats et les intellectuels entraîne l'ambivalence des relations entre les deux groupes ;

5) Nous avons déjà traité de la relation alternée de l'Union nationale (neutralité/rivalité) avec le gouvernement libéral d'Ottawa. Rappelons seulement qu'elle permet surtout d'éviter une relation trop négative avec un parti très populaire sur la scène fédérale au Québec ;

6) L'autre relation alternée est une relation d'alliance/neutralité entre le Parti libéral et les syndicats et les intellectuels. Ceux-ci préfèrent le Parti libéral à l'Union nationale, et ils ont des relations négatives avec l'Église et les milieux nationalistes, ce qui les porte vers le Parti libéral. Ils s'allient à l'occasion avec les libéraux, dont ils n'ont pas une très haute opinion (en particulier lors des élections de 1952), mais ils gardent aussi, à d'autres occasions, leurs distances avec le Parti libéral, en travaillant notamment à la mise sur pied d'une autre formation politique, nommée le Rassemblement.

La victoire du Parti conservateur aux élections fédérales de 1957, puis de 1958, aidé en cela par l'Union nationale, ainsi que la rivalité qui va se développer entre les deux partis libéraux et l'alliance plus entière entre le Parti libéral du Québec et les syndicats et les intellectuels progressistes sont les changements les plus notables qui se produisent à la fin des années 1950 et au début des années 1960. Ils vont transformer de façon importante la configuration des relations entre les principaux acteurs politiques.

LA FIN DES ANNÉES 1950 ET LE DÉBUT DES ANNÉES 1960

Comme le montre le graphique 5, les acteurs principaux sont toujours les mêmes, mais les nationalistes souverainistes et en particulier le RIN font de plus en plus entendre leur voix. Si nous avons maintenu l'Église et les milieux nationalistes traditionnels dans le graphique, c'est parce qu'ils ont été des acteurs non négligeables au moment des débats sur la réforme de l'éducation et sur la nationalisation de l'électricité. Nous n'en tiendrons plus compte par la suite.

Les relations et leurs modifications durant la sous-période

Les transformations dans les relations du Parti libéral qui se produisent par rapport à la sous-période précédente lui sont toutes favorables. À l'inverse, les transformations dans ses relations ne profitent guère à l'Union nationale. Si on commence par les relations qui sont d'alliance ou de rivalité, les transformations sont les suivantes :

1) Le Parti libéral est l'allié des syndicats et des intellectuels, du moins dans les premières années de la décennie 1960. Ces milieux sont évidemment très opposés à l'Union nationale. Les premières grèves dans le secteur public viennent ensuite modi-

GRAPHIQUE 5

Relations les plus courantes entre les principaux acteurs politiques au Québec, de 1958 à 1966

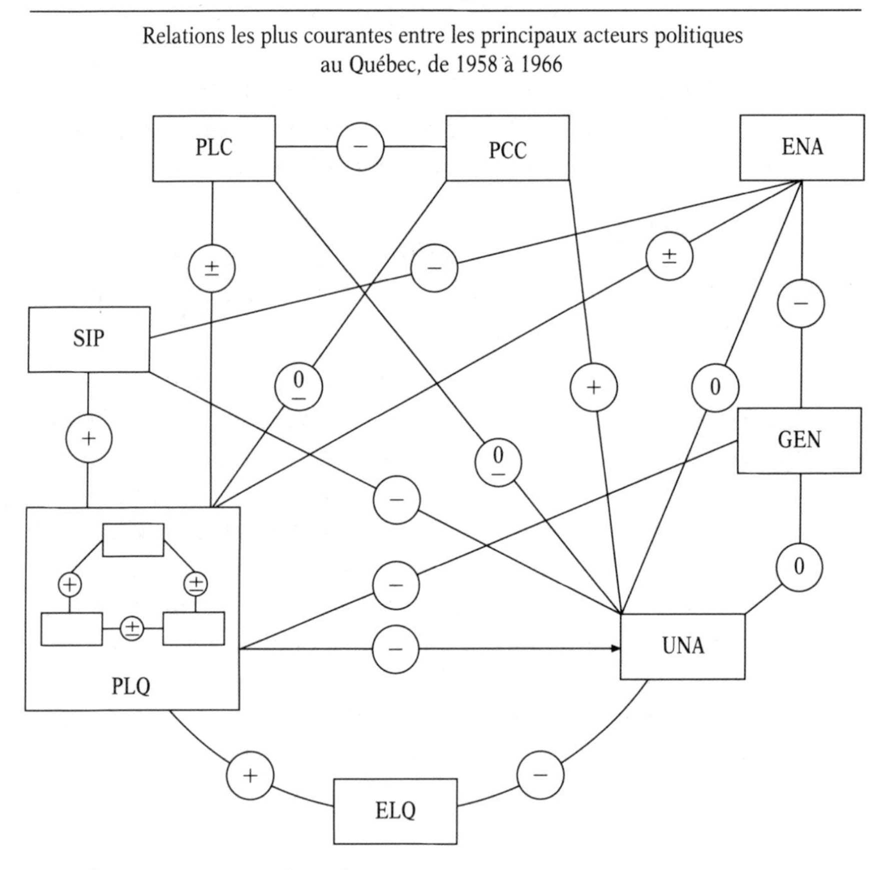

ELQ : électeurs provinciaux du Québec
ENA : Église et milieux nationalistes
GEN : grande entreprise
PCC : Parti conservateur du Canada
PLC : Parti libéral du Canada
PLQ : Parti libéral du Québec
SIP : syndicats et intellectuels
UNA : Union nationale

fier cette relation, mais il demeure que le vote de ces milieux va bien plus au Parti libéral qu'à l'Union nationale. L'étatisme teinté de nationalisme qui amène le gouvernement libéral à nationaliser les compagnies d'électricité, à faire la réforme de l'éducation, etc., confirme d'ailleurs l'alliance avec les milieux syndicaux et intellectuels opposés à la grande entreprise ainsi qu'à l'Église et aux milieux nationalistes traditionnels;

2) L'Union nationale qui s'est associée avec le Parti conservateur pour battre les libéraux fédéraux apparaît comme l'alliée du gouvernement conservateur, peu populaire au Québec, et qui subira d'ailleurs un recul considérable aux élections fédérales de 1962 et de 1963. L'Union nationale retrouve alors une position de neutralité, plusieurs de ses membres étant attirés par le Parti du Crédit social.

Beaucoup de relations sont neutres ou encore ambivalentes ou alternées. Le Parti libéral, là encore, exploite mieux ces relations que ne le fait l'Union nationale:

1) Pour la première fois depuis le début du siècle, le Parti libéral du Québec prend ses distances par rapport au Parti libéral fédéral et au gouvernement qu'il dirige à partir de 1963. Les négociations entre les deux gouvernements sont marquées de rivalité, et la création en 1964 d'un parti autonome par rapport au Parti libéral du Canada montre également que les deux partis sont désormais alliés-rivaux. Cette ambivalence a pour principal avantage d'enlever à l'Union nationale, par ailleurs compromise avec le Parti conservateur, son argument traditionnel touchant la connivence entre les deux partis libéraux. Toutefois, à l'approche des élections de 1966, l'appui du gouvernement libéral du Québec à la formule Fulton-Favreau modifie la situation aux dépens du Parti libéral;

2) Le gouvernement libéral à Québec établit aussi une relation d'alliance-rivalité avec l'Église et les milieux nationalistes traditionnels auxquels les libéraux étaient auparavant opposés. Cette ambivalence est manifeste à l'occasion du débat autour de la création du ministère de l'Éducation et du Conseil supérieur de l'éducation. La rivalité est tempérée d'alliance, en particu-

lier dans les négociations avec l'Église. La nationalisation des compagnies d'électricité, quant à elle, entraîne plus d'alliance que de rivalité, dans la mesure où les milieux ecclésiastiques et nationalistes sont des adversaires de la grande entreprise étrangère. Cette ambivalence du Parti libéral permet, entre autres, de concilier la rivalité, commandée par les exigences de cohésion dans la triade qu'il forme avec SIP et ENA, et l'alliance, rendue nécessaire par les exigences de cohésion dans la triade formée avec GEN et ENA. Toutefois, à l'approche des élections de 1966, les milieux nationalistes et les autres milieux traditionnels prennent leurs distances par rapport au Parti libéral ;

3) À l'intérieur du Parti libéral, il continue d'y avoir des relations d'alliance-rivalité entre les partisans de la Fédération et ceux de l'organisation. Comme durant la période précédente, les divisions entre les deux groupes dans l'espace partisan interne s'expliquent en partie par leur désaccord sur les relations du parti dans l'espace extra-sociétal et dans l'espace intra-sociétal ;

4) Avec le gouvernement conservateur à Ottawa, le Parti libéral alterne la neutralité avec la rivalité. Étant donné qu'à ce moment-là les relations avec le Parti libéral fédéral sont encore plus positives que négatives, la neutralité permet d'éviter la relation trop exclusivement négative qui aurait fait apparaître les libéraux provinciaux comme ayant des partis pris trop évidents dans l'espace extra-sociétal ;

5) C'est un peu pour les mêmes raisons que l'Union nationale continue d'alterner la neutralité avec la rivalité dans ses relations avec le gouvernement libéral à Ottawa. À la fin de la période cependant, c'est plutôt la rivalité qui domine, surtout après que Daniel Johnson eut écrit *Égalité ou indépendance* ;

6) Enfin, l'Union nationale est réduite à la neutralité dans ses relations avec ENA et GEN. Avec GEN il n'y a pas de changement. Le projet de nationalisation des compagnies d'électricité place l'Union nationale dans une position embarrassante. Si elle approuve le projet et se définit comme rivale de GEN, elle devient alliée du Parti libéral ; si elle s'y oppose, elle heurte les

milieux nationalistes qui sont ses alliés traditionnels. L'espèce de neutralité où elle se réfugie par rapport à GEN lui permet d'éviter de prendre position, ce qui ne semble pas avoir été rentable auprès des électeurs. La neutralité envers ENA permet également d'éviter de prendre la position inconfortable de rivale, quand le Parti libéral s'allie, contrairement à ses traditions, avec l'Église et les milieux nationalistes.

La drôle de victoire de l'Union nationale dans l'espace électif en 1966 est un accident de parcours qui s'explique en partie par les modifications qui se sont produites dans certaines des relations que nous venons de commenter. Dans le graphique 6, nous illustrons la configuration des relations de 1976 à 1985, en signalant au besoin les modifications qui se sont produites par rapport au début des années 1970 et aussi à la fin de la sous-période.

DU DÉBUT DES ANNÉES 1970 AU DÉBUT DES ANNÉES 1980

La montée du Parti québécois, avec ses partis pris bien affirmés dans l'espace extra-sociétal et dans l'espace intra-sociétal, provoque une polarisation plus nette que durant les sous-périodes précédentes. Comme on le voit dans le graphique 6, les relations de neutralité sont à peu près absentes, de même d'ailleurs que les relations alternées. Les relations d'alliance et de rivalité occupent presque toute la place.

Les relations et leurs modifications durant la sous-période

Les relations du Parti libéral ne changent pas dans l'espace extra-sociétal où son alliance avec le Parti libéral du Canada est toujours tempérée de rivalité, Bourassa et Ryan n'ayant pas les mêmes vues que Trudeau. Dans l'espace intra-sociétal cependant, les relations du Parti libéral sont très différentes de celles du temps de la Révolution tranquille :

1) L'alliance avec les syndicats et les milieux intellectuels progressistes se transforme en rivalité dans les années 1970 avec les

grèves dans le secteur public et l'emprisonnement des chefs syndicaux en 1972. Le Parti québécois devient l'allié des syndicalistes et des intellectuels opposés comme lui au gouvernement libéral d'Ottawa ;

GRAPHIQUE 6

Relations les plus courantes entre les principaux acteurs politiques au Québec, du début des années 1970 au début des années 1980

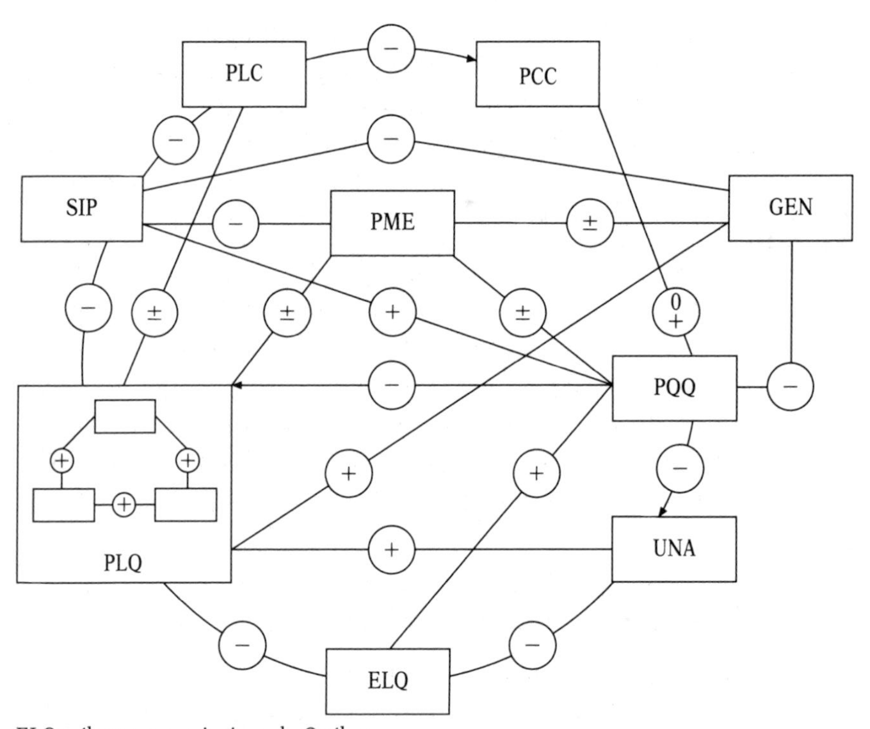

ELQ : électeurs provinciaux du Québec
GEN : grande entreprise
PCC : Parti conservateur du Canada
PLC : Parti libéral du Canada
PLQ : Parti libéral du Québec
PME : petite et moyenne entreprise
PQQ : Parti québécois
SIP : syndicats et intellectuels
UNA : Union nationale

2) Le Parti libéral de Québec redevient, par contre, l'allié de la grande entreprise et des milieux d'affaires, qui sont inversement les rivaux du Parti québécois dont ils ne partagent pas les vues souverainistes et sociodémocratiques ;

3) À l'exception des dernières années du leadership de Claude Ryan, il y a peu de divisions internes dans le Parti libéral, dont les différents groupes sont alliés les uns des autres ;

4) L'Église et les milieux nationalistes traditionnels ne sont plus des acteurs importants dans l'espace intra-sociétal. Par contre, à côté de la grande entreprise et des milieux d'affaires se trouve tout le monde de la PME (petites et moyennes entreprises), courtisé par le Parti québécois et le Parti libéral à la fois, et dont nous discuterons plus loin les relations avec les deux partis. Les syndicats et les intellectuels sont encore, dans les années 1970 et au début des années 1980, des rivaux de la PME, comme d'ailleurs de la grande entreprise ;

5) Le Parti québécois devient dès 1973 le principal rival du Parti libéral dans l'espace partisan, l'Union nationale étant réduite à un statut de parti mineur, sauf de 1976 à 1980 où elle a une dizaine de députés à l'Assemblée nationale. Nous avons exprimé cette baisse de statut de l'Union nationale en supprimant ses relations dans l'espace extra-sociétal et dans l'espace intra-sociétal, ce qui traduit assez bien le peu de visibilité que prennent ces relations après 1970.

Le Parti québécois a dans l'espace extra-sociétal des relations assez différentes de celles de l'Union nationale :

1) Avec le Parti libéral du Canada et le gouvernement central qu'il dirige, les relations sont carrément négatives. Plus encore que le Parti libéral du Québec, c'est le grand rival du Parti québécois, en particulier dans les années qui entourent le référendum et les négociations constitutionnelles ;

2) Avec le Parti conservateur, la neutralité habituelle du Parti québécois fait place à une relation plutôt positive quand Joe Clark dirige le gouvernement pendant quelques mois, de 1979 à 1980. L'alliance sera encore plus manifeste aux élections fédérales de 1984 avec Mulroney à la tête du Parti conservateur. C'est

évidemment la rivalité avec le Parti libéral fédéral qui entraîne le Parti québécois à cette alliance à peine voilée avec le Parti conservateur;

3) Restent les relations d'alliance-rivalité qui concernent les PME. Le Parti québécois est leur rival par ses visées sociodémocratiques, mais leur allié contre la grande entreprise. Le Parti libéral est leur allié parce qu'elles appartiennent au milieu des affaires, mais leur rival en ce qu'elles sont les alliés du gouvernement péquiste. L'ambivalence permet aux libéraux de s'affirmer à la fois comme alliés de la PME contre les syndicats et comme rivaux quand le Parti québécois se fait complaisant à l'endroit de la PME. De même, l'ambivalence permet au péquistes de s'afficher comme alliés de la PME contre les libéraux et la grande entreprise, mais aussi comme rivaux aux yeux des syndicats et des intellectuels.

Quelques transformations importantes se produisent au début des années 1980 et par la suite : elles vont permettre au Parti libéral de dominer le Parti québécois en obtenant l'appui de la majorité des électeurs non constants en 1985 et en 1989.

LES ANNÉES 1980

De 1982 à 1985, des changements notables se produisent dans les espaces extra-sociétal, intra-sociétal et partisan, ce qui entraîne des changements dans l'espace électoral. Tous ces changements profitent au Parti libéral et se font au détriment du Parti québécois dont les alliances, simples ou alternées, sont réduites, comme on le voit en comparant le graphique 7 au graphique 6.

Les relations et leurs modifications durant la sous-période

À l'exception des relations internes au parti et des relations avec la grande entreprise qui demeurent positives, toutes les autres relations du Parti libéral du Québec se transforment dès le début des années 1980 ou encore au cours de ces années :

1) Dans l'espace extra-sociétal, la relation avec le Parti conservateur, qui gouverne le Canada à partir de 1984, devient positive après la victoire des libéraux du Québec à la fin de 1985. Les deux partis et leurs chefs ont les mêmes positions sur le traité de libre-échange avec les États-Unis et sur l'accord du lac Meech. Avec le Parti libéral du Canada, la relation qui était d'alliance-rivalité devient de neutralité, selon une logique que nous expliquerons plus loin ;

2) Dans le même espace, la relation de neutralité entre le Parti libéral du Québec et celui du Canada est une relation de retrait commandée en quelque sorte par l'alliance du gouvernement libéral du Québec avec le gouvernement conservateur d'Ottawa, qui est désormais en relation de neutralité avec le Parti québécois. Les libéraux provinciaux ne peuvent pas se permettre d'être des rivaux des libéraux fédéraux. Il y a à la base des affinités qui demeurent entre les organisateurs et les militants des deux partis. La neutralité permet de les sauvegarder ;

3) Dans l'espace intra-sociétal, le Parti libéral a une relation qui est désormais clairement positive avec la petite et moyenne entreprise. Les relations avec les syndicats et les milieux intellectuels ne sont plus uniquement négatives. L'éloignement de ces milieux par rapport au gouvernement du Parti québécois, après les coupures de salaire de 1982, fait que leur relation avec les libéraux devient plus complexe ;

4) Avec les syndicats et les milieux progressistes, toujours dans le même espace, la rivalité mêlée d'alliance qui s'établit entre eux et le Parti québécois ne manque pas de transformer la relation avec le Parti libéral. Elle n'est jamais d'alliance, car les oppositions demeurent assez fondamentales entre les deux acteurs. Elle alterne plutôt entre la neutralité et la rivalité, la première relation caractérisant assez bien les négociations de 1986 dans le secteur public, alors que la deuxième détermine plutôt les négociations de 1989, en particulier au moment de la campagne électorale. La composante de rivalité qui demeure dans la relation permet d'ailleurs au parti et au gouvernement libéral de maintenir la cohésion dans les triades qui incluent, en

GRAPHIQUE 7

Relations les plus courantes entre les principaux acteurs politiques au Québec, du début des années 1980 à la fin des années 1980

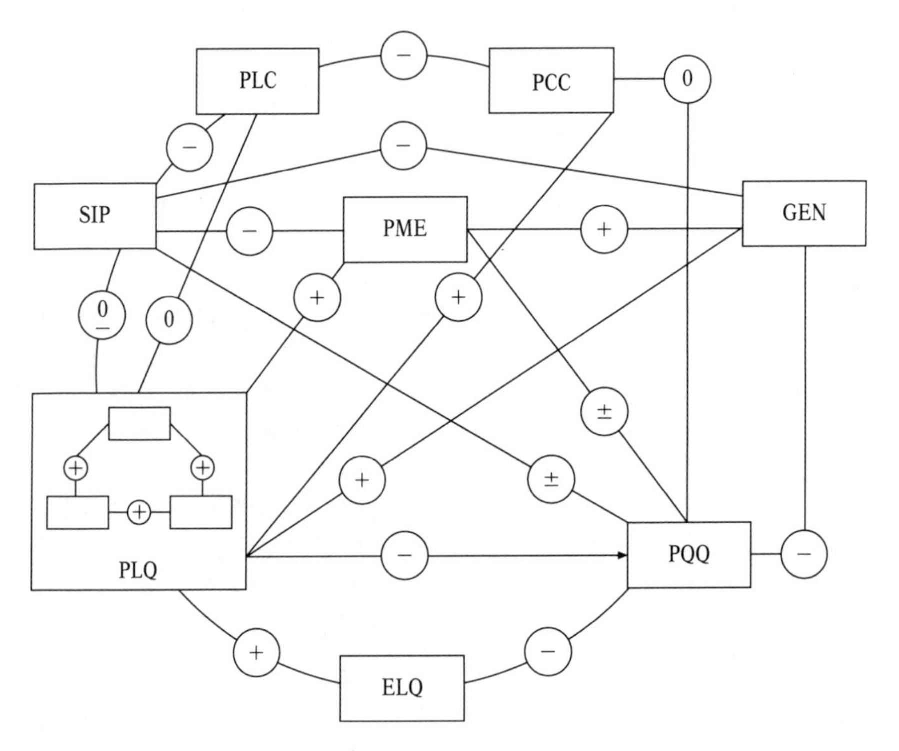

ELQ : électeurs provinciaux du Québec
GEN : grande entreprise
PCC : Parti conservateur du Canada
PLC : Parti libéral du Canada
PLQ : Parti libéral du Québec
PME : petite et moyenne entreprise
PQQ : Parti québécois
SIP : syndicats et intellectuels

plus des syndicats et des milieux progressistes, la grande entreprise ou encore la petite et moyenne entreprise. La relation d'alternance favorise aussi la cohésion dans la triade qui comprend le Parti québécois, que ce parti soit allié ou rival des milieux syndicaux et progressistes ;

5) Dans l'espace partisan et dans l'espace électoral, le Parti libéral domine son rival, le Parti québécois, à partir de 1985. Les changements de signe que nous venons de noter l'expliquent en bonne partie.

CONCLUSION

La théorisation structurale des alliances et la formalisation, qui en découle, des relations d'alliance, de rivalité et de neutralité, étudiée dans une perspective de cohésion, permettent de faire la synthèse des principales relations que le Parti libéral a établies avec les autres sources de puissance des espaces extra-sociétal, intra-sociétal et partisan et d'expliquer par là ses succès ou ses échecs dans l'espace électoral. Cette démarche structurale ne dit pas tout de ces relations, mais elle a l'avantage de faire ressortir l'aspect proprement relationnel dans les rapports entre acteurs et de montrer qu'il y a une logique des relations. Nous proposions dans l'introduction que cette dimension relationnelle et la logique qui la sous-tend inspirent l'action des acteurs politiques, tout autant sinon plus que les calculs plus proprement économiques. Nous espérons l'avoir démontré de façon suffisamment convaincante au cours de l'ouvrage et tout particulièrement dans l'appendice.

La formalisation des relations d'alliance, de rivalité et de neutralité, considérées de façon simple ou encore en combinaison l'une avec l'autre, permet, par les prédictions généralement pertinentes qui l'accompagnent, de donner des explications satisfaisantes de la situation du Parti libéral dans le système politique. Nous sommes bien conscient, cependant, que beaucoup de travail reste encore à faire avant de développer une théorie structurale des relations apte à donner une explication plus complète de l'action des partis. Nous voudrions suggérer pour finir les principaux développements qui devraient être apportés à la théorie afin d'en arriver à cette explication plus complète.

Premièrement, il y aurait lieu, dans une étude plus poussée de la structuration des relations entre les acteurs, d'inclure plus d'acteurs que nous ne l'avons fait ici dans l'appendice. Les partis autres que les deux principaux ont été ignorés, alors que, dans une étude plus complète, il aurait fallu prendre en considération le Nouveau Parti démocratique et les partis créditistes, ou encore le Bloc populaire au milieu des années 1940. Des sources de puissance non négligeables dans la société ont aussi été ignorées, comme les différents groupes nationalistes ou socialistes des années 1930, les artistes et chansonniers dans les années 1970 ou encore les milieux terroristes à la même époque. Ensuite, il y aurait sans doute lieu, dans le cas de certains acteurs, de les décomposer à l'intérieur d'eux-mêmes, comme nous l'avons fait pour le Parti libéral du Québec, et d'étudier la cohésion dans leurs relations internes. Enfin, et surtout, c'est évidemment une simplification outrancière que de considérer les électeurs du Québec dans leur totalité. Dans une analyse plus complexe, il faudrait distinguer les électeurs constants des différents partis et les autres, et, parmi ces autres, ceux qui ont tendance à s'abstenir et ceux qui ont tendance à appuyer de façon conjoncturelle un des partis.

Deuxièmement, dans le cas de certaines relations entre acteurs, il conviendrait de distinguer entre la relation telle qu'elle est vécue par l'un des deux et la relation telle qu'elle est vécue par l'autre. Soit la relation entre les deux partis libéraux au cours de la dernière période que nous avons étudiée. La relation de neutralité que nous avons posée est davantage le fait du Parti libéral du Québec que du Parti libéral du Canada. Celui-ci, avec John Turner à sa tête, cherchait plutôt à établir une relation d'alliance, ou tout au moins une alternance entre la neutralité et l'alliance, ce qui aurait évidemment supposé, selon la loi de la cohésion, que dans les situations d'alliance la relation du Parti libéral du Québec avec le Parti conservateur soit une relation de rivalité.

Troisièmement, ce cas et les autres de bilatéralité pourraient être expliqués grâce à une complexification apportée à la loi de la cohésion qui consisterait à distinguer chez un acteur son statut et ses positions, étant entendu qu'aux yeux d'un autre acteur il peut y avoir accord ou non entre les deux. Il s'agit des phénomènes de consonance ou de dissonance cognitive, d'abord étudiés par Festinger (1957), et qui ont suscité depuis beaucoup d'intérêt.

Pour reprendre l'exemple précédent, si le Parti libéral du Canada a, supposément, une relation qui alterne entre la neutralité et l'alliance, ce serait parce qu'il évalue positivement le statut de l'autre parti libéral tout en étant réservé par rapport à certaines de ces positions, en particulier celle sur le libre-échange. Le Parti libéral du Québec, au contraire, évaluerait de la même façon le statut du parti fédéral et ses positions. Jugeant qu'il vaut mieux pour lui ne s'identifier ni au parti fédéral ni à ses positions, il adopterait une attitude de retrait, c'est-à-dire de neutralité, la rivalité étant exclue pour les raisons que nous avons signalées plus haut.

Quatrièmement, il faudrait pouvoir pondérer les unes par rapport aux autres les relations d'un acteur avec les autres acteurs qui lui sont reliés. Ainsi, des deux relations du Parti libéral du Québec au cours des années 1980, l'une avec le Parti québécois et l'autre avec la petite et moyenne entreprise, c'est la première qui compte le plus et il importe qu'elle soit négative. C'est dire que la relation à la petite et moyenne entreprise pourra se transformer, mais non celle avec le Parti québécois, ce qui s'est d'ailleurs produit des années 1970 aux années 1980 (voir les graphiques 6 et 7). Cette pondération relative des relations renvoie d'ailleurs à une question que nous avons soulevée à quelques occasions au cours de l'ouvrage, soit celle de l'importance relative des espaces extra-sociétal, intra-sociétal et partisan, d'une part dans l'action des partis et la formation de leurs relations avec les sources de puissance, et d'autre part dans l'évaluation que les électeurs font de ces relations.

Cette question est sans doute l'une des principales auxquelles il faudrait répondre dans le développement d'une théorie plus achevée des alliances, rivalités et neutralités dans les systèmes partisans et plus largement dans les systèmes politiques.

Ouvrages cités

AXELROD, R., 1970, *Conflict of Interest: A Theory of Divergent Goals with Applications to Politics*, Chicago, Markham.

BAILEY, F.G., 1971, *Les règles du jeu politique*, Paris, Presses universitaires de France.

BATESON, G., 1972, *Steps to an Ecology of Mind*, New York, Ballantine.

BÉLANGER, R., 1986, *Wilfrid Laurier. Quand la politique devient passion*, Québec, Les Presses de l'Université Laval.

BERGERON, G., 1966, *Les partis libéraux du Canada et du Québec, 1955-1965*, étude préparée pour la Commission royale d'enquête sur le bilinguisme et le biculturalisme.

BERNARD, A., 1976a, « L'abstentionnisme des électeurs de langue anglaise du Québec », D. LATOUCHE *et al.*, *Le processus électoral au Québec : les élections provinciales de 1970 et 1973*, Montréal, Hurtubise HMH, p. 155-166.

BERNARD, A., 1976b, *Québec : élections 1976*, Montréal, Hurtubise HMH.

BERNARD, A. et B. DESCÔTEAUX, 1981, *Québec : élections 1981*, Montréal, Hurtubise HMH.

BERNIER, G. et R. BOILY, 1986, *Le Québec en chiffres de 1850 à nos jours*, Montréal, ACFAS.

BLAIS, A. et J. CRÊTE, 1986, « La clientèle péquiste en 1985 : caractéristiques et évolution », *Politique*, vol. 10 (automne), p. 5-29.

BLAIS, A. et J. CRÊTE, 1991, « Pourquoi l'opinion publique au Canada anglais a-t-elle rejeté l'accord du lac Meech ? », R. HUDON et R. PELLETIER (dir.), *L'engagement intellectuel. Mélanges en l'honneur de Léon Dion*, Sainte-Foy, Les Presses de l'Université Laval, p. 385-400.

BLAIS, A. et K. MCROBERTS, 1983, « Public Expenditure in Ontario and Quebec, 1950-1980 : Explaining the Differences », *Journal of Canadian Studies*, vol. 18, n° 1, p. 28-53.

BLAIS, A. et R. NADEAU, 1984a, « L'appui au Parti québécois : évolution de la clientèle de 1970 à 1981 », J. CRÊTE (dir.), *Comportement électoral au Québec*, Chicoutimi, Gaëtan Morin, p. 279-318.

BLAIS, A. et R. NADEAU, 1984b, « La clientèle du oui », J. CRÊTE (dir.), *Comportement électoral au Québec*, Chicoutimi, Gaëtan Morin, p. 321-334.

BOILY, R., 1971, *La réforme électorale au Québec*, Montréal, Éditions du Jour.

BROWNE, E.C., 1973, *Coalition Theories : A Logical and Empirical Critique*, Beverly Hills, Sage.

BROWNE, E.C. *et al.*, 1984, « An « Events » Approach to the Problem of Cabinet Stability », *Comparative Political Studies*, vol. 17, n° 2, p. 167-197.

BROWNE, E.C. et P. RICE, 1979, « A Coalition Theory of Cabinet Formation », *British Journal of Political Science*, vol. 9, n° 1, p. 67-87.

CARDINAL, M. *et al.*, 1978, *Si l'Union nationale m'était contée...*, Montréal, Boréal.

CARTWRIGHT, D. et F. HARARY, 1979, « Balance and Clusterability : An Overview », P.W. HOLLAND et S. LEINHARDT (dir.), *Perspectives on Social Network Research*, New York, Academic Press, p. 25-50.

CHALOULT, M., 1982, « La structure des partis politiques dans l'Est du Québec », V. LEMIEUX (dir.), *Personnel et partis politiques au Québec*, Montréal, Boréal, p. 155-174.

CLARKSON, S. et C. MCCALL, 1990, *Trudeau: l'homme, l'utopie, l'histoire*, Montréal, Boréal.

CLICHE, P., 1961, « Les élections provinciales dans le Québec, de 1977 à 1956 », *Recherches sociographiques*, vol. 2, nos 3-4, p. 337-372.

CLOUTIER, E. *et al.*, 1992, *Le virage. L'évolution de l'opinion publique au Québec depuis 1960*, Montréal, Boréal.

COMEAU, P.-A., 1965, « La transformation du Parti libéral québécois », *Revue canadienne d'économique et de science politique*, vol. 31, n° 3, p. 358-367.

COMEAU, R. (dir.), 1989, *Jean Lesage et l'éveil d'une nation*, Sillery, Les Presses de l'Université du Québec.

DE SWAAN, A., 1973, *Coalition Theories and Cabinet Formation*, Amsterdam, Elsevier.

DE SWAAN, A., 1975, « A Classification of Parties and Party Systems According to Coalitional Options », *European Journal of Political Research*, vol. 3, n° 4, p. 361-375.

DION, L., 1966, *Le bill 60 et le public*, Montréal, Les Cahiers de l'Institut canadien d'éducation des adultes (n° 1).

DION, L., 1967, *Le bill 60 et la société québécoise*, Montréal, HMH.

DION, S. et J.I. GOW, 1989, « L'administration québécoise à l'heure des libéraux », D. MONIÈRE (dir.), *L'année politique 1987-1988 au Québec*, Montréal, Québec/Amérique, p. 61-76.

DORVAL, S., 1959, « Les structures anciennes et nouvelles du Parti libéral provincial », essai de maîtrise en science politique, Université Laval.

DOWNS, A., 1957, *An Economic Theory of Democracy*, New York, Harper.

DROUILLY, P., 1990, « L'élection du 25 septembre 1989, une analyse des résultats », D. MONIÈRE (dir.), *L'année politique 1989-1990 au Québec*, Montréal, Québec/Amérique, p. 102-122.

DUPONT, A., 1972, *Les relations entre l'Église et l'État sous Louis-Alexandre Taschereau, 1920-1936*, Montréal, Guérin.

FESTINGER, L., 1957, *A Theory of Cognitive Dissonance*, Evanston, Row-Peterson.

FRASER, G., 1984, *Le Parti québécois*, Montréal, Libre Expression.

GAGNON, J.-L., 1986, *Les apostasies*, t. 2: *Les dangers de la vertu*, Montréal, La Presse.

GAMSON, W.A., 1961, « A Theory of Coalition Formation », *American Sociological Review*, vol. 26, n° 3, p. 373-382.

GÉLINAS, A., 1975, *Organismes autonomes et centraux*, Montréal, Les Presses de l'Université du Québec.

GENEST, J.-G., 1977, « Vie et œuvre d'Adélard Godbout, 1892-1956 », thèse de doctorat ès lettres (histoire), Université Laval.

GOW, J.I., 1986, *Histoire de l'administration publique québécoise, 1867-1970*, Montréal, Les Presses de l'Université de Montréal.

HAMELIN, J., 1964, « Commentaires », J.-L. GAGNON *et al.*, *Nos hommes politiques*, Montréal, Les Éditions du Jour, p. 28-31.

HAMELIN, J. *et al.*, 1959-1960, « Les élections provinciales dans le Québec », *Cahiers de géographie de Québec*, vol. 4, n° 7, p. 5-207.

HARARY, F. *et al.*, 1968, *Introduction à la théorie des graphes orientés*, Paris, Dunod.

HOCART, A.M., 1935, *Les progrès de l'homme*, Paris, Payot.

HOCART, A.M., 1978, *Rois et courtisans*, Paris, Seuil.

LAPALME, G.-É., 1970, *Le vent de l'oubli (mémoires)*, t. 2, Montréal, Leméac.

LAPALME, G.-É., 1988, *Pour une politique*, Montréal, VLB éditeur.

LA PALOMBARA, J. et M. WEINER (dir.), 1966, *Political Parties and Political Development*, Princeton, Princeton University Press.

LAPIERRE, J.W., 1973, *L'analyse des systèmes politiques*, Paris, Presses universitaires de France.

LATOUCHE, D., 1974, « La vraie nature... de la révolution tranquille », *Revue canadienne de science politique*, vol. 3, n° 3, p. 525-536.

LAVOIE, M., 1981, « La campagne électorale de 1981 », document préparé dans le cadre d'un stage parlementaire.

LEMIEUX, V., 1961, « Les élections provinciales dans le comté de Lévis de 1912 à 1960 », *Recherches sociographiques*, vol. 2, nos 3-4, p. 367-399.

LEMIEUX, V., 1967, « La redistribution électorale », A. BARBEAU *et al.*, *Pour une politique québécoise*, Montréal, Éditions du Jour, p. 135-142.

LEMIEUX, V., 1971a, *Parenté et politique. L'organisation sociale dans l'île d'Orléans*, Québec, Les Presses de l'Université Laval.

LEMIEUX, V., 1971b, « Les partis et leurs contradictions », J.-L. MIGUÉ (dir.), *Le Québec d'aujourd'hui. Regards d'universitaires*, Montréal, HMH, p. 153-171.

LEMIEUX, V., 1973, *Le quotient politique vrai. Le vote provincial et fédéral au Québec*, Québec, Les Presses de l'Université Laval.

LEMIEUX, V., 1982, « La Révolution tranquille: du patronage au réglage », *Recherches sociographiques*, vol. 23, n° 3, p. 335-346.

LEMIEUX, V., 1984, « La politique et l'expression de la supériorité », *L'Analyste*, vol. 7 (automne), p. 16-21.

LEMIEUX, V., 1985, *Systèmes partisans et partis politiques*, Sillery, Les Presses de l'Université du Québec.

LEMIEUX, V., 1988, « Les régions et le vote libéral des années 1980 », *Recherches sociographiques*, vol. 24, n° 1, p. 45-58.

LEMIEUX, V., 1989, *La structuration du pouvoir dans les systèmes politiques*, Québec, Les Presses de l'Université Laval.

LEMIEUX, V., 1991, *Les relations de pouvoir dans les lois. Comparaison entre les gouvernements du Québec de 1944 à 1985*, Sainte-Foy, Les Presses de l'Université Laval et L'Institut d'administration publique du Canada.

LEMIEUX, V. *et al.*, 1970, *Une élection de réalignement. L'élection générale du 29 avril 1970 au Québec*, Montréal, Éditions du Jour.

LEMIEUX, V. *et al.*, 1974, « La régulation des affaires sociales: une analyse politique », *Administration publique du Canada*, vol. 17, n° 1, p. 37-54.

LEMIEUX, V. et R. HUDON, 1975, *Patronage et politique au Québec, 1944-1972*, Sillery, Boréal.

LEMIEUX, V. et F. RENAUD, 1982, « Activités et stratégies des partis dans la région de Québec », V. LEMIEUX (dir.), *Personnel et partis politiques au Québec*, Montréal, Boréal, p. 175-204.

LE MOIGNE, J.-L., 1984, *La théorie du système général*, Paris, Presses universitaires de France.

LÉONARD, J.-F. (dir.), 1988, *Georges-Émile Lapalme*, Montréal, Les Presses de l'Université du Québec.

LÉVESQUE, M., 1991, « Historiographie des causes de la défaite du Parti libéral au Québec lors de l'élection du 5 juin 1966 », R. COMEAU *et al.*, *Daniel Johnson. Rêve d'égalité et projet d'indépendance*, Sillery, Les Presses de l'Université du Québec, p. 123-159.

LINTEAU, P.-A. *et al.*, 1979, *Histoire du Québec contemporain. De la Confédération à la crise (1867-1929)*, Montréal, Boréal.

LINTEAU, P.-A. *et al.*, 1986, *Histoire du Québec contemporain. Le Québec depuis 1930*, Montréal, Boréal.

LOVINK, J.A., 1976, « Le pouvoir au sein du Parti libéral du Québec, 1897-1936 », R. PELLETIER (dir.), *Partis politiques au Québec*, Montréal, Hurtubise HMH, p. 91-116.

MASSICOTTE, L., 1990, « Le financement populaire des partis au Québec. Analyse des rapports financiers, 1977-1988 », communication présentée au colloque en hommage à la mémoire de K.Z. Paltiel, Ottawa, le 9 février.

MASSICOTTE, L. et A. BERNARD, 1985, *Le scrutin au Québec : un miroir déformant*, Montréal, Hurtubise HMH.

MCROBERTS, K., 1988, *Quebec: Social Change and Political Crisis*, 3e éd., Toronto, McClelland and Stewart.

MURRAY, D. et V. MURRAY, 1978, *De Bourassa à Lévesque*, Montréal, Quinze.

O'NEILL, P. et J. BENJAMIN, 1978, *Les mandarins du pouvoir*, Montréal, Québec/Amérique.

OUELLET, F., 1989, « Générations et changements dans le système de partis : le cas du Québec », J. CRÊTE et P. FAVRE (dir.), *Générations et politique*, Québec, Les Presses de l'Université Laval ; Paris, Economica, p. 181-232.

PARTI LIBÉRAL DU QUÉBEC, 1977, *Le Québec des libertés*, Montréal, Les Éditions de l'Homme.

PELLETIER, R., 1988, « Permanence et changement de l'élite politique québécoise. Une analyse diachronique », *Alternance et changements politiques. Les expériences canadienne, québécoise et française*, cahier n° 4, CERAT, Université de Grenoble, p. 333-363.

PELLETIER, R., 1989, *Partis politiques et société québécoise. De Duplessis à Bourassa, 1944-1970*, Montréal, Québec/Amérique.

PELLETIER, R., 1990, « La vie parlementaire », D. MONIÈRE (dir.), *L'année politique 1989-1990 au Québec*, Montréal, Québec/Amérique, p. 11-20.

PINARD, M. et R. HAMILTON, 1984, « Les Québécois votent non : le sens et la portée du vote », J. CRÊTE (dir.), *Comportement électoral au Québec*, Chicoutimi, Gaëtan Morin, p. 335-385.

RAYNAULD, A., 1974, *La propriété des entreprises au Québec. Les années 60*, Montréal, Les Presses de l'Université de Montréal.

RAYNAULD, A. et F. VAILLANCOURT, 1984, *L'appartenance des entreprises. Le cas du Québec en 1978*, Québec, Éditeur officiel.

RIKER, W.H., 1962, *The Theory of Political Coalitions*, New Haven, Yale University Press.

ROSE, R., 1984, *Do Parties Make a Difference ?*, Chatham, Chatham House.

RUDIN, R., 1985, *The Forgotten Quebecers. A History of English-Speaking Quebec, 1759-1980*, Québec, Institut québécois de recherche sur la culture.

RUMILLY, R., 1973, *Maurice Duplessis et son temps*, t. 2 : *1944-1959*, Montréal, Fides.

SIMARD, J.-J., 1973, *La longue marche des technocrates*, Laval, Éditions Saint-Martin.

SIMEON, R., 1972, *Federal-Provincial Diplomacy. The Making of Recent Policy in Canada*, Toronto, University of Toronto Press.

STROM, K., 1990, *Minority Government and Majority Rule*, Cambridge, Cambridge University Press.

TAYLOR, M., 1978, *Health Insurance and Canadian Public Policy*, Montréal, McGill-Queen's University Press.

THOMSON, D.C., 1984, *Jean Lesage et la Révolution tranquille*, Saint-Laurent, Éditions du Trécarré.

TUOHY, C., 1988, « Medicine and the State in Canada : The Extra-Billing Issue in Perspective », *Revue canadienne de science politique*, vol. 21, n° 2, p. 267-296.

VASTEL, M., 1989, *Trudeau le Québécois*, Montréal, Les Éditions de l'Homme.

VEYNE, P., 1976, *Le pain et le cirque. Sociologie historique d'un pluralisme politique*, Paris, Seuil.

VIGOD, B.L., 1986, *Quebec Before Duplessis. The Political Career of Louis-Alexandre Taschereau*, Montréal, McGill-Queen's University Press.

WARD, N., 1966, *A Party Politician. The Memoirs of Chubby Power*, Toronto, MacMillan.

WARWICK, P., 1979, « The Durability of Coalition Governments in Parliamentary Democracy », *Comparative Political Studies*, vol. 11, n° 4, p. 476-498.

WATZLAWICK, P. *et al.*, 1972, *Une logique de la communication*, Paris, Seuil.

WHITAKER, R., 1977, *The Government Party, Organizing and Financing the Liberal Party of Canada, 1930-58*, Toronto, University of Toronto Press.

LISTE DES TABLEAUX

LISTE DES GRAPHIQUES

TABLE DES MATIÈRES

Cet ouvrage a été composé
en caractères New Aster
par l'atelier Mono-Lino inc.
de Québec, en février 1993

Achevé d'imprimer
en mars 1993 sur les presses
des Ateliers Graphiques Marc Veilleux Inc.
Cap-Saint-Ignace, Qué.